Cette édition des Œuvres de Maine de Biran est établie, toutes les fois que c'est possible, en suivant rigoureusement les manuscrits. Lorsque ceux-ci manquent, le texte est obtenu en confrontant les diverses éditions s'il y a lieu ; sinon, elle reprend, en indiquant sa provenance, la seule édition connue.

Une barre verticale | signale les changements de page du manuscrit correspondant, dont la pagination est donnée dans la marge par un chiffre gras. Les notes originales sont appelées par des astérisques*. Les variantes, appelées par des chiffres en caractères maigres et en exposant [1 2 3], signalent le début d'un passage que l'auteur a modifié sans le supprimer, ou qui présente une anomalie quelconque, ou bien la place où une addition doit être intercalée. On trouvera au bas de la page le texte de la variante ou les observations de l'éditeur sur la présentation du texte ; celles-ci sont toujours imprimées en italique. L'orthographe des manuscrits a été systématiquement modernisée. Un blanc [   ] signifie un mot non déchiffré. Des crochets à l'intérieur d'un mot (analyt[ique]) signifient une abréviation complétée par l'éditeur. Un mot entre [crochets] est une adjonction de l'éditeur. [? Fondement] signifie une lecture douteuse.

Les notes de l'éditeur, regroupées en fin de volume, sont appelées par des chiffres entre parenthèses (1), et numérotées continûment comme les variantes. Elles ne prétendent pas constituer un commentaire de l'ouvrage : elles visent à expliciter les références faites par l'auteur, à restituer exactement des citations incorrectes ou partielles, à fournir des repères bibliographiques lorsque cela paraît nécessaire pour la bonne compréhension du texte.

Les volumes peuvent comporter des appendices, constitués par des variantes démesurément longues, des versions différentes du même texte empruntées à d'autres manuscrits, des documents relatifs à la rédaction de l'œuvre, des comptes rendus dans des revues contemporaines de la première publication, etc.

Une bibliographie des ouvrages utilisés, un index des noms et un index des matières complètent chaque volume.

MAINE DE BIRAN

DERNIÈRE PHILOSOPHIE MORALE ET RELIGION

MAINE DE BIRAN

ŒUVRES

publiées sous la direction de François AZOUVI

BIBLIOTHÈQUE DES TEXTES PHILOSOPHIQUES
Directeur : Henri GOUHIER

MAINE DE BIRAN

ŒUVRES

Tome X-1

DERNIÈRE PHILOSOPHIE MORALE ET RELIGION

Édité par

Marc B. de LAUNAY

Ouvrage publié avec le concours du Centre National de la Recherche Scientifique

PARIS
LIBRAIRIE PHILOSOPHIQUE J. VRIN
6, Place de la Sorbonne, V^e
1987

ISBN 2-7116-2059-X (édition complète)
ISBN 2-7116-2069-7 (Tome X-1)

INTRODUCTION

Les textes que nous présentons dans ce volume s'échelonnent entre 1818 et 1823. Ils reflètent pour l'essentiel le mouvement intellectuel par lequel, de plus en plus nettement, Maine de Biran fait sien le christianisme, ou, plus exactement, un platonisme relu à la lumière de la tradition chrétienne (cf. H. Gouhier, *Œuvres de Maine de Biran*, Paris, Aubier-Montaigne, 1942, p. 36 sq., ainsi que *Les Conversions de Maine de Biran*, Paris, Vrin, 1948).

Nous avons réparti ces textes en trois groupes. Le premier rassemble des manuscrits, publiés par Naville, pour l'essentiel, par Victor Cousin, et un inédit (*Mot de Socrate*). L'approfondissement du « platonisme » de Maine de Biran y est sensible de l'« Examen critique des opinions de M. de Bonald » aux « Notes de l'Évangile de saint Jean ». Le deuxième est constitué par des notes marginales qui figurent dans ce volume pour des raisons de proximité thématique évidente : c'est, bien entendu, le cas des notes sur les *Recherches philosophiques* de Bonald, mais également des remarques faites au cours de la lecture des deux premiers volumes de l'*Essai sur l'indifférence en matière de religion* de l'abbé de Lamennais, et qui accompagnent la dernière « conversion » de Maine de Biran. Le troisième groupe, enfin, est constitué de textes et fragments inédits qui, à l'exception d'un seul (*Note pour le chapitre du désir*, qui est conservé à la Bibliothèque de l'Institut), appartiennent au fonds Victor Cousin. Ces textes témoignent des lectures, des intérêts et des préoccupations de Maine de Biran durant les dernières années de sa vie et s'ordonnent pour l'essentiel autour de relectures de Plotin, Proclus, saint Augustin et du thème des « trois vies ».

Le manuscrit 2123 intitulé « Examen critique des opinions de M. de Bonald », conservé à la Bibliothèque de l'Institut, peut être daté de 1818 (cf. *Journal*, t. II, p. 145 sq.) et se poursuit tout au long de l'année 1819. E. Naville et M. Debrit l'ont pour la première fois édité dans le tome III des *Œuvres inédites de Maine de Biran*, p. 67-278 ; l'édition Tisserand reprend ce texte sans changement dans le tome XII. Naville et Debrit n'ont pas suivi l'ordre du manuscrit que nous rétablissons, de même qu'ils ont laissé de côté les folios 308-329 et 399-414 dont nous éditons les passages cohérents qui ne sont ni des brouillons ni des notes préparatoires aux folios précédents. Ce travail sur de Bonald s'appuie, en outre, sur nombre de notes éparses et de brouillons qui sont rassemblés dans le manuscrit 2136

(B.I.), folios 144-243, et dont l'essentiel prépare les textes que nous rééditons sans qu'il y ait entre ces deux groupes de manuscrits d'autre écart pertinent que celui de la formulation, les arguments de Maine de Biran restant tout au long les mêmes, souvent répétés par leur auteur. L'essentiel de la discussion porte sur l'ouvrage de J.-M. Degérando, *Histoire comparée des systèmes de philosophie relativement au principe des connaissances humaines*, Paris, 1804 — cité par de Bonald au chap. I de son livre —, sur la question de l'origine du langage (de Bonald, *op. cit.*, chap. II, III et VIII) et sur le problème de la « définition de l'homme » (c'est-à-dire la question traditionnelle des rapports de l'âme et du corps, chap. IV, V surtout, VI, VII et IX).

« Le sens intime et la croyance maintiennent la philosophie au niveau d'êtres ne présentant dans leur structure concrète que la passivité organique et l'activité du *moi*. Vers 1818, Maine de Biran découvre une passivité d'un autre ordre, celle de l'âme religieuse sous la grâce ; à la "vie animale" et à la "vie humaine", il ajoute la "vie de l'esprit". Bien que l'expression "les trois vies" ne soit pas employée, l'idée se trouve complètement exposée dans une page des *Fragments relatifs aux fondements de la morale et de la religion*. » (1) C'est dans ces termes que dans son introduction aux *Œuvres de Maine de Biran*, H. Gouhier présente le tournant de 1815 qui conduit Maine de Biran à sa « dernière philosophie ». Les *Fragments relatifs aux fondements*... datent de 1818 (cf. *Journal*, t. II, p. 100 sq. et p. 104). Ils ont été édités par Ernest Naville et Marc Debrit qui les font précéder d'une longue introduction sur la morale de Maine de Biran (cf. E. Naville, *op. cit.*, t. III, p. 3-68 ; réédition sans changement par P. Tisserand, *Œuvres de Maine de Biran*, t. XII, p. 7-45). Le texte de ce manuscrit est relié avec le manuscrit 2123 (B.I.) dont il constitue une autre liasse constituée de 95 folios. M. Debrit, puis H. Gouhier ont réalisé une prouesse en éditant ce texte très difficile à déchiffrer (cf. H. Gouhier, *Œuvres de Maine de Biran*, *op. cit.*, p. 256-284).

Le *Mot de Socrate* (ms. 2135, B.I., folios 1-28, dont il existe une copie au net à Genève, ms. 2167 d) est contemporain de la lecture de Proclus que Maine de Biran entreprend à partir de l'été 1819 (cf. lettre du 2 août 1819 à V. Cousin), Victor Cousin lui ayant confié une partie des textes de Proclus qu'il était en train d'éditer et qui furent publiés en 1820 (*Procli philosophi platonici opera inedita*, Paris, 1820, éd. revue et corrigée, 1864). Il s'agit pour l'essentiel d'un commentaire qui s'inspire du *de Providentia et fato* et le paraphrase dans la perspective d'une définition plus exacte de ce que serait la « vie de l'esprit » par rapport aux deux autres.

La *Note sur les deux révélations* est, semble-t-il, constituée de deux textes refondus dont les premières rédactions respectives remontent à des dates différentes, comme l'indique Tisserand dans son introduction au tome XIII (p. XVIII sq.). Le début de cette Note cite un extrait de Proclus que Maine de Biran a pu lire dès 1819, mais il semble, d'après le contexte immédiatement précédent, qu'il ait sous les yeux non pas le début de la

1. Cf. *infra*, folios 88-92 des *Fragments relatifs aux fondements*...

traduction de Victor Cousin, mais bien le livre publié. Ce qui permettrait de dater le texte de 1820 au plus tôt, ou de 1821, s'il faut accorder crédit à l'hypothèse selon laquelle Maine de Biran eût eu l'intention de publier cette Note en même temps que les *Nouvelles considérations*, Victor Cousin la publiant en appendice à ce dernier texte dans son édition de 1834 (p. 147-164, repris sans changement par Tisserand, t. XIII, p. 109-122) ; on trouvera à la Bibliothèque de l'Institut un brouillon du début de cette note (ms. 2148, folios 164-169). D'autre part, Maine de Biran fait allusion à un « extrait d'une réponse » à la « question qui [lui] avait été posée par un savant ami [Stapfer] ». Cette réponse a été tout d'abord écrite au début du mois de décembre 1818, comme en témoigne le *Journal* (cf. t. II, p. 185 sq. du 1er au 10 décembre) : « J'ai employé ce temps partie en distractions et partie à la composition d'un morceau de philosophie mystique sur les deux *révélations*, adressé à M. Stapfer, sur cette question : les anciens philosophes ont-ils reconnu la nécessité d'une révélation divine ? Le 8, j'ai lu ce morceau à ma petite société philosophique, MM. Ampère, Cousin, Loyson, etc. Le 10, je l'ai envoyé à M. Stapfer. » H. Gouhier, dans la note qu'il ajoute (en 1955) à ce passage du *Journal*, considère que le texte édité par Cousin est un remaniement qu'il faudrait dater de 1821.

Les *Notes sur l'Évangile de saint Jean*, qui sont constituées de deux textes, l'un de Charles Loyson, l'autre de Maine de Biran, ont pour origine un projet dû à l'initiative de Charles Loyson et poursuivi par Maine de Biran à la mort prématurée du premier en juin 1820 (cf. *Journal*, t. II, p. 281 sq.). Le manuscrit est conservé à la Bibliothèque de l'Institut (ms. 2120) sous la forme d'un Nouveau Testament (traduit sur la Vulgate par le Maistre de Sacy, édité chez J. Smith, 1819) où des feuilles blanches ont été reliées entre les pages du texte. Ch. Loyson avait commencé de rédiger son commentaire sur les folios 128-148 et Maine de Biran continua sur les folios 148-214. Étant donné que le projet fut sans doute discuté par les deux amis et qu'on peut ainsi le juger partiellement commun (cf. E. Naville, *op. cit.*, t. III, avant-propos de l'éditeur, p. 281-283), nous avons décidé de restituer le manuscrit sans en soustraire le commentaire de Ch. Loyson et de le publier, contrairement à l'usage en vigueur dans cette édition, dans le corps même du volume, et non en appendice. Dans la première édition de ces Notes (E. Naville, *op. cit.*, t. III, p. 285-313), l'éditeur n'avait pas donné la fin du commentaire de Loyson (folio 148 *in fine*), de même qu'il avait omis un passage de Maine de Biran (folio 154) ; P. Tisserand reprend l'édition Naville sans changement (au tome XIV, p. 403-428). E. Naville (et P. Tisserand à sa suite) ajoute à ces deux textes un troisième qu'il intitule « Nouvelles notes sur l'Évangile de saint Jean » (E. Naville, *op. cit.*, t. III, p. 314-320, P. Tisserand, *op. cit.*, t. XIV, p. 429-435), or il s'agit en fait d'un passage du *Journal*, daté de novembre 1823 (t. II, p. 412-417), c'est pourquoi ce texte ne figure pas dans le présent volume. Quant aux Notes sur le deuxième volume de l'*Essai sur l'indifférence en matière de religion* de l'abbé de Lamennais, qui datent vraisemblablement de 1820-1821, nous les avons reprises de l'édition Victor Cousin où elles ont été éditées pour la première fois au tome II, p. 399-427 (texte repris par P. Tisserand, *op. cit.*, t. XII, p. 225-250). Il est difficile de savoir si ces notes doivent être considérées comme des commentaires ou des *marginalia*. La longueur de certaines d'entre elles nous a décidé à les placer dans la section des commentaires.

Les notes marginales sur les *Recherches philosophiques* de M. de Bonald (Paris, Le Clère, 1818), ainsi que les notes sur les deux premiers volumes de l'*Essai sur l'indifférence...*, de Lamennais (Paris, Tournachon-Molin, 1817-1823) se trouvent dans les exemplaires de ces œuvres que possédait Maine de Biran, et sont conservées dans sa bibliothèque de Grateloup. Elles ont été éditées pour la première fois par Mme Hallet-Barbillion, *Choix de notes inédites de Maine de Biran*, Annales de l'Université de Grenoble, t. IX, 1932, aux pages 470-493 et 468-470 (textes repris par P. Tisserand, *op. cit.*, t. XII, p. 251-279 et p. 281-285).

Pour ce qui est enfin des Fragments, et puisqu'il s'agit d'inédits dont la datation précise et sûre est impossible à l'intérieur d'une fourchette comprise entre 1819 et 1823, nous avons adopté le principe suivant : à l'exception du premier texte (*Note pour le chapitre du désir — Extrait des* Confessions *de saint Augustin*) dont le manuscrit est conservé à la Bibliothèque de l'Institut, ms. 2137, folios 1-2, nous donnons tous les autres fragments dans l'ordre du foliotage de la Bibliothèque Victor-Cousin (ms. 9, « Papiers de Maine de Biran »).

Les « Extraits de Proclus » datent de 1819 ou de 1820 au plus tôt puisqu'ils sont une sorte de résumé commenté du *de Providentia et fato*, traduit à l'époque par Victor Cousin. Il en va sans doute de même pour la très courte « Note sur l'acte de la réflexion », bien qu'elle puisse être plus tardive (1822 ou 1823) sans qu'on puisse vraiment trancher. Il est, en revanche, difficile de situer précisément les « Fragments » qui suivent les « Extraits de Proclus », mais ils se rattachent thématiquement sans conteste aux réflexions de Maine de Biran sur la « troisième vie ». Il en va de même du texte suivant « Sur certains passages de Plotin » qui est à rapprocher des « Lettres sur l'amour » dont plusieurs extraits du *Journal* (t. II, août-octobre 1823, *passim*) et des carnets (*Journal*, t. III, « Carnet 1822-1823-1824 » et « Carnet vert 1823 ») se font si directement l'écho que la conjecture de datation est fort plausible. La « Note sur de Bonald », comme la « Note sur saint Augustin » datent au plus tôt de 1819, époque où Maine de Biran lit de près van Helmont qu'il cite abondamment dans ces deux textes (rien cependant n'interdit que ces notes fussent postérieures). La « Note sur de Maistre », enfin, date au plus tôt de 1821, année de parution des dernières *Soirées de Saint-Pétersbourg*.

Nous tenons, pour conclure, à remercier Monsieur et Madame François Azouvi dont les compétences, l'érudition et l'amitié patiente nous ont permis de mener à son terme l'édition de ce volume.

COMMENTAIRES

Source : BI, ms. 2123. Examen critique des opinions de M. de Bonald, 1818.

[EXAMEN CRITIQUE DES OPINIONS DE MONSIEUR DE BONALD]

[Définition de l'homme]

1 | L'expression[1] d'animal *raisonnable* est plus exacte que celle
d'*intelligence* servie par des organes. La première signifie que
l'homme ayant, en commun avec les animaux, la vie, la sensibilité
et la spontanéité des mouvements, en est distingué par l'attribut
de raison qui le caractérise, et fait tout le titre de sa prééminence.

Pour avoir l'*intelligence* ou la raison, il faut d'abord que la créa-
ture humaine existe en tant que telle, c'est-à-dire qu'elle ait la vie
2 sensitive, le mouvement spontané ; | et ce sont là les conditions néces-
saires de cette vie supérieure que nous appelons l'intelligence. Quoi-
que nous concevions, par abstraction, que l'âme raisonnable peut
être séparée de toute organisation matérielle, nous ne pouvons savoir
ce qu'elle serait en soi, ni surtout quelle sorte de fonctions propres
elle pourrait exercer, sans le corps organisé à qui elle est unie. Il
est donc naturel dans la définition de l'homme d'exprimer d'abord
ce qui constitue le fond de son existence actuelle, telle que
3 nous la concevons immédiatement, | ou les conditions nécessaires
de cette existence, avant d'exprimer l'attribut distinctif de l'*espèce*
humaine. Ajoutez que l'homme commence par la vie animale, que
cette vie est en jeu avant l'intelligence ou la raison : la définition
exprime cette priorité de temps. Au contraire, la définition que
M. de Bonald a empruntée et non point inventée, pèche sous plu-
sieurs rapports.

Il faudrait d'abord, pour qu'elle fût vraie, que la vie intellectuelle
fût première en *temps* et toujours prédominante ; que les vies
4 organique et animale lui fussent subordonnées | naturellement : ce
qui n'est pas, du moins dans l'état actuel. Il faudrait, en second
lieu, que tous les *organes* fussent également dépendants de l'intel-
ligence, ou soumis à l'activité du *moi*. Mais il s'en faut bien que

[1] *Variante* : définition

l'homme ne soit qu'une intelligence servie par des organes ; car,
au contraire, la partie de son organisation, seule essentielle à la vie,
est entièrement soustraite à l'action de la volonté, excitée, déve-
loppée ou altérée par des causes qui n'ont rien de commun avec
5 l'intelligence, | elle lui donne des lois bien plus qu'elle ne reçoit les
siennes, et contribue le plus souvent à l'obscurcir, à l'aveugler, à
paralyser toutes ses opérations.

Quand on considère, en résultat, que, pour le commun des hom-
mes, c'est le besoin de maintenir la vie animale, qui met en jeu les
facultés de l'esprit et toute l'industrie humaine, on pourrait se croire
fondé à dire plutôt que l'homme est une organisation *vivante ser-
vie* par *une intelligence*. Mais la définition serait encore inexacte
6 et fausse sous un point de vue essentiel ; car l'intelligence peut | bien
s'opposer à l'organisation, ou la contrarier et lui nuire loin de la
servir, de même que les organes s'opposent souvent par une force
propre aux opérations de l'intelligence. Il faudrait dire, pour plus
d'exactitude, que l'homme est une intelligence qui *se sert* (*utens*)
non des organes en général, mais de certains organes appropriés,
et que l'activité du *moi*, la force intelligente, met en jeu suivant
certaines conditions naturelles de l'organisation humaine. Ainsi on
n'exagérerait pas l'empire de l'âme, qui n'est point absolu
7 comme le suppose la définition ; | et on laisserait indéterminé le rap-
port des deux *forces* qui constituent l'humanité tout entière, rap-
port dont la détermination exacte pourrait seule résoudre le grand
problème de l'homme que M. de Bonald tranche, sans se douter
de sa difficulté.

M. de B[onald] n'ayant jamais rien analysé, et se laissant tou-
jours aller à un certain mouvement d'imagination, qui s'attache
uniquement aux figures de mots, est toujours au-delà ou en deçà
8 du vrai. Tantôt il exagère les | pouvoirs de l'âme, tantôt il les cir-
conscrit dans d'étroites bornes ; ici il semble que l'empire de l'âme
sur l'organisation est illimité ; là, dans un autre sens, il paraîtra
que l'âme ne peut rien sans l'organisation, et que le maître n'est
rien par lui-même sans ses ministres. Il en est de même pour le lan-
gage : on peut induire de l'opinion de M. de Bonald à ce sujet, qu'il
n'y a pas de pensée sans expression ou sans signe, ce qui rentre dans
le point de vue de l'école de Condillac ; et pourtant il dit, en
9 d'autres | occasions, que les expressions ne font que nous *révéler*
nos propres idées. Nous avions donc ces idées sans les signes ; aussi
reconnaît-il (1) que si « l'idée est innée, son expression est
acquise[2] ».

[2] *En marge :* Mais le langage révèle avoir pour sa vertu propre de mani-
fester immédiatement les idées

Cet auteur convient que dans certains états de *débilité corporelle* ou d'aliénation mentale, l'intelligence ne peut gouverner les organes, ou les organes ne peuvent servir l'intelligence, qu'il peut arriver que les organes, loin de servir l'intelligence, l'entraînent ellemême et la fassent servir à l'irrégularité de leurs mouvements. D'où il suit évidemment que la *définition* proposée ne vaut rien.
10 Car, | pour qu'elle fût bonne, il faudrait qu'elle exprimât un attribut essentiel à l'homme, ou propre à le caractériser dans quelque état, ou sous quelque modification qu'on le considérât. Or, si l'on reconnaît que l'intelligence, loin d'être toujours servie par les organes, leur est entièrement soumise dans certains cas extrêmes, et peut en être aussi plus ou moins aveuglée ou entraînée par eux dans des dérangements moins notables ; s'il est très rare que l'intelli-
11 gence soit en effet servie par les organes ; si pour | ses opérations les plus élevées, elle a besoin que ses organes soient en repos, et comme dans un état de sommeil plutôt que disposés à agir à la moindre velléité de l'âme, si tous les auteurs sacrés ou profanes qui ont pénétré le plus avant dans la nature humaine depuis Platon jusqu'à Descartes, depuis saint Paul jusqu'à Bossuet et Fénelon, s'accordent à considérer l'âme sensitive, ou l'organisation matérielle comme ayant ses lois propres opposées à celles de l'esprit, propres à l'empêcher et à lui nuire, plutôt qu'à le servir, et comme ne pouvant être réprimée sinon par une grâce particulière, que Dieu seul peut accorder à l'âme pour l'élever jusqu'à lui, et faire qu'elle vienne s'identifier ou s'absorber en lui ; si l'intelligence n'est ainsi véritablement telle, qu'en tant qu'elle ne se sert pas des organes sensitifs ou qu'elle s'en sépare, et en fait pour ainsi dire abstraction : si tout cela est vrai et reconnu par l'auteur lui-même, que devient la
13 définition | dont il est si fier ?

« Il paraît contraire, dit l'auteur, à la constitution morale de l'homme et à la *prééminence* incontestable de l'âme sur le corps, que l'âme ne puisse exercer sur les organes de la vie physique l'empire absolu, la souveraineté immédiate qu'elle exerce sur les organes plus nobles de la vie morale, et empêcher, par un acte intérieur de la volonté, l'estomac de digérer, ou le sang de circuler, comme elle empêche l'organe cérébral de *coopérer* à la pensée, ou la langue d'en produire l'expression. » (2) Loin que ces limites au pouvoir de la volonté soient opposées à la constitution morale de l'homme, elles en sont au contraire un des fondements. Par elles, l'homme constitué tel par sa nature mixte, et composé de deux vies, apprend à distinguer ce qui est en lui ou lui-même de ce qui ne l'est
14 pas, quoiqu'il en soit *touché* | de très près. Par là il complète le domaine de la liberté morale qui consiste également à agir pour obtenir le *bien*, ou faire le devoir, et à *souffrir* avec soumission

ou résignation le mal qui nous arrive par une force supérieure, indépendante de la volonté. Si les organes de la vie physique étaient entièrement soumis au pouvoir de l'âme ou de la force intelligente, l'homme ne connaîtrait pas la douleur ; il n'aurait pas le mérite de la supporter avec courage ; il ne serait pas l'homme.

15 | « Ce qui me confirme... » (3) Plaisante raison ! Tel est en effet
le caractère de la philosophie de M. de Bonald. Il cherche des ana-
logies partout ; il en invente là où il n'en trouve pas de naturelles ;
et ces analogies artificielles lui tiennent toujours lieu de preuves ou
de faits. Une hypothèse ou un système qu'il aura fait sur la société,
lui servira de *critérium* pour juger de la nature humaine, tandis que
cette nature bien observée, analysée dans ses faits primitifs, pou-
vait seule confirmer l'*hypothèse*. Admirez ici comment une
16 |comparaison, une métaphore tirée de loin, empruntée de l'orateur
romain qui ne lui donnait pas plus d'importance qu'elle ne devait
en avoir, sert à M. de Bonald à justifier une définition hypothéti-
que. Comment une simple analogie entre des hypothèses artificiel-
les pourrait-elle servir à établir une vérité ? M. de Bonald semble
vouloir nous avertir lui-même qu'il fait de la poésie, et non point
de la philosophie, quand il dit que la société ou que le monde lui-
même n'est qu'une intelligence servie par des organes, un pou-
17 voir servi par des | ministres. C'est pourtant là un des *philosophes*
dont on prétend que la France s'honore, et qu'on cite comme un
exemple de nos progrès dans la carrière des sciences spéculatives.
La réputation[3] de grand écrivain, d'homme d'esprit et de savoir
est justement acquise à M. de Bonald. Mais celle de penseur et de
métaphysicien, que cherchent à lui faire des hommes du monde qui
n'attachent aucune idée au mot métaphysique, et qui n'ont eu de
18 leur vie une pensée sérieuse, | doit faire rire de pitié tous ceux qui
ont la moindre idée de l'objet propre des sciences philosophiques,
et des facultés de l'esprit qui y concourent. On peut assurer que le
genre d'esprit et de talent de M. de Bonald est précisément aux antipodes de ces sciences et il prend bien soin lui-même de nous le montrer dans ce qu'il dit de la psychologie (voyez son 1er chap.). Il faut en dire autant de M. Renaty qu'on nous donne aussi comme un coryphée de la philosophie parmi nous.

[3] *Rayé :* J'admire autant qu'un autre

ource : BI, ms. 2123.

[Origine du langage]

19 | « Un philosophe ne doit rien dire qu'il ne le pense et ne le prouve, et s'il dit qu'une chose a été faite par des voies extraordinaires, cela doit suffire[4] ; et il ne peut, sans compromettre son jugement, chercher à expliquer comment elle aurait pu être faite par des moyens naturels, à moins de supposer qu'une même chose[5], dans les mêmes circonstances, peut avoir été faite de deux manières, par des voies extraordinaires et par des moyens naturels, ce qui n'est pas du tout philosophique. » (4)

20 | Il y a là beaucoup de vague et de confusion d'idées, comme dans tout ce que dit l'auteur. S'agit-il d'un fait révélé qui paraît hors des lois communes de la nature, comme la résurrection d'un mort, le philosophe, qui croit à la révélation, ne cherchera pas à expliquer ce fait par des moyens naturels, puisqu'il n'admet le miracle même que par l'impossibilité reconnue de cette explication. Mais quand un fait, tel que l'existence universelle du langage, est donné, sans que l'on sache encore comment il a été produit, si c'est par
21 des voies | extraordinaires et miraculeuses ou par des moyens naturels, la révélation laissant indécise la question du *comment* de la production du fait, la philosophie peut former diverses hypothèses sur ce *comment*, sans rejeter les voies extraordinaires auxquelles il faudra recourir si l'hypothèse ne satisfait pas complètement aux faits donnés. Par exemple, avant de connaître la cause et les lois mathématiques des mouvements planétaires, on peut admettre l'alternative : ou qu'il y ait des forces et des lois naturelles de ces
22 mouvements, ou qu'ils aient été produits | immédiatement par une main divine, dans l'origine, pour se continuer sans fin, ou que la même main les produise sans cesse par des moyens extraordinaires dont Dieu seul a le secret. Mais dès qu'une hypothèse telle que celle de l'attraction newtonienne satisfait aux phénomènes, il n'est plus permis au philosophe de recourir au miracle (*Deus ex machina*) ; quoiqu'il reconnaisse que Dieu est l'auteur du monde physique, et

[4] *Maine de Biran écrit :* Quand la philosophie reconnaît qu'une chose a été faite par des moyens extraordinaires (ou des *miracles*) cela doit lui suffire

[5] *Maine de Biran écrit :* aurait pu être faite de deux manières par miracle et par des moyens naturels (supposition) ce qui n'est pas philosophique

que les lois de tous les mouvements ont été préétablies par lui ou
ressortent de son entendement, sans qu'il ait besoin lui-même de
23 mouvoir ou d'agir | à la manière de l'homme qui exerce ses forces
motrices. Quand même l'hypothèse de l'attraction n'expliquerait
pas tous les phénomènes du monde planétaire, il ne faudrait pas
encore en conclure brusquement que ces phénomènes n'ont leur
cause immédiate que dans la volonté et la force seule efficace d'un
moteur suprême. Cette conclusion ne devrait être admise par le phi-
losophe, qui alors abandonnerait toute recherche naturelle,
qu'autant que l'impossibilité d'une production des mouvements pla-
24 nétaires, par des causes naturelles ou | des forces dérivées, serait
démontrée *a priori* et sans exception.

Or ceci s'explique de soi-même à la formation des langues par
des moyens humains, ou par l'emploi des facultés naturelles que
Dieu a données à l'homme en le créant. Pour pouvoir admettre phi-
losophiquement que le système complet de nos langues est l'ouvrage
immédiat de la divinité, qui l'a *donné* à l'homme ainsi complet et
fait de toutes pièces, il faudrait avoir d'abord prouvé *a priori* que,
25 les facultés de | l'homme étant données avec certaines idées innées
virtuellement dans l'âme, le langage ne pouvait en aucune manière
être créé par l'esprit humain, suivant dans ses progrès insensibles
la même marche que les idées et les facultés développées par un
concours de causes naturelles ou de circonstances sociales soumi-
ses à l'observation.

Et quand même les diverses hypothèses, conçues pour expliquer
cette formation naturelle des langues à partir de l'origine, ne satis-
feraient pas complètement au problème, il ne faudrait pas encore se
26 presser d'en | conclure le miracle ou le *don* du langage fait immé-
diatement à l'homme par son auteur. Le philosophe, sans nier ce
don merveilleux, et se réservant d'y recourir dans l'extrémité, con-
tinuera la recherche du problème par des moyens naturels ou en
déduisant le langage des facultés et des idées, jusqu'à ce que l'impos-
sibilité de ces moyens soit démontrée *a priori* ou *a posteriori*.

Il n'y a donc aucune contradiction à *dire qu'une chose a pu être
faite par des moyens extraordinaires en cherchant* en même temps
27 *comment* elle aurait | pu être faite par des moyens naturels. La con-
tradiction et le défaut de philosophie consisteraient à affirmer *ex
abrupto* et avant aucune recherche, que la chose *a été faite* par des
moyens extraordinaires, et en même temps à vouloir *expliquer com-
ment* elle a été faite ainsi, ou quelle est l'espèce de moyens qu'il
a plu à *Dieu d'employer*.

Or c'est précisément là ce que fait M. de Bonald dans des disser-
tations où il se contredit sans cesse, parce qu'il ne s'entend jamais
28 bien avec lui-même. | Il veut que le langage (et par là il entend le

système complet et bien coordonné des sons articulés propres à exprimer toutes nos idées intellectuelles et sensibles), ayant été nécessaire pour la formation de la première société humaine, ait préexisté par conséquent à cette société ; d'où il suivrait qu'il n'a pu être qu'un don de Dieu, qui a *créé* l'homme *parlant*, ou qui a appris le langage au premier homme en lui parlant, c'est-à-dire en frappant son ouïe des premiers sons articulés. M. de Bonald paraît
29 admettre | indifféremment tantôt l'une, tantôt l'autre supposition.

Mais si la révélation nous apprend que Dieu a parlé à l'homme ou s'est manifesté à lui en lui faisant entendre ses commandements, l'Écriture ne nous fixe point du tout l'espèce de moyens surnaturels que Dieu a jugé à propos d'employer pour *parler* à l'esprit et au cœur de l'homme. Rien ne nous dit positivement que Dieu ait employé l'intermédiaire des *signes matériels* de la *voix* ou de l'écriture pour faire entendre ou suggérer à l'esprit de l'homme ses commandements. Et nous concevons, nous savons même par les saintes
30 tes Écritures | que l'Esprit-Saint a d'autres voies pour ses suggestions.

De plus, et en admettant que la *voix*, la parole de Dieu ait matériellement frappé l'ouïe de l'homme, rien dans l'Écriture ne nous dit si cette parole divine a elle-même servi de type aux premières langues, ou si au contraire Dieu n'a pas daigné emprunter la langue déjà connue de l'homme pour lui faire entendre ou comprendre sa parole. Ainsi l'on ne peut tirer de la révélation aucune don-
31 née positive sur le | grand problème de l'origine et de la formation des langues, problème que Dieu même semble avoir abandonné aux disputes ou aux recherches des philosophes. En dogmatisant sur le don des langues et l'impossibilité de leur formation par des moyens humains, M. de Bonald nous donne donc gratuitement comme article de foi une hypothèse arbitraire et antiphilosophique.

Si le don du langage articulé, tel que nous l'avons, était vraiment un article de foi, nous n'aurions, en effet, rien à chercher sur le
32 *comment*, ou sur | la manière dont le don a été fait ; car nous saurions par la révélation même que le langage a été *inspiré* à la première société humaine ou enseigné par Dieu, soit immédiatement, soit par l'intermédiaire de ses envoyés.

Mais dans le silence de la révélation, M. de Bonald prétend déterminer absolument les moyens extraordinaires par lesquels le langage a été donné, et expliquer *comment* une chose surnaturelle suivant lui, a été faite par des moyens aussi *surnaturels*. Sur cela, nous
33 laissons à juger si ce n'est | pas son propre jugement plutôt que celui des philosophes qui se trouve compromis par cette *décision dogmatique*.

35 | « Tous les faits sont des vérités, mais toutes les vérités ne sont pas des faits. » (5)

Celui qui entend, comme il faut, cette grande et importante distinction, entend toute la philosophie. Si l'on n'entend par *fait* que ce qui se *représente* actuellement et peut se représenter aux *sens*, certainement toutes les vérités ne sont pas des faits. Les rapports perçus entre nos *idées*, abstraction faite des objets de ces idées, sont des vérités et non pas des faits ; à moins que l'on ne soutienne, comme M. Ampère, que tous les rapports des nombres, des figures que conçoivent les mathématiciens, existent actuellement entre les noumènes, que nous les percevions ou non, de sorte que, lorsque nous venons à les découvrir, nous ne faisons qu'apercevoir hors de nous ce qui *est*, c'est-à-dire autant de faits réels, positifs, absolus qu'il y a de vérités ou de rapports abstraits : l'abstrait seul est
36 vrai de *fait*. | Ces *faits* ne sont point essentiellement relatifs au temps et au lieu ; ils ne se figurent pas comme ce que nous appelons proprement *faits* en physique.

L'existence de la cause première et de ses attributs, celle des esprits, les lois morales, la justice, l'ordre, le *devoir* sont des vérités[6] universelles, nécessaires, éternelles, immuables. On peut dire aussi que ce sont des *faits* nécessaires dont il n'est pas permis de douter ; et l'impossibilité de se représenter ces faits, pas plus que l'on ne se représente celui de *conscience* dont ils sont dérivés, ne change en rien leur caractère de *fait*.

Nous ne pouvons pas davantage nous représenter ou nous figurer l'*attraction* réciproque de toutes les parties de la matière, en raison directe des masses et en raison inverse du carré des distances, ni la force d'impulsion, ni l'inertie, ni aucune force de l'univers.

Ne dites donc pas que « la matière et toutes ses propriétés sont
37 l'objet des vérités locales », temporaires, *particulières*, | tandis que les esprits et leurs attributs, les êtres moraux « sont seuls l'objet de vérités universelles, éternelles », car votre distinction n'aurait aucun fondement *solide*. Mais vous trouverez le vrai fondement de la distinction en la rappelant à sa source, savoir : aux deux éléments du fait primitif, au *moi* et au *non moi*.

Ne dites pas que « les vérités générales ou notions intellectuelles sont l'*objet de nos idées*, tandis que les vérités particulières ou faits physiques sont l'*objet de nos images* ». (6) Si vous entendez les choses comme il faut, vous concevrez que les notions que vous pouvez aussi appeler idées portent en elles-mêmes la réalité objective, comme les phénomènes portent avec eux l'apparence sensible ou d'image qui les constitue. Lorsque je pense « Dieu », la cause universelle, je vois *Dieu*, et non pas sa représentation, comme dans une idée qui aurait un objet distinct d'elle-même au dehors ; comme

[6] *Rayé :* faits

en pensant à la lumière qui m'éclaire je la vois et non pas seulement son idée.

38 | « Les idées ou notions intellectuelles, n'étant *connues* de notre esprit que par les *expressions* qui les lui rendent présentes et *perceptibles*, nous les retrouvons toutes et naturellement dans la *société* à laquelle nous appartenons, et qui nous en transmet la connaissance en nous communiquant la langue qu'elle parle. » (7)

Je comprends comment ces notions dont le fondement est en nous-mêmes, ou dans notre esprit indépendamment des signes, ne se distinguent ou ne deviennent perceptibles qu'à l'aide de signes, comme le *moi* lui-même ne se distingue qu'en se nommant : et ce signe ou cette articulation n'est qu'un mode de l'activité qui le constitue ou le rend présent à lui-même.

Mais que nous trouvions exclusivement et naturellement toutes ces idées dans la *société* qui nous les transmet avec la langue maternelle, c'est une hypothèse gratuite et irréfléchie. Pour cela il faudrait que les signes de ces idées eussent une secrète vertu par laquelle ils éveilleraient immédiatement dans l'esprit ou dans l'âme les idées
39 qu'ils représentent ou expriment, sans | aucun concours actif de notre part, ou sans que nous eussions besoin d'effectuer ou de répéter les opérations intellectuelles d'abstraction et de réflexion dont ces signes notent et conservent les résultats. Si nous n'entendons la valeur des signes qu'en y pensant comme il faut, et avec plus ou moins de travail et de labeur, il ne faut pas dire que nous trouvons *naturellement* ces idées dans la société qui nous les donne avec les mots, dont elle conserve le dépôt. On pourrait dire de même que la société nous donne, avec les signes des nombres et les noms des figures géométriques, la science mathématique toute faite ; oui, mais en nous fournissant l'occasion d'en refaire nous-mêmes les *idées* ; car nous n'entendons la science qu'à cette condition ; et quand même les signes seraient perdus, les esprits inventifs, comme Pascal, n'en referaient pas moins la langue avec la science même.

Comment peut-on avoir *philosophé* le moins du monde, et se contenter d'une analogie aussi vague pour marquer la distinction
40 | d'origine des vérités générales ou sociales et des vérités particulières, individuelles ou physiques ? « La connaissance des vérités *sociales* se trouve dans la société, et ne nous est donnée que par elle avec le langage. La connaissance des vérités ou faits particuliers, individuels et physiques, objets des images et des sensations, se trouve dans nous-mêmes individus, et nous est transmise par le rapport de nos sens ; cette analogie entre les vérités sociales et la société qui en donne la connaissance aux individus, entre les vérités individuelles et l'individu qui en trouve la connaissance en lui-même et dans ses sensations, est, ce me semble, une raison très *plausible*,

et peut-être *suffisante* de croire à cette double origine de toutes nos connaissances morales et physiques, générales et individuelles. » (8) C'est une manière un peu large de résoudre le grand problème sur l'origine de la connaissance. D'abord, toutes les vérités générales sont-elles *sociales* ? N'y a-t-il pas aussi des vérités générales physiques, comme il y a des vérités *individuelles* proprement dites qui sont éminemment morales ou sociales, à partir du fait de *conscience*, tout individuel ? On peut dire véritablement que toute connaissance physique comme morale se trouve dans la société de qui nous avons tout reçu, dans ce sens qu'elle nous fournit seule les moyens et les conditions du développement de toutes nos facultés ; puisque l'homme isolé, réduit à ses propres forces, ne peut rien, et n'existe même pas autrement qu'en abstraction et par hypothèse. En ce sens, les vérités générales de la physique et de la géométrie pourront aussi bien être appelées sociales que les vérités morales et politiques ; et si les premières se trouvaient en nous-mêmes, ou nous étaient transmises par sensation, les secondes pourraient bien avoir même origine. Et s'il en est ainsi, comme la plus simple analyse le démontre, que devient la distinction ? On reconnaît là la tournure d'esprit de M. de Bonald qui s'attache, avec une prédilection marquée, aux analogies de mots les plus arbitraires, le plus *purement grammati-*
41 *cales*, et qui voit | dans cette sorte de grimoire métaphorique l'expression des plus importantes vérités.

« Sans doute le langage qui exprime aujourd'hui tant d'idées utiles à l'homme, ou nécessaires à la société, n'a pas été donné aux premiers humains *vide de sens*. » (9)

Pour qu'un langage ou un système complet de signes ait été donné avec les idées, il ne suffit pas que ce langage ait eu un sens profond et vrai dans l'intelligence suprême qui l'aurait inventé. Afin que ce langage n'eût pas été vide de sens pour les premiers hommes auxquels il fut donné, il faudrait supposer de plus que l'intelligence des idées eût été inspirée avec les *signes* qui les exprimaient ; et cette hypothèse en entraîne encore une autre : c'est qu'il y avait entre telle idée intellectuelle ou morale et le signe dont elle était revêtue dans cette langue divine, un rapport tel qu'il suffisait d'entendre le signe pour que l'idée ou la notion se représentât. C'est le logos
42 divin — Dieu pense avec des mots. | Dira-t-on que les notions intellectuelles sont nécessairement liées à des signes dans l'entendement divin ? Quels sont donc ces signes divins, expressifs par eux-mêmes, qui portent la lumière avec eux, comme le *logos* efficace ? Est-il donné à l'homme de l'entendre ? Dieu a-t-il pu le lui communiquer dans l'origine ? Ne lui aurait-il pas en même temps communiqué sa propre science, celle de l'infini ?

N'est-ce pas un préjugé tout fondé sur un anthropomorphisme

grossier qui fait supposer que Dieu s'est servi pour parler aux hommes de signes comme ceux qui nous aident à fixer nos idées, et qui ne sont qu'un supplément nécessaire à la faiblesse de notre esprit ?

Si quelque chose pouvait nous donner une image grossière de cette
pensée divine, ne seraient-ce pas ces illuminations subites du génie,
ces élans momentanés vers des vérités sublimes, ces éclairs vifs qui
percent quelquefois les nuages dont notre entendement est obscurci,
43 ces inspirations, ces sentiments ineffables | par lesquels notre âme
se trouve en contact instantané avec la source de toute vérité, de
toute lumière, par lesquels nous sentons Dieu avec l'infini ?

C'est par ces mouvements intérieurs que Dieu parle à nos âmes et se révèle ou se manifeste. C'est ce langage qu'on aspire à entendre toujours, quand on a eu le bonheur de l'entendre une fois. Quand l'âme dit : « *Parlez, Seigneur, votre serviteur vous écoute* », en adressant à Dieu cette prière, ce ne sont pas des paroles dans une langue inconnue que nous lui demandons ; nous savons qu'il a une manière de se communiquer à l'esprit par l'entremise du cœur, plus immédiate, plus sensible, plus efficace. Nous savons qu'il y a même en nous, et sans le secours de sa grâce, une pensée vivante sans les signes, une pensée qui perd souvent sa lumière en se développant, ou se fixant à l'un des signes matériels du langage.

Singulière idée de vouloir prouver l'action de Dieu et la réalité
44 | des notions qui nous mènent à lui ou nous le révèlent, par les
moyens mêmes qui ont le plus contribué à le cacher aux philosophes, par ceux dont les matérialistes se sont toujours servis pour obscurcir ces notions ou en détruire la réalité, en cherchant à les identifier avec les signes matériels dont l'esprit de l'homme a été conduit à les revêtir !

Supposez que, dans notre intérêt, Dieu jugeât à propos de faire connaître aux hommes ses volontés ; si pour vaincre l'incrédulité, en employant des moyens humains, il parlait aux Français par exemple, sans doute il emploierait la langue dans laquelle seule il pourrait être entendu ; et de même pour les habitants des divers pays ; que s'il employait une langue universelle et unique, il faudrait bien qu'il fît un miracle pour que tous les hommes eussent au même instant le don de l'entendre sans l'avoir apprise ; et pour que cette
45 science | universelle fût *permanente*, il faudrait que tous les hom-
mes eussent la langue avec les idées en venant au monde ; autrement, en supposant que la société du genre humain ne conservât que le dépôt des signes, si ces signes avaient besoin d'être appris, interprétés, expliqués, ce serait comme si Dieu n'eût jamais parlé ou appris la langue divine, puisque l'interprétation étant du fait de l'*homme*, il pourrait toujours y avoir erreur, tromperie. Sans une révélation immédiate faite à chaque peuple, ou plutôt sans le

secours de la grâce qui agit sur les cœurs autrement que par des paroles, quel pourrait être le *critérium* public et *social* pour distinguer la vérité de l'*erreur*, lorsque chaque nation prétendrait posséder seule, avec la langue inspirée, le trésor des vérités intellectuelles et morales ?

M. de Bonald oppose son hypothèse sur la transmission nécessaire du langage[7], moyen exclusif de toute science ou vérité sociale, à cette prétention de la philosophie que l'homme ne peut *savoir* que ce qu'il a appris. Cette maxime, suivant l'auteur, doit être bornée aux vérités spéculatives de la physique ; mais dans la pratique, il en est autrement : « Si l'homme physique *vit de pain*, l'homme moral vit de la parole qui lui *révèle la vérité.* » (10) Sans doute on
46 conçoit que le monde physique ait pu exister sans | l'homme, tandis que le monde moral n'existerait pas sans l'homme, c'est-à-dire sans des êtres ou agents moraux, pas plus que le monde physique n'existerait sans des êtres ou éléments physiques ; cela va sans dire. Mais puisque ces deux mondes, tels qu'ils sont, tels que nous les concevons et les *nommons*, ne sont que la totalité des deux espèces d'*êtres* et l'ensemble de leurs rapports, puisque ces rapports fondamentaux sont ce qu'ils sont, quelle que soit d'ailleurs notre manière de les considérer ou de les juger, la distinction posée par M. de Bonald entre la gravité des résultats des deux sortes de spéculation est encore ici tout à fait vaine et frivole. Si rien n'est troublé dans la nature matérielle, pendant que l'homme discute, approfondit la vérité ou l'erreur des systèmes en physique, pourquoi tout périrait-il plutôt dans le monde moral par cela seul que quelques philosophes, hommes toujours en très petit nombre eu égard à la grande masse qui croit sans examen, examineraient le fondement des croyances universelles, nécessaires, telles que l'existence de Dieu, la spiritualité de nos âmes, la distinction du bien et du mal ? Certainement s'il n'y avait pas d'autres causes de désordre dans l'influence naturelle des passions, les intérêts, la faiblesse ou les fautes des gouvernements, les sociétés seraient parfaitement tranquilles et réglées.

47 | M. de Bonald insiste très longuement sur des difficultés *imaginaires* qu'il se plaît à accumuler contre la possibilité de l'invention du *langage*. Mais tous ces arguments sont tels qu'en accordant tout ce qu'ils ont pour but d'établir, on ne pourrait parvenir à la conclusion, avec la thèse dont il s'agit. Dans cette énumération de preuves tirées de l'histoire des sociétés, et des admirables propriétés du
48 langage, | on reconnaît l'orateur disert bien plus que le dialecticien exact et sévère en matière de preuves.

[7] *En marge :* l'examen doit être interdit partout également car chacun croit avoir la parole de *vie*

Le sophisme perpétuel consiste à parler de l'état actuel des langues perfectionnées et enrichies par l'accumulation ou la combi-
9 naison des idées de tout ordre. | Dans une période de la vie sociale aussi avancée que celle où nous sommes placés, si nous comparons nos langues comme nos connaissances et nos arts avec ceux des tribus grossières, il est impossible de ne pas se demander par quelle suite de progrès l'homme ou la société se sont ainsi élevés d'un état brut à celui où brille un art si merveilleux et si compliqué. Mais bien qu'il soit impossible de déterminer avec certitude quels ont été les progrès successifs par lesquels une langue particulière a passé pour arriver des premiers rudiments à la perfection, si l'on peut
0 montrer par les principes de la nature humaine comment | ses diverses parties ont pu naître et se développer à partir d'un premier principe, on aura remporté un avantage sur cette philosophie indolente qui, dans le monde moral comme dans le monde physique, voit un *miracle* dans chaque phénomène qu'elle ne se sent pas en état
8 d'expliquer. |

Assurément personne ne peut croire qu'un ou plusieurs hommes aient pu inventer *a priori* cet immense système, et la saine philoso-
1 phie | tend bien plutôt à établir qu'il s'est formé de lui-même, comme tout le reste, par une suite de développements de facultés, de progrès dus à des circonstances heureuses, à des événements inopinés que nulle force ou intelligence humaine n'a pu prévoir, ni diriger. C'est à ceux qui prétendent au contraire, comme M. de Bonald, que le système complet du langage, tel que nous le possédons, a été primitivement formé d'un seul jet ; c'est à eux, dis-je, à prou-
2 ver d'abord cette merveille qui surpasse réellement les facultés | humaines ; et c'est alors, mais alors seulement, qu'il faudrait réellement admettre le fait mystérieux du langage donné par Dieu à la première société humaine.

Mais s'il est vraiment impossible qu'un ou plusieurs hommes aient inventé ou prémédité un système tel que celui de nos langues actuelles, il ne l'est pas de même qu'un tel système se soit formé peu à peu, en partant d'un premier fond de signes donnés par la nature même, répétés et imités avec intention. Ce premier langage, naturel ou natif même, est le moyen nécessaire pour arriver à la forma-
53 tion des langues | perfectionnées. Et le sophisme consiste à faire abstraction du *moyen* ou de l'intermédiaire, pour démontrer l'impossibilité où serait l'homme de franchir d'un seul saut l'immense intervalle qui sépare un état d'*animalité*, où il n'y aurait aucune espèce de signes, ni par suite d'*idées* dans l'esprit humain (*table rase*), et l'état d'intelligence perfectionnée, en possession du système le plus étendu de signes et d'idées.

54 | Les philosophes qui sont entrés un peu plus avant que M. de Bo-

nald dans les profondeurs de la pensée humaine, se sont attachés à distinguer et énumérer ses formes les plus intimes, et ceux-là mêmes qui ont considéré les langues comme une sorte de miroir de l'esprit humain, ont senti d'abord le besoin d'étudier et de connaître la chose même en nature, avant de regarder le miroir, afin de pouvoir juger la ressemblance du modèle et de la copie. M. de
55 Bonald semble au contraire vouloir établir que c'est le langage | donné avec ses formes *préétablies* par la divinité, qui a seul imprimé à l'esprit humain les formes propres et naturelles sous lesquelles il conçoit et exprime toutes les idées ou notions intellectuelles. Cependant l'auteur admet des idées, ou notions *innées*, antérieures au langage, et par suite des *rapports* innés, quoique non encore exprimés entre ces idées. Mais n'y a-t-il pas contradiction entre ces deux thèses ? S'il y a des idées ou des formes inhérentes à l'esprit
56 humain et | antérieures au langage donné, il faudra bien que ce langage en prenne ou en reçoive l'empreinte. Le moule étant donc tout intérieur, il faudra partir de la nature ou des formes de l'esprit humain pour avoir la raison suffisante des formes du langage, et non *vice versa*. Ce qu'il y aura donc de *donné* primitivement, ce seront les formes ou les facultés propres de l'entendement dont le langage, tel qu'il est, sera la conséquence ; et le progrès inverse ne pourra être admis, à moins qu'on ne suppose l'âme humaine *table rase* avant qu'il y ait un langage appris ; ce qui est contraire à la raison et aux idées mêmes de l'auteur.

Du langage

57 | « Si l'on s'obstine à soutenir que le langage est l'ouvrage de l'homme[8], on est obligé d'admettre autant d'inventeurs que l'on croit voir dans le monde de langues différentes, et autant d'inventeurs qui ont eu précisément les mêmes idées sur la formation du langage[9], l'ont construit partout sur le même plan, et ont, pour ainsi dire[10], jeté toutes les langues dans le même *moule*. » (11)

Le moule doit être en effet le même partout, puisque c'est l'esprit humain dont la nature doit être la même partout ; autrement ce ne serait plus de l'homme qu'il s'agirait. De ce que toute langue exprime nécessairement le *sujet*, l'*attribut* et le *verbe*, il faut conclure que cette manière de concevoir ou de juger est fondamentale et nécessaire, à partir du fait primitif de la conscience ou de l'existence personnelle du *moi*, sujet, cause agissante, en rapport néces-

[8] *Maine de Biran écrit :* Si le langage est l'œuvre de l'homme

[9] *Omission :* sur la formation du langage

[10] *Omission :* pour ainsi dire

saire avec un objet, ou un effet produit, rapport que l'esprit perçoit, et c'est pour cela qu'il existe, rapport tout intérieur qui ne serait pas moins aperçu immédiatement quand il ne serait pas
58 exprimé, mais qui ne peut l'être | par des termes quelconques sans que ces termes soient au nombre de trois, nécessaires pour exprimer ou manifester cet acte de l'esprit. C'est jusque-là qu'il faut remonter pour trouver le fondement de cette valeur mystérieuse du nombre *trois*. Tel est aussi le canevas de toutes les langues, jetées toutes dans le même moule de pensée ; c'est l'identité de fond qui donne l'identité de forme, et non pas *vice versa*, comme l'entend M. de Bonald.

Tous les hommes ont fait partout la même chose ; nul n'a été inventeur. Chacun a exprimé à sa manière un même fond d'idées qu'il avait dans l'esprit. Croire qu'avant le signe il n'y avait rien et qu'il a fallu de toute nécessité qu'un signe révélé vint, non pas exciter, réveiller, mais créer l'idée, c'est vouloir que le moule ait été fait par la chose moulée ; c'est nier toute l'activité de l'esprit humain.

59 Le sophisme perpétuel de M. de Bonald, c'est | de prendre pour type une langue toute formée, et de ce qu'elle n'a pu être inventée à dessein et avec *réflexion* par un ou plusieurs hommes, de conclure que l'invention est impossible.

Il est bien vrai que les hommes n'ont pas inventé à dessein la distinction du sujet, de l'attribut et du lien qui les unit ; mais lorsque ces trois termes, distincts et présents à la fois dès que le *moi* existe, ont du être *nommés*, chacun à part a dû inventer leurs *noms*. Ce que M. de Bonald dit des signes n'est vrai que des idées. Toute son hypothèse tombe s'il y a véritablement conception *interne* de sujet et d'attribut, de cause et d'effet indépendamment de tout langage. Or, comment se persuader que la personne n'existe ou ne se connaît qu'autant qu'elle se donne un nom ? qu'il faut qu'elle pense une parole pour exister ou se penser elle-même ? Ne suffit-il pas qu'elle agisse et qu'elle pense son action quelconque ? L'imitation
60 et la sympathie étendent le premier langage. | Agir et s'apercevoir, puis se souvenir qu'on a agi, répéter le même acte avec intention, s'imiter soi-même et se faire imiter, il n'y a pas là d'intervention mystérieuse. *Le langage est partout le même*, entendez : il y a partout même fond d'idées primitives et même *relation* fondamentale entre ces idées. Les signes et leurs rapports se conforment à ce premier fond qui subsiste le même sans le langage.

La preuve que M. de Bonald confond toujours le *langage* avec les idées non exprimées, c'est ce qu'il dit au sujet des *idiomes* divers qui font que les peuples ne s'entendent pas, tandis que leurs langues, dit-il, se comprennent réciproquement et peuvent se traduire les unes dans les autres.

Divers signes sont employés à exprimer le même *fond d'idées*. Que reste-t-il en ôtant les signes ; ou, comme on dit, les *idiomes* ? Y a-t-il encore un langage ? Oui, dit M. de Bonald, il y a des formes, des cases *vides* qui sont identiques. Mais c'est le rapport des *idées* qui est plus qu'une forme.

67 | « Le don du langage fait au genre humain est », suivant M. de Bonald, « le fait primitif extérieur », et aussi « la question fondamentale de toute science morale. » (12) Il faudrait nous dire d'abord comment un *fait primitif*, évident par lui-même, peut être une *question*. Mais l'auteur ne se pique pas de tant d'exactitude dans son langage. Il ne paraît pas non plus sentir le besoin de bien s'entendre avec lui-même. Le fait primitif[11], ou extérieur pour lui, est tan-
62 tôt | le don du langage, comme il l'annonce d'abord, tantôt simplement le langage ou la parole donnée à l'homme par la société. Or, la parole est bien certainement un fait public, extérieur, à la fois moral et physique, comme on voudra, pourvu qu'on ne dise pas que c'est un fait primitif et *a priori*. Car un fait *a priori* implique contradiction dans les termes pour tout homme qui entend la valeur
63 de ces termes ; et un fait primitif | est celui qui n'en suppose aucun avant lui qui en soit la condition. Or, comment entendre qu'avant la parole, ou sans elle, il n'y ait rien dans l'esprit ou l'âme de l'homme ? Comment nier que la parole ou le langage, quel qu'il soit, dépend lui-même de plusieurs conditions et organiques et intellectuelles ? Mais passons sur ce *non-sens* ; il va s'en présenter assez d'autres.

« Ce fait (le don de la parole) est absolument général et perpé-
64 tuel, puisqu'on le retrouve partout où il y a deux créatures | humaines, et qu'il ne peut finir qu'avec le genre humain. — Ce fait est absolument *commun* et même *usuel*, puisque absolument tous les hommes libres de corps et d'esprit en offrent encore la preuve, les plus ignorants des hommes comme les plus habiles, et les peuples les plus abrutis comme les plus civilisés. » (13)

Dans tout cela on voit bien qu'il s'agit du fait de l'existence universelle d'un langage quelconque entre les hommes, fait que personne ne conteste ; mais l'auteur oublie qu'il s'agit pour lui du *don* primitif, non pas de la parole seulement, mais d'un langage déter-
65 miné. Or, que le langage soit inventé par l'homme ou qu'il | lui ait été d'abord donné par Dieu, c'est ce qui ne peut nullement être éclairé par le simple fait de l'existence d'un langage dans toute société quelconque ; et l'auteur tombe dans une singulière distraction en donnant sans cesse le fait pour l'explication, ou comme il

[11] *Rayé :* public

dit la démonstration du fait. Il est curieux de le voir se vanter d'aller en cela plus loin que ces philosophes qui prétendent que les faits
6 *primitifs* n'ont pas besoin de démonstration, | comme si leur titre de faits primitifs n'était pas tout fondé sur cette impossibilité ou nullité de démonstration ou d'explication ?

Comment s'y prendrait-on pour expliquer ou démontrer, par exemple, le fait vraiment primitif de l'existence du *moi* ou de la pensée, comme l'entend Descartes ? Il est vrai que c'est là un fait *intérieur*, et M. de Bonald ne veut admettre que l'extérieur, auquel on voit bien qu'il tend en effet de toutes les forces de l'habitude et de l'imagination toute portée au dehors. Mais si M. de Bonald
7 était un | tant soit peu *l'homme intérieur* dans le sens de saint Paul ou de saint Augustin, il saurait que rien de ce qui est extérieur à l'homme ne saurait être pour son esprit un fait primitif. Mais voici que le fait primitif si évident du don de la parole change subitement de nature : ce fait primitif ne nous est plus donné que comme une hypothèse comparable à celles qu'on admet dans les sciences physiques, hypothèse que des opinions respectables, des inductions plausibles rendent déjà *probable* avant la démonstration. Ce lan-
8 gage modeste contraste avec l'assurance | donnée au commencement.

Mais avançons dans les preuves ou les probabilités de l'hypothèse. D'abord nous trouvons[12] l'assertion positive que la parole est nécessaire à l'homme « pour connaître ses propres pensées », pour être capable de quelque invention que ce soit, vérité bien reconnue de nos jours, et fondée sur des preuves vraiment psychologiques que M. de Bonald aurait dû commencer par chercher à entendre avant
9 de faire son système. | Nous trouvons en second lieu, et par une transition un peu brusque, la probabilité (fondée sur des recherches archéologiques et sur les rapports entre un grand nombre de langues) d'une langue *primitive* qui a dû servir de tige ou de moule à toutes les autres. Mais cette conjecture, fût-elle vérifiée, serait-elle une démonstration suffisante du fait ou de l'hypothèse du *don* du langage, tel que M. de Bonald prétend l'établir ?

Certainement non.

0 « On ne saurait », dit l'auteur, « refuser | à Dieu le pouvoir de créer l'*homme parlant*, aussi facilement qu'avec la seule faculté d'inventer la parole ! » (14) Assurément les deux étaient également faciles à Dieu. Il a pu créer l'homme *parlant* la langue la plus riche, la plus savante, c'est-à-dire que le premier homme sortant des mains du Créateur a pu être doué de la science universelle sans avoir rien
71 appris, rien trouvé de lui-même. On peut croire | ou supposer tout ce qu'on voudra sur ce fait primitif, *extérieur* ou *étranger* à l'homme

[12] *Rayé :* Que trouvons-nous pages 90 et suivantes ?

tel que nous pouvons le connaître ; mais il n'en reste pas moins vrai pour nous que nous ne savons rien sans l'avoir appris, et que si nous trouvons une langue toute faite dans la société où nous naissons, l'intelligence de cette langue ou la parole proprement dite, au lieu d'être un don, est pour chacun de nous une acquisition très
72 longue et très difficile, une étude de toute la vie qui | exige presque autant d'effort, de méditation et d'activité d'esprit que l'invention elle-même. En effet, il semblerait, d'après M. de Bonald, qu'il n'y ait aucune opération intermédiaire entre l'audition et l'articulation de certains mots et leur signification entendue, ou leur appropriation soit à tels objets sensibles, soit à telles idées intellectuelles ou morales déterminées.

Quels que soient les rapports des signes parlés ou écrits à ces idées,
73 que les unes puissent être conçues avant | les autres, ou qu'au contraire il n'y ait point de véritables idées dans l'esprit, sans qu'il y ait pour chacune un signe propre dont l'idée même ne se distingue pas, ces questions de logique ou de métaphysique, étrangères à celle de l'origine ou du don du langage (quoique M. de Bonald ait cru vainement pouvoir en tirer parti en faveur de son hypothèse) supposent toutes également qu'il faut un travail de l'esprit pour fixer
74 la valeur idéale du son articulé. Si ce signe ne sert le | plus souvent qu'à résumer des opérations de l'esprit ou à en conserver les résultats, il est évident que ce sont ces opérations seules qui constituent tout le fond réel de ce qu'on appelle langage humain ; autrement il n'y aurait que des sons tels que ceux qu'on apprend à répéter aux oiseaux.

Cela posé, qu'entend-on par le don du *langage* fait au genre humain ? S'agit-il d'une langue primitive que Dieu aurait donnée
75 à l'homme en | le créant, avec toute la science possible ? Alors il ne faut pas se borner à dire que le langage est un don de Dieu ; il faut dire encore que toutes les sciences, tous les arts, toutes les conceptions de l'esprit humain sont des dons primitifs ; ce qui nous dispensera de chercher aucune autre origine naturelle. Prétend-on que l'homme n'ayant apporté en naissant que des *idées* et des *facultés*, Dieu lui a fait entendre ou lui a appris ultérieurement une lan-
76 gue ou un | système complet de mots articulés ou écrits ? Mais cette langue primitive, descendue du ciel toute faite, il a fallu que l'homme l'étudiât ou qu'il apprit la signification de chaque mot, comme nous faisons nous-mêmes, qu'il répétât de lui-même toutes les opérations de l'esprit que supposent les termes généraux, abstraits. Or, ce travail intellectuel n'était guère moins difficile aux premiers hommes que l'invention même, à moins qu'on ne suppose
77 que cette langue primitive était tellement parfaite, | que chaque mot entendu avait la vertu de suggérer de lui-même ou de réveiller dans

l'esprit l'idée qu'il signifiait. Dans ce cas, cette langue divine ou surnaturelle se trouverait hors de toute analogie avec nos signes de convention, arbitraires, variables et acquis. Nous ne pourrions donc nous en faire aucune idée, et comme il s'agirait de miracles et de matières de foi, pourquoi chercher à raisonner, à expliquer, à
28 démontrer ? C'est le tort | qu'on peut reprocher à M. de Bonald. Le don des langues, tel qu'il l'entend et croit pouvoir le démontrer, ne peut être qu'un objet de *révélation*, pourquoi donc le mêler avec la philosophie et le profaner par ce mélange ? C'est n'entendre ni la philosophie ni la religion.

« Si l'expression est nécessaire, non seulement à la *production* de l'idée ou à sa révélation extérieure, mais encore à sa *conception*
29 dans notre | propre esprit ; c'est-à-dire, si l'idée ne peut être présente à notre esprit, ni présente à l'esprit des autres que par la *parole orale* ou écrite, le langage est *nécessaire*, ou tel que la société n'a pu, dans aucun temps, exister sans le langage, pas plus que l'homme n'a pu exister hors de la société. » (15) Il y a sur cet article bien des observations à faire.

D'abord c'est compliquer fort mal à propos la question sur l'origine des langues, que de la lier avec celle de l'origine des sociétés
30 humaines ; c'est confondre un problème *rationnel* | avec un problème historique ou traditionnel, et répandre à dessein sur celui-là les mystérieux nuages qui couvrent celui-ci. C'est ce que fait sans cesse M. de Bonald qui tantôt oppose aux recherches de la philosophie spéculative les traditions sacrées qu'il interprète à sa manière, tantôt accommode ces traditions elles-mêmes à un système imaginaire qu'il appelle philosophie. C'est là confondre les *genres*, et montrer qu'on ignore les premières lois du raisonnement spéculatif.

31 | Quand on raisonne sur l'homme intellectuel et moral, on suppose bien toutes les conditions nécessaires à son existence et à l'exercice actuel des facultés supérieures que l'on considère ; ainsi comme on suppose une vie physique et une organisation sans laquelle l'homme dont il s'agit ne saurait exister, ni penser dans son état d'homme, on suppose de même qu'il est placé dans des circonstances propres à maintenir cette double vie, c'est-à-dire que cet homme individuel vit dans une société ou une famille hors de
32 laquelle on est fondé à croire qu'il ne | saurait commencer ni continuer à exister ; et comme tout système physiologique sur la manière dont peut commencer et s'entretenir la vie physique de l'animal est étranger jusqu'à un certain point, aux considérations qui ont pour objet les idées ou opérations intellectuelles de l'être pensant, ces considérations spéciales sont encore plus éloignées de toutes les recherches ou de toutes les hypothèses sur l'origine et l'établissement des sociétés.

En supposant une première famille humaine qui aurait donné
83 naissance à toutes les | autres, on ne voit pas d'abord pourquoi la
société de famille n'aurait pas pu s'établir sans le langage, tel que
nous l'avons, ou sans une *parole orale* ou *écrite*, comme dit M. de
Bonald. Il y aurait bien une sorte de langage naturel formé par la
manifestation instinctive des premières affections, des premiers
besoins ou appétits de la nature animale ; c'est ce langage naturel,
qui pourrait être considéré comme aussi *nécessaire* à la société pri-
mitive que cette société elle-même est nécessaire à l'existence et à
84 la conservation | de l'homme individuel. Mais ce n'est pas ainsi que
l'entend l'auteur. Dans sa pensée (s'il en a quelqu'une de bien nette
ou bien arrêtée sur ce point de philosophie spéculative), il s'agit
d'une langue d'*idées*, c'est-à-dire d'un système régulier de signes
oraux ou écrits qui rendent les idées *présentes* à l'esprit qui *pense*,
en même temps qu'ils produisent ou manifestent au-dehors ces idées.

Dans ce sens, il n'est certainement pas exact de dire que le lan-
gage oral ou écrit soit une condition nécessaire à l'existence d'une
85 | société quelconque, ni par suite à celle de l'homme individuel ;
car nous avons la preuve que des familles ou de petites peuplades
sauvages vivent dans un état de société imparfaite, et se communi-
quent leurs affections, leurs besoins par des sons inarticulés accom-
pagnés de gestes, sans avoir de langage régulier. Nous avons sous
les yeux une multitude d'hommes grossiers, absorbés par les besoins
et les *sensations*, pour qui la langue des *idées* intellectuelles paraît
sans objet, sans signification, parce qu'ils vivent sans penser.

Mais il y a un sens dans lequel on peut dire véritablement que
le *langage* articulé, ou plus généralement volontaire, est nécessaire
86 à l'être pensant ou à l'homme individuellement | considéré sous ce
rapport ; et le sens dans lequel cette nécessité des signes volontai-
res doit être entendue est loin de la pensée de M. de Bonald, car
il n'a pas analysé jusque-là et il se l'interdit même, puisqu'il fait
abstraction de l'homme intérieur pour n'avoir égard qu'à l'homme
extérieur ou social. C'est vraiment un *fait* psychologique, et que
nous pouvons *constater* par l'expérience intérieure, que nulle sen-
sation, *affection*, image ou, en général, aucune impression de la
nature purement sentante ou animale ne s'approprie à l'homme
87 moral proprement dit, ou | ne devient *objet* de l'esprit qu'au moyen
d'un *acte* volontaire, d'un mouvement quelconque qui est au pou-
voir naturel de cette volonté, force agissante, constitutive de la per-
sonne ou du *moi* lui-même. En appelant langage ces actes ou mou-
vements quelconques internes ou externes, signes des sensations,
des images (de tout ce qui est passif en nous et qui par là même
n'emporte point avec soi le caractère d'*idée*), en appelant aussi *lan-
gage* la série ou le système entier de ces signes coordonnés et ten-

8 dant plus ou moins régulièrement au double but de | la *présence* ou représentation intérieure des images ou des sentiments d'une part, et de la manifestation extérieure de l'autre, il sera très vrai de dire avec M. de Bonald qu'un langage quelconque (en prenant ce terme dans un sens étendu, bien au-delà de ce qu'il appelle la *parole orale* ou *écrite*) est nécessaire à la conception comme à la production de toute idée, nécessaire à la production ou à la manifestation même intérieure du *moi*, du sujet pensant ou se pensant lui-même.

Mais de là aussi on tirera des conséquences tout à fait opposées
9 au système de M. de Bonald sur le *don* primitif du langage ; | car en partant de l'âme, force ou substance créée libre ou active par Dieu qui l'a faite à son *image*, on ne saurait nier que l'âme ne se crée à elle-même les *signes* de ses modifications, en vertu de la même force active par laquelle elle crée ses divers mouvements volontaires, et se constitue par là même *moi*, personne consciente de ses propres opérations. Et en allant à ce sujet plus loin que M. de Bonald, on peut dire que le langage est nécessaire à toute représen-
0 tation sensible ou *image* distinguée | du *moi* dans la conscience et ayant le caractère propre d'*idée*. Et ici on peut rétorquer tous les arguments de M. de Bonald en prouvant contre lui que l'homme doit inventer ou créer les signes de ses premières idées, et qu'il ne peut les recevoir du dehors. Car il ne peut avoir la *perception* orale ou l'idée sensible d'aucun son articulé communiqué du dehors sans lier l'impression reçue à un signe tout intérieur, ou à un mouvement volontaire qui la lui approprie ou la fait sienne ; à quoi
1 l'organe vocal, répétiteur naturel des sons qui | viennent frapper l'ouïe extérieure, est merveilleusement propre.

L'homme n'entend véritablement le langage extérieur transmis par la société qu'au moyen d'un véritable langage *intérieur*, qu'il a dû se créer à lui-même en devenant une personne morale, ou en s'élevant de l'animalité à l'intelligence. Par exemple, avant d'*entendre* les premiers sons articulés transmis par la nourrice, l'enfant a dû d'abord émettre volontairement quelques voix ou sons, et s'apercevoir qu'il était entendu au-dehors, comme il s'entendait lui-même
2 intérieurement ; et ce n'est | qu'après s'être entendu ainsi lui-même ou après avoir volontairement répété les premiers cris que l'instinct seul lui arrachait à la naissance, qu'il devient capable de répéter ou d'imiter aussi volontairement les premiers sons articulés qu'il reçoit du dehors, et d'y attacher une *signification*, comme il a dû attacher antérieurement un sens à ses propres cris ou voix spontanées pour en faire des signes volontaires de réclame.

Nous concevons ainsi comment le langage peut commencer à naître dans une famille ou une petite société tout informe ou impar-

93 faite | qu'on la suppose. Chaque enfant qui naît dans cette famille
humaine a son langage primitif qu'il entend et qui est entendu,
répété par les parents dont l'enfant imite bientôt à son tour les voix
ou inflexions. Entre des individus qui n'ont à se communiquer que
des affections, des besoins sensitifs et les images qui s'y rapportent,
le langage ou le système des signes doit être borné au cercle
de ces *sensations*, besoins et objets sensibles. C'est la langue des
peuplades sauvages, langue qui pour être aussi bornée n'en est pas
94 moins expressive d'*idées* proprement dites, et nécessaire à la | pro-
duction comme à la conception des idées sensibles, autant que la
langue la plus savante ou le système de signes le plus complet est
nécessaire pour la production ou la conception des idées les plus
intellectuelles.

Cette nécessité même qui paraît à M. de Bonald un argument vic-
torieux contre l'*invention* ou la création du langage par l'homme,
nous paraît à nous précisément une preuve de cette création effec-
tuée par l'activité seule de l'esprit humain, tel que Dieu l'a fait.
Car si l'homme dépendait absolument du concours des causes ou
95 des circonstances | environnantes pour la formation même des pre-
mières idées qui le constituent à titre de sujet intelligent et moral,
il pourrait arriver qu'un homme abandonné au hasard de ces cir-
constances et privé de tout secours extérieur, n'aurait aucun moyen
de s'élever de lui-même à l'idée la plus simple, pas même à celle
de son existence individuelle ; et que, créé par Dieu être *intelligent*,
il se confondrait néanmoins avec la brute ou resterait au-dessous
même de l'animal le plus imparfait ; ce qui n'est ni vraisemblable[13]
ni vrai.

96 | Mais, dit encore M. de Bonald, « si l'idée ne peut nous être con-
nue que par son expression, comment les hommes auraient-ils pu
connaître leurs idées et les communiquer aux autres antérieurement
à toute expression et avoir ainsi une idée claire et distincte de
l'expression avant d'avoir l'expression de leur idée ? Aussi
J.-J. Rousseau, après s'être étendu sur les difficultés insurmonta-
bles que présente l'opinion du langage inventé par l'homme, finit
par avouer que *la parole lui paraît avoir été fort nécessaire pour
inventer la parole.* » (16) La solution de cette difficulté qui paraît
97 si insoluble | à M. de Bonald se trouve dans les analyses qui
précèdent.

Comment un mouvement, un acte quelconque du *moi* peut-il

[13] *En marge :* Remarques. — Tout langage humain et même le plus imparfait est soumis à certaines formes universelles : ce sont celles des substantifs et des adjectifs, mais pas le verbe [ce que] l'homme n'a pas inventé c'est l'instinct de l'intelligence

commencer à être volontaire et par cela même intérieurement *réfléchi* ? Le langage primitif est celui des affections, des sensations pures ou des besoins. Ces instincts de la nature sentante ont leurs signes naturels que l'homme n'a pu inventer ; mais l'homme qui commence à apercevoir ces *signes*, les transforme en signes volon-
8 taires, il les institue ou les *invente* | en quelque sorte à leur titre d'*expressions* significatives pour lui et ceux qui l'entourent. La transformation des signes naturels instinctifs en signes volontaires, loin d'être hors de la portée de l'homme, est précisément l'attribut caractéristique de sa nature intelligente et active. Donc cette transformation est toute de son *fait* ; elle n'est point *adventice* mais
9 nécessaire à l'être intelligent. | De la langue des sensations, des images ou des premiers besoins, transformés en idées au moyen des signes volontaires, n'y a-t-il pas un progrès naturel et nécessaire (proportionné à celui des sociétés) à la langue des idées intellectuelles, des notions les plus abstraites, ou de ces opérations compliquées de l'intelligence dont les signes généraux et abstraits notent et conser-
00 vent les résultats ; opérations | auxquelles par conséquent le *langage*, considéré dans un haut degré de perfection, ne saurait être antérieur. Ce second passage doit paraître impossible à ceux qui ne veulent pas commencer par le commencement.

Telle est aussi la source des difficultés prétendues insolubles que M. de Bonald s'est plu à accumuler en se fortifiant de l'autorité
101 de J.-J. Rousseau, qui | n'a pas mieux conçu le problème, comme il serait facile de le prouver par ses propres paroles. Un langage naturel ou spontané est nécessaire pour inventer ou créer le langage artificiel ou volontaire, comme en tout homme, l'intelligence consiste à *faire*, à *répéter*, ou *commencer* volontairement, avec intention et le *sachant*, ce que la nature sensible ou animale fait déjà à l'insu ou en l'absence de la *personne* intelligente. Nous devons
102 attribuer à Dieu ce qui se fait régulièrement sans nous, | mais non pas ce que nous faisons *nous-mêmes*. Ceci répond à la difficulté puérilement appelée contre l'*invention* du langage. Pourquoi l'histoire n'a-t-elle pas conservé les noms d'aucun de ces *inventeurs* du langage ? C'est que tout homme qui commence à penser est *inventeur* des signes propres de sa pensée.

« Il a fallu, dit M. de Bonald (chap. II), une parole pensée ou mentale pour pouvoir penser à toutes les combinaisons du langage ; *penser même* à inventer la *parole*. »

D'accord, mais cette première *parole* mentale, ce premier signe volontaire n'est pas appris du dehors, mais inventé ou trouvé par chaque individu... Voilà justement pourquoi ces signes intérieurs ou mentaux sont différents, même pour les individus qui parlent la même langue extérieure ; de même qu'il y a idée...

103 | Descartes s'élève contre une opinion[14] de Regius tendant à établir que les *communes notions* qui se trouvent actuellement empreintes dans notre esprit tirent toutes leur origine ou de l'observation des *choses* ou de la tradition. Les arguments de Descartes me paraissent également s'appliquer d'une manière victorieuse à la réfutation de l'opinion de M. de Bonald qui prétend aussi dériver toutes les notions générales de la *tradition*, ou, ce qui revient au même, d'un langage primitif, donné à l'homme par Dieu et transmis aux générations successives.

Descartes (17) montre d'abord très bien comment il est faux de dire que les idées mêmes des choses sensibles soient directement transmises par les *sens*, comme si les idées découlaient de cette source dans l'âme faites de toutes pièces, sans aucune coopération
104 active | de l'esprit, ou comme si les *objets* matériels pouvaient être les *causes* efficientes de ces idées. « Il n'y a rien dans nos idées qui ne soit naturel à l'esprit ou à la faculté qu'il a de penser, si l'on en excepte seulement certaines circonstances qui n'appartiennent qu'à l'expérience. Par exemple, c'est la seule expérience qui fait que nous jugeons que telles ou telles idées matérielles, présentes à l'esprit, se rapportent à des *choses* ou des *causes* hors de nous ; non pas à la vérité que ces choses les aient transmises à notre esprit par les organes des sens telles que nous les sentons, mais parce qu'elles ont transmis *quelque chose* qui a donné occasion à notre esprit, par la faculté naturelle qu'il en a, de les *former en ce temps-là* plutôt que dans un autre. Il suit de là que les idées mêmes des mouvements et des figures sont *naturellement* en nous ; et à plus
105 forte raison les idées | de la douleur, des couleurs, des sons doivent être naturelles, afin que notre esprit, à l'occasion de certains mouvements qui n'ont aucune ressemblance avec elles, puisse se les représenter. Mais quoi de plus absurde que de dire que toutes les notions communes qui sont en notre esprit procèdent de ces mouvements ou *qu'elles ne peuvent être sans eux* ? »

Appliquons ceci au langage, à la liaison nécessaire des idées ou notions générales avec les sons articulés. Si l'on considère d'abord les premières sensations, ou les impressions faites par les objets matériels sur chacun de nos sens externes, comme une sorte de *langage* que la nature extérieure parle elle-même à notre âme, en se manifestant à elle ou lui révélant les objets extérieurs, on comprendra que ce langage est entendu par l'esprit en vertu d'une faculté qui lui est propre, et qu'il ne tient que de son auteur. Quoique cette sorte de langage naturel soit un don de Dieu, encore suppose-t-il
106 quelque coopération active de l'âme qui | apprend, à la vérité

[14] *Rayé :* combat l'assertion

promptement, en vertu de ses facultés naturelles, à voir, à toucher, à entendre ; la présence ou l'action des objets extérieurs est toujours la condition nécessaire de cet apprentissage, ou la cause accidentelle qui fait que l'âme commence à s'y livrer dans un *certain temps* plutôt *que dans un autre*.

Supposez qu'il y eût un langage naturel pour les idées générales, ou un système primitif coordonné de sons articulés ou de mots écrits propres à réveiller, ou ce qui revient au même, à faire naître dans l'âme telles idées intellectuelles ou morales ; dès que ces mots ou sons viendraient frapper l'ouïe, ou du moins après un apprentissage plus ou moins court dont la nature ferait presque tous les frais, le langage serait entendu, les idées seraient rendues présentes à l'esprit, non que les sons fussent les causes efficientes productives de ces idées, mais parce qu'ils donneraient occasion à l'esprit de
107 former ou d'apercevoir ces idées, en vertu de la faculté | naturelle qu'il a de les former ou apercevoir en lui dans ce temps plutôt que dans un autre.

En prenant à la lettre les passages de l'Écriture où il est dit que Dieu a parlé aux premiers hommes, et en supposant que ces hommes ne connussent pas encore un langage, il faudrait, pour que la langue venue de Dieu eût été entendue d'abord par l'homme, qu'il y eût entre les signes ou sons articulés et les idées ou choses signifiées, des rapports naturels semblables à ceux qui existent entre les premières impressions faites par les objets matériels sur nos sens externes et les perceptions ou idées sensibles qui représentent ces objets hors de nous ; ou bien encore entre les premiers cris que la nature elle-même paraît avoir attachés aux affections de peine et de plaisir et ces affections elles-mêmes.

En ce cas, il serait vrai de dire que la langue des *idées*, comme celle des sensations et des besoins de la vie animale, est d'institu-
108 tion naturelle et par là même un don de Dieu ; car | l'homme ne serait pas plus l'auteur ou l'inventeur des langues qu'il ne l'est des premières voix ou des cris instinctifs liés à ses premières affections, ses premiers besoins, pas plus encore qu'il ne l'est des sensations auxquelles sont liées les perceptions ou les images qu'il se fait des choses hors de lui.

Mais, dans cette hypothèse même, il ne serait pas vrai de dire que le langage articulé fût la cause prochaine, essentielle, ou exclusive de la formation ou de la première manifestation des idées dans l'esprit de l'homme ; car quoique Dieu eût jugé à propos dans un temps de réveiller ou de suggérer à l'âme de telles idées au moyen de tels signes qu'il aurait établis, on ne voit pas pourquoi la puissance de Dieu aurait été restreinte à l'emploi de tels *moyens* ou de sons, pourquoi il n'aurait pu parler à d'autres sens qu'à celui de

l'ouïe, ou même pourquoi il aurait eu besoin de moyens matériels
109 quelconques pour parler à l'âme et lui faire entendre | ses lois. L'institution de la première langue même divine aurait donc été encore arbitraire dans son principe ; et on ne pourrait y trouver une *cause* efficiente nécessaire de la manifestation interne ou externe des idées de l'esprit.

Que sera-ce donc lorsqu'il s'agit du langage qui est un résultat évident des conventions humaines, qui varie dans chaque société, et dont les signes ont si peu de rapport avec les idées ou choses signifiées, que la même idée se trouve exprimée par une foule de mots divers sans aucune analogie entre eux ; que chacun de ces mots est entièrement vide de sens pour tout homme qui n'en a pas appris la signification, qu'il faut enfin un long apprentissage et plusieurs leçons directes pour parler ou entendre une langue quelconque ? Certainement toutes les traces d'un premier langage naturellement institué ou, ce qui revient au même, donné par Dieu, ont complè-
110 tement disparu de nos langues arbitraires | et de convention. Ce n'est que par hypothèse, ou par des conjectures dont les fondements ne sont rien moins que clairs, qu'on peut admettre l'existence d'une seule langue primitive complète, dont toutes les autres seraient dérivées malgré les altérations ou transformations à l'infini qui nous cachent cette origine. Certainement les langues que nous connaissons et pratiquons sont l'ouvrage de l'homme. Les difficultés, le temps, la réflexion et tout le concours des opérations de l'esprit nécessaires pour bien entendre les idées que leurs divers mots expriment et auprès desquelles le matériel même de ces mots est si peu de chose, prouvent assez la part active que l'esprit de l'homme a prise à leur formation successive ; elles prouvent le travail des générations dont chaque individu est appelé à profiter en travaillant lui-même autant que les premiers inventeurs. Le langage, dans l'état actuel où il est parvenu dans nos sociétés avancées, n'est pas plus un don immédiat de Dieu que ne le sont les mathématiques, la géométrie, tous les arts, toutes les sciences qui ont chacune leur langue. Les facultés seules, propres à faire toutes ces choses, viennent de Dieu, auteur de l'homme.

111 | « Un son, dit M. de Bonald, n'a pu devenir expression et parole que chez des hommes qui avaient déjà un langage articulé. » (18) Cette maxime est démentie par l'expérience journalière des enfants et jusqu'à un certain point même des animaux pour qui les sons inarticulés deviennent *expressions* de sentiments avant ou sans le langage articulé. Tout au contraire, il faut que les simples sons de la voix soient déjà des expressions et commencements de parole pour que le langage articulé puisse être *inventé*.

C'est une chose étrange que de voir M. de Bonald s'appuyer de
l'autorité des philosophes qui ont cherché à réduire toutes les opé-
rations de l'intelligence au pur mécanisme des sensations matériel-
les et des signes du langage, en dissimulant à dessein, ou dans des
vues de système, une classe entière de notions, ou d'opérations inter-
12 médiaires qui n'ont pas plus de | rapport nécessaire avec les sensa-
tions qu'avec les signes matériels dont elles sont indépendantes et
qu'on ne peut même concevoir sans elles.

C'est pour avoir confondu les notions universelles et nécessaires
de l'esprit humain avec les idées générales, artificielles, arbitraires,
comme celles des classes, genres ou espèces, que Hobbes a réduit
toute vérité ou *fausseté* des jugements à l'application bien ou mal
faite des termes ; que Condillac et ses disciples disent que nous ne
pensons qu'avec des *mots*.

Quand on remonte à l'origine de la connaissance et au *moi* pri-
mitif, à la personne active et libre, on trouve autre chose que des
sensations et des *signes*. Si les premières idées ou connaissances
morales originelles sont absolument dépendantes du matériel du lan-
gage articulé, il sera vrai que les idées sont des inventions humai-
113 nes. | Si l'on démontre que le matériel du langage est une invention
de l'homme, dépendante de telle circonstance, de tel progrès social
fortuit, c'est faire dépendre le sort d'une question qui n'en est pas
une pour tout homme de bonne foi (savoir l'universalité, l'invaria-
bilité nécessaire des lois morales), de la solution du problème sur
le langage originel, inspiré ou *inventé*, problème sur lequel on con-
viendra bien du moins qu'il est permis d'*hésiter* beaucoup.

Il paraîtra donc singulier à tous les bons esprits, qu'on prétende
conclure de l'universalité et de la nécessité première des idées mora-
les l'universalité et la nécessité du langage, et que l'on suppose celle-
ci indivisible de la précédente, sans voir que cette assimilation ou
114 identité supposée entre la parole et la pensée | compromettait la ques-
tion de savoir si l'homme a pu se donner arbitrairement des lois
morales, comme il a pu se donner un langage.

J'entrevois que toute la théorie de M. de Bonald va reposer sur
une équivoque perpétuelle.

La parole est-elle un *don* ou une invention de l'homme ? Cela
dépend de ce que l'on entend par la *parole*. La faculté de parler
est un *don* ; les sons articulés, comme moyens d'exprimer les idées,
de même que les autres mouvements volontaires ou disponibles,
aptes à une expression pareille (quoique moins immédiate), et les
rapports *généraux* de ces moyens à la fin qui est l'expression ou
la manifestation de la pensée, voilà autant de *dons*, si l'on veut ;
l'homme les a reçus et non pas inventés. Mais quant à l'applica-
tion particulière de tels moyens au but, quant au choix du signe

matériel employé à exprimer telle idée, conception ou notion, pré-
115 tendre que ce soit | également un don, une révélation ou un enseignement immédiat de Dieu, c'est, au lieu de chercher à résoudre un problème, vouloir couper le nœud en faisant intervenir le miracle, en recourant à la foi là où il ne s'agit que de raison.

Que la parole soit un *don* comme les lois morales, j'y consens ; mais pour maintenir le parallèle, il faut dire que la faculté d'exprimer des idées de l'esprit ou des sentiments par les sons articulés ou inarticulés de la voix a été donnée à l'*homme*, comme la faculté de connaître le bien, de sentir le bon moral et de l'aimer lui a été donnée. Voilà pourquoi il y a un *logos*, une parole universelle, nécessaire, comme une morale, un attrait pour le bien, pour la perfection et une aversion pour le mal, pour ce qui tend à la destruction de la société, attrait et aversion qui sont communs à tous les temps et à tous les lieux. Mais telle *parole*, telle forme de langage primitif
116 n'est pas plus un don que telle organisation | sociale, telle institution, telle coutume, dépendante des circonstances de localité, de l'état des peuples, et variables selon qu'ils se trouvent être commerçants, guerriers, industriels, etc.

Ici, comme dans tout le reste, il s'agit de savoir ce qui est commun, vraiment universel, vraiment nécessaire à l'existence de l'individu ou de la société ; et on peut affirmer que les hommes n'ont pas inventé ces choses.

Or, il est bien commun, universel et nécessaire à toutes les sociétés d'exprimer d'abord les besoins et les sentiments et plus tard les idées, au fur et à mesure des acquisitions intellectuelles, par des signes quelconques et même par des *sons* articulés en général ; mais non pas tels *signes*, tels sons *articulés*, choses qui varient à l'infini. D'où il suit que si l'on peut dire avec vérité que le langage est un don de Dieu, il faut entendre la faculté, les moyens généraux donnés pour l'expression des idées et non pas telle forme déterminée du langage. Dieu a créé l'homme avec l'instrument de la parole et la faculté d'acquérir des *idées*. Aussi l'homme a-t-il partout et toujours ces facultés dont l'usage est général et commun. Mais Dieu ne nous a pas donné de langue toute faite ; aussi les langues varient-
117 elles en tous lieux. | Et la question de savoir s'il y a eu une langue primitive, universelle, dont toutes celles que nous connaissons soient dérivées, est tout hypothétique.

Comment une langue première, donnée et enseignée aux hommes par Dieu même, se serait-elle perdue au point de devenir méconnaissable et introuvable ?

Pourquoi les lois morales, les notions et les sentiments vraiment communs à tout ce qui est homme, n'ont-ils pas subi les mêmes variations ? Si l'on dit que ces sentiments, ces notions sont indivi-

sibles de certains signes qui les expriment, il ne suffit pas de dire qu'il en est ainsi généralement, ou qu'on ne peut avoir telle idée morale sans un *mot*, un signe articulé en général, pour en conclure que le langage vient de Dieu immédiatement comme la morale ; il faudrait pouvoir montrer de plus que tel signe, institué par Dieu primitivement pour exprimer telle idée, est resté aussi invariable
18 qu'elle, aussi universel que l'expression naturelle des | affections ou des passions du cœur humain par tels cris interjectifs, attitudes ou gestes, altération de la couleur ou des traits du visage, etc. : voilà bien ce que l'homme n'a pas inventé et qu'on trouve aussi en tous lieux.

Il faut reconnaître, ou que les idées morales ont été *primitivement données* avec la *parole* qui les exprime, ou que les unes sont *arbitraires* comme l'autre. Ce qui est arbitraire, ce n'est ni l'idée morale ni la *parole* en général qui l'exprime, mais telle parole, tel son particulier ou telle combinaison déterminée de ces sons articulés et inarticulés.

En équivoquant du général au particulier on prouvera que la parole est un don, comme on prouvera que c'est une invention.

Source : BI, ms. 2123.

[Défense de la philosophie]

119 | Lettre à l'auteur d'un ouvrage philosophique

L'historien de la philosophie (19) reconnaît un système de vérités qu'il s'agirait seulement de compléter et de séparer des erreurs dont il provoque la réforme ; il reconnaît donc que tous les efforts n'ont pas été inutiles, et que les philosophes ont marché quelquefois dans une bonne route, puisqu'ils ont été conduits à des vérités dont le complément désirable peut seul être attendu par l'Europe pensante.

M. Degérando a donc toute raison de ne pas *désespérer de la philosophie*. L'inconséquence n'est donc certainement pas de son côté, mais ne serait-elle pas tout entière dans la pensée de ceux qui, parlant des divergences et des oppositions réelles ou apparentes de ces systèmes si nombreux, où des vérités à compléter sont mêlées aux erreurs à réformer, prétendraient conclure de ces différences seules, ainsi jugées en masse et à vue d'oiseau sans autre examen, qu'il faut désespérer de toute philosophie, c'est-à-dire de la raison
120 humaine, | vu l'impossibilité d'arriver jamais à la vérité, pour peu qu'on s'attache à suivre quelqu'une de ces routes si multipliées et si diverses, pratiquées pendant le long espace de trois mille ans, comme si toutes ces routes avaient toujours également conduit à l'erreur ; comme si l'on pouvait, sans être pyrrhonien absolu, méconnaître un système de vérités précieuses qui, mises dans leur jour par des chefs d'école, sont devenues le patrimoine de tous ; comme si, enfin, une seule vérité trouvée par la philosophie ne prouvait pas plus pour elle que toutes les oppositions de systèmes ne prouvent contre la philosophie en général ? L'inconséquence serait du côté de ceux qui, ne trouvant qu'erreur et mensonge dans toute philosophie, s'occuperaient encore de *recherches philosophiques* et tenteraient de faire adopter un nouveau système, tout en prétendant démontrer qu'il faut désespérer de la philosophie.

121 | Je l'avoue, Monsieur, plus je relis avec attention les quatre premières pages de votre ouvrage, plus je me persuade que vous avez enveloppé le sens et le but de votre thèse principale dans le dessein prémédité d'assurer d'avance à votre doctrine du jour un privilège exclusif sur toutes les doctrines de philosophie connues depuis trois mille ans, et de sauver cette *philosophie* privilégiée du déluge où vous voulez noyer tous les philosophes sans exception.

« J'ose sonder, dites-vous, une des grandes plaies de la *société*, la *diversité, l'incertitude*, la *contradiction* même des doctrines philosophiques. » (20) Certes il serait à souhaiter que la société n'eût pas d'autres plaies que les dissidences des métaphysiciens sur certaines questions abstraites qui ne font pas grand-chose aux affaires de ce monde. Mais si c'est là vraiment une plaie ou une affliction que Dieu a donnée à l'homme en châtiment (*hanc occupationem pessimam dedit Deus filiis hominum ut occuparentur in*
122 *ea*) (21), | il ne s'agit pas seulement de sonder la plaie, assez d'autres avant M. de Bonald se sont chargés de ce soin ; mais il faudrait enfin chercher les moyens de la fermer, et nous verrons si l'auteur, qui semble se plaire à exagérer le mal, à irriter la plaie, s'occupe bien efficacement des moyens de la guérir. Nous voyons que vous n'avez pris pour modèle ni Pascal ni Montaigne, et que toute philosophie peut encore ne pas désespérer de trouver grâce devant vous, pourvu qu'elle se soumette à votre direction et vous reconnaisse pour chef : sur ce point les exemples et les modèles ne sont pas si rares. — Mais entrons en matière :

L'auteur[15] commence par faire un tableau séduisant des peuples qui ont été heureux et sages quoiqu'ils ignorassent le nom de philosophie, à partir de ce peuple choisi par Dieu même qui fut en effet le plus sage et le plus savant de tous, puisqu'il puisait immédiate-
123 ment à la source de la science et de la sagesse. | Mais d'abord tout ce qui concerne le peuple de Dieu est surnaturel et ne prouve rien pour l'état social ordinaire. En second lieu, qui est-ce qui a jamais nié que les hommes ne puissent vivre sages et heureux sans aucune science métaphysique, sans théorie morale ? avoir atteint dans la pratique le but d'une véritable philosophie, et jouir de la sagesse et de la science sans songer à les réduire en théorie, sans avoir une

[15] *Variante :* Je pense à votre belle et éloquente tirade relative au peuple juif qui ne connut jamais le nom même de *philosophie* quoiqu'il fût bien instruit à la meilleure, à la plus sublime de toutes les écoles, à celle de Dieu même qui avait parlé à ses ancêtres, et écrit pour leurs descendants.

Cette grande circonstance met seule hors de ligne, hors de toute comparaison, le peuple choisi de Dieu chez qui tout est miraculeux, depuis son existence jusqu'à la dispersion.

A le considérer même sous un point de vue culturel, cet exemple prouverait seulement qu'une société peut avoir des principes et des normes pures, des lois appropriées à son état physique et moral, cultiver même les arts et les sciences naturelles, sans que la philosophie soit précisément connue sous son titre, quoiqu'elle soit nécessairement pratiquée ; cette vérité d'expérience n'est contredite par personne et ne fait rien à la proposition dont il s'agit précisément.

science de la science ou de la sagesse, comme on jouit de la lumière sans avoir une science de la lumière ou une théorie de la vision ? Qui est-ce qui peut contester des faits d'expérience si simples, si évidents ? Et la philosophie elle-même dont la principale et la plus utile fonction consiste à bien marquer les limites qui séparent nos facultés diverses, à ne les appliquer jamais hors de leur sphère respective, cette philosophie qu'on n'atteint point par des calomnies, ne saurait prendre pour elle les diatribes dirigées contre la science qui a usurpé son nom, et nous apprend à ne pas confondre avec
124 la science les croyances nécessaires fondées | soit sur le sentiment intime, soit sur l'autorité d'une révélation qui, pour être entendue de tous les hommes, a dû s'adresser à ce sentiment même. Telles sont les questions qui tiennent à l'existence de la cause première, au libre arbitre, à l'origine et à la nature du bien et du mal, etc.

Dans la métaphysique, ou dans le domaine du raisonnement seul, les *preuves* pour et contre s'opposent et se neutralisent jusqu'à un certain point, et ces *antinomies*, dont les sceptiques ont cru tirer un si grand parti, servent uniquement à nous apprendre la chose, il est vrai, la plus utile, la plus nécessaire à connaître : savoir, que la métaphysique n'a rien à nous apprendre sur les objets ou les croyances qui sortent des bornes du monde visible et qui n'en sont pas moins universelles ou communes à tout ce qui est homme ; que la *conviction* ou la prescience même de ces vérités appartient, soit immédiatement, soit par dérivation, à la conscience ou au sentiment intime, attribut caractéristique de notre nature même, qui constitue le *moi*, la personne humaine, ce qui n'empêche point de croire à une révélation supérieure qui, pour être entendue par l'homme, par tout homme, a dû s'accorder avec ce sentiment ou le réveiller, car ce sont là deux moyens de croire ou de savoir qui,
125 loin | de s'exclure, correspondent parfaitement l'un avec l'autre, et peuvent s'identifier jusqu'à un certain point. La conscience en effet peut être considérée comme une sorte de manifestation intérieure, de révélation divine, et la *révélation* ou la parole de Dieu peut s'exprimer par la voix même de la conscience.

Toute vérité première religieuse ou morale ainsi manifestée ou révélée à l'homme intérieur est bien certainement en principe hors du domaine de la raison ou du *raisonnement*, car cette faculté d'argumentation qui s'appuie toute sur *les mots* (qui ont bien pu ne pas être par eux-mêmes les objets ni même les *moyens* nécessaires d'une révélation divine), la raison, dis-je, qui argumente et déduit, est un instrument qui se ploie en tout sens et opère *à vide* sur les croyances quand le *sentiment* ne vient pas à son secours. D'ailleurs la faculté de raisonner n'est pas également développée chez tous les hommes ; mais le sentiment est le même pour tous.

« Les belles époques de l'espèce humaine ont été celles où les vérités premières de l'ordre moral et religieux n'étaient point encore sorties du domaine intérieur pour être soumises au creuset d'une science de raisonnement, qui n'a sur elles aucune prise directe de
26 fait ni de droit. Rendons grâce au philosophe | qui le premier a interdit l'entrée du sanctuaire à la science qu'il professait, et employant toute la puissance de l'abstraction métaphysique, a montré qu'il y avait telle région d'où la métaphysique devait être expressément et nécessairement bannie. »

Quel dommage, Monsieur, que vous n'ayez pas songé à étudier un peu mieux la philosophie de Kant et d'autres productions modernes de cette école allemande que vous traitez si durement. Kant fait le procès à la raison, à son propre tribunal. Dieu, la liberté, l'immortalité, sont hors des atteintes de la raison ; le système de Kant les met à l'abri des attaques du raisonnement. Les armes vous seraient probablement tombées des mains en voyant toute votre doctrine ressortir sous une autre forme du sein même de cette métaphysique qui doit trouver sa force et sa véritable utilité lorsqu'elle parvient à déterminer ses limites et à démontrer la nécessité de s'y circonscrire.

Voulons-nous empêcher la raison de s'égarer dans des recherches vaines ou dangereuses, faisons en sorte qu'elle s'impose à elle-même ses propres bornes, en sachant bien ce qu'elle fait, ce qu'elle peut et ne peut pas. Que si nous voulons employer une autorité quelconque, autre qu'elle-même, à la limiter et à lui donner des lois, à lui interdire l'examen de certains sujets, soyons sûrs que nous ne
127 | ferons que l'exciter davantage à s'affranchir de ces entraves. Si ce sont là des vérités constatées par notre expérience, il faut en conclure, Monsieur, que les philosophes allemands ont mieux connu que vous le véritable intérêt de la cause que vous soutenez avec eux. Ils ont fait mieux. Au lieu de tourner en ridicule la métaphysique, de renier et de proscrire toute philosophie à cause des différences et des contradictions des systèmes sur les vérités qu'il importe le plus à l'homme de reconnaître et de pratiquer, ils ont appelé la philosophie au secours même de ces vérités, en se servant d'elles pour trouver, hors de la raison et du système de la connaissance, le vrai principe ou la source indépendante de nos croyances morales.

Si nous formons sur ce modèle l'idée fixe que nous devons avoir de la philosophie, nous ne nous livrerons plus à des déclamations oiseuses contre la philosophie en général à cause des systèmes divergents et contradictoires ; nous jugerons plutôt les systèmes en les comparant au type de la vérité, nous verrons précisément en quoi et pourquoi ils diffèrent ; nous distinguerons les erreurs qu'il faut rejeter des vérités *précieuses* et généralement adoptées qu'il ne s'agit

128 que de | compléter et de mieux systématiser ; ainsi nous aurons mérité le vrai titre de philosophe, tout en conservant les croyances révélées que la philosophie elle-même nous aura appris à respecter et que l'étude bien faite des opinions de l'homme, toutes vaines, toutes contradictoires qu'elles sont, n'aura fait que rendre plus inébranlables.

Il me semble, Monsieur, que vous avez commis une grande erreur et causé sans le vouloir beaucoup d'injustices graves, faute d'avoir fait une étude suffisante de la philosophie, ou de vous être fait une idée un peu nette de la nature et de l'origine des questions qu'ont élevées en divers temps ceux qui ont mérité, et à qui nous conservons encore justement le nom de *philosophes*.

Il y a deux sortes de révélations : l'une extérieure, de tradition orale ou écrite, l'autre intérieure ou de *conscience*. L'une et l'autre viennent de Dieu, comme tout en vient d'une manière médiate ou immédiate, naturelle ou surnaturelle. L'une et l'autre ont leur base
129 et leur domaine hors de la raison et excluent de leur sphère | le scepticisme religieux et philosophique. L'une et l'autre se servent des mêmes armes.

128 | Vous dites bien que les Juifs, entre autres peuples, ne connaissaient pas de nom la philosophie ni les philosophes, et vous en donnez la véritable raison. Les sociétés auraient été heureuses sans doute, si, aux mêmes conditions, la philosophie avait pu ne germer jamais sur leur sol, si les hommes trouvaient leurs lois, leurs devoirs, les règles de leurs mœurs, tous leurs besoins intellectuels et moraux écrits dans tous les monuments, dans les souvenirs les plus rapprochés, dans la constitution d'une société établie par Dieu même, s'ils n'avaient jamais eu besoin d'études, d'observations,
129 | de raisonnements, de réflexion sur eux-mêmes, enfin d'exercer toutes les facultés que Dieu leur a données pour connaître les devoirs, les lois morales et politiques les plus propres à assurer le bonheur des individus, l'ordre et le repos des sociétés.

Si les hommes avaient été toujours dirigés ainsi par l'*évidence de l'autorité suprême*, ils n'auraient pas connu notre philosophie, ou ils auraient été bien mieux que *philosophes*. Lors même que les connaissances premières, pratiques et non spéculatives, se fussent altérées par le temps et la dispersion des peuples, il suffisait que les traditions en eussent conservé des traces, que la grande idée de la cause première et l'histoire véritable quoique altérée de la *genèse*, perpétuée par les mêmes moyens dans la suite des générations, commandassent encore le respect et entraînassent une croyance d'autorité, dont la raison n'était pas juge ; cela suffisait, dis-je, pour fermer l'accès à la philosophie et éloigner sa naissance.

L'origine de la philosophie date de l'époque où les hommes et

30 les *sages* à la manière des hommes, songeant à s'élever | à la connaissance d'eux-mêmes et de la nature morale, rejetèrent toutes ces images vaines ou puériles qui avaient défiguré les vraies croyances primitives et cherchèrent dans la raison humaine ce qu'ils ne pouvaient « reconnaître dans les croyances de la société ».

Mais observons bien ici que si ces sages, au lieu de consulter la raison, ou de chercher dans l'intimité du sentiment ou de la réflexion la connaissance d'eux-mêmes et de la nature morale, se fussent uniquement attachés aux croyances de la société, et qu'ils les eussent dégagées des images qui les altéraient par des additions successives, ils eussent pu les ramener à leur véritable source et constater l'évidence de l'autorité divine d'où elles étaient émanées ; ils eussent enfin ramené la société à cet état primitif où la lumière luit d'elle-même. Ces hommes, restaurateurs de la morale divine, n'en auraient été que plus sages et n'auraient pas pu être appelés *philosophes*, quoiqu'ils eussent éminemment mérité le titre de sages.

Je vous prie, Monsieur, de vous arrêter quelque peu sur cette observation qui est capitale entre nous, comme pouvant servir à fixer les bornes de la raison et de la foi, de la philosophie et de
31 | la révélation, de la science et de la croyance, limites qui n'ont jamais été bien posées et que votre ouvrage tend à confondre entièrement : c'est que la philosophie ne commence pour l'homme qu'à l'instant où il fait usage de sa réflexion, de sa raison, de toutes les facultés intuitives que Dieu lui a données pour suppléer aux connaissances qu'il a pu révéler immédiatement au premier homme selon les livres sacrés, dont il a jugé à propos de retirer la connaissance à ses descendants, et qu'il nous a condamnés à ne savoir qu'après les avoir étudiées dans toute la peine et la fatigue de l'esprit : *quœrere et investigare sapienter de omnibus, quœ fiunt sub sole* (22). Faites que, ce que l'homme pense ou croit par l'évidence de la raison à la suite d'un grand travail de l'esprit, il le croie ou le voie immédiatement par l'évidence seule de l'autorité, et vous aurez ôté la matière d'une science, d'une philosophie quelconque. Alors, sans doute, disparaîtront des oppositions qui vous paraissent un si grand désordre social, mais aussi vous aurez rendu inutiles, et même paralysé toutes les facultés actives que Dieu ne nous a données sans doute que pour les exercer. Reste à savoir ce que deviendraient les croyances isolées, séparées de toutes les *connaissances* qui sont très évidemment les produits de nos facultés actives et non pas des ins-
132 pirations ni des révélations comme dans l'âge des miracles ; | reste à savoir si les sociétés humaines, si la vraie religion même y gagneraient beaucoup.

Partout où la révélation parle, la raison humaine peut ou doit se taire ; mais si elle s'abstient de s'exercer hors de son domaine

légitime, n'est-elle pas nécessitée à agir, à prononcer dans ses limi-
tes ? Et comment les reconnaître ou les fixer sans son intervention ?
Comment des croyances propagées d'âge en âge par les traditions,
fût-ce même par des signes écrits dont le vrai sens peut varier à
l'infini, ne s'altéreront-elles pas si, à défaut d'une révélation per-
manente, la raison commune ne conserve pas la véritable valeur
des premiers signes ? Comment enfin, quand une imagination toute
matérielle ou sensible tend toujours à corrompre ou à déguiser les
premières connaissances ou croyances révélées, les sages pourraient-
ils se dispenser de faire encore ce qu'ils ont fait au sortir des siècles
d'ignorance ou de superstition, savoir de chercher dans la raison
de l'homme ce qu'il leur était impossible de reconnaître dans les
croyances de la société, ou au sein des ténèbres et des illusions gros-
sières du paganisme ? En quelque lieu qu'ait commencé ce travail
de la raison, on ne verrait pas pourquoi c'est seulement l'ordre
133 naturel | comme l'âge des révélations immédiates ou le temps des
miracles est passé, que les générations coupables ont perdu leur
flambeau extérieur, leur guide suprême ; que deviendront-elles si
vous éteignez encore cette lumière intérieure destinée à les conduire
dans les ténèbres, si vous interdisez à l'homme l'emploi même légi-
time des moyens qui lui ont été donnés pour reconnaître ce qu'il
doit croire, ce qu'il peut connaître ? Comment empêcherez-vous
que les premières croyances révélées ne se défigurent ou ne s'altè-
rent par les traditions successives des âges et ne soient défigurées
entièrement dans leur mélange avec les produits d'une imagination
qui s'en empare pour les revêtir de ses couleurs matérielles ou
anthropomorphiques ? Les premières croyances ou vérités révélées
fussent-elles même fixées par l'Écriture sacrée, si la main toute-
134 puissante qui traça ces premiers signes écrits n'est | pas encore pré-
sente pour en conserver le vrai sens, comment la valeur des signes
ne serait-elle pas exposée dans les traditions à toute la mobilité des
âges, aux caprices de l'imagination ? Enfin ne devrait-il pas arri-
ver nécessairement une époque plus ou moins éloignée de celle des
révélations où les sages se verraient obligés de *chercher dans la rai-
son de l'homme ce qu'ils ne pourraient plus reconnaître dans les
croyances de la société ?*

Or, quels que soient cette époque et les lieux où cette recherche
ait commencé et ses fondements, il est certain que la *philosophie*
date du moment précis où les premiers sages ont senti le besoin de
s'élever par leur raison ou leurs réflexions intérieures à la connais-
sance d'eux-mêmes et de la nature morale, sans chercher dans
aucune autorité révélée ce qu'ils devaient croire ou penser sur cette
nature originelle.

135 | C'est à ces études réfléchies sur l'homme et la nature morale qu'il

faut assigner l'origine de la philosophie ; je dis plus, c'est là que
pour justifier son titre elle devait s'arrêter sans aller plus loin et
sans sortir de son sujet. Si des imaginations sans règle et sans frein,
ou guidées seulement par quelques traditions vagues, ont enfanté
dans le même temps des systèmes plus ou moins bizarres et contra-
dictoires de cosmogonie, ces systèmes n'avaient pas plus de rap-
port avec la philosophie que la folie n'en a avec la sagesse, l'état
de délire avec celui de la raison, l'enfance avec la maturité de l'âge.
36 | C'est par corruption ou par abus des termes que le titre de philo-
sophe, justement attribué aux premiers qui, suivant le grand pré-
cepte de l'oracle (*nosce te ipsum*), s'attachaient uniquement à l'étude
d'eux-mêmes ou de la nature morale, a pu passer aux auteurs de
ces bizarres cosmogonies inventées par l'imagination seule avec les
matériaux qu'elle fournit, et sans voir, sans consulter en rien le
monde réel. Ces hommes ardents et aveugles qui élevaient de vai-
nes hypothèses sur le sol même que la révélation s'était approprié,
qui *commençaient leurs systèmes par où la religion avait commencé
son enseignement et ses livres*, loin de pouvoir s'arroger le titre de
philosophes ou de sages, abdiquaient au contraire ce titre de la
manière la plus formelle, soit par leurs excursions hors du domaine
de la connaissance intérieure de l'homme où l'oracle avait placé
37 le sanctuaire même de la sagesse, soit | par leur ignorance et leur
aveuglement prouvés par la nature même de leurs systèmes et l'objet
fantastique de leurs recherches.

Si par sa nature d'être intelligent, l'homme est nécessité, ou du
moins amené à croire qu'il y a nécessairement un principe ou une
origine des choses et du monde, la détermination de ce principe,
de cette origine, est évidemment hors du domaine de toute philo-
sophie, hors des limites de toute faculté, et lorsque le fondateur
de l'école ionique cherchait ce principe dans la *matière* dont l'exis-
tence suppose elle-même une cause ou un principe hors de la
38 matière, | ce fondateur abjurait par là même sous tous les rapports,
le caractère de philosophe. Cela s'applique évidemment à tous les
faiseurs de cosmogonies ou d'hypothèses physiques qui, depuis Tha-
lès jusqu'à la naissance d'une véritable physique d'observation, ont
dû se multiplier et varier à l'infini comme les songes de la nuit dans
ce sommeil de la raison.

L'application même la plus régulière et la plus légitime des facultés de l'esprit aux choses du dehors ou aux phénomènes de la nature ne peut rester dans le cercle de la philosophie, car ce genre d'étude n'est propre qu'à nous distraire de nous-mêmes et à nous aveugler sur notre nature morale, loin de fournir sur elle quelques lumières ; nous aurons peut-être occasion d'en voir des exemples assez éclatants.

Concluons dès à présent de ces observations que l'histoire de la
philosophie proprement dite devrait et pourrait être très utilement
abrégée et simplifiée si on la réduisait à n'être que le précis et le
tableau comparé des doctrines de ces sages qui, depuis l'origine,
ont cherché dans l'exercice de la réflexion et de la raison, des lumiè-
139 res | qu'ils ne trouvaient plus dans les croyances de la société ou
dans l'autorité bien évidente de quelque révélation médiate. Ainsi
en réduisant à ses limites propres une histoire de la philosophie,
loin de représenter l'image du chaos et cette multitude confuse
d'oppositions ou de contradictions des systèmes, ces disputes inter-
minables exagérées encore par un scepticisme destructeur et par une
sorte de frivolité dédaigneuse qui veut se justifier à elle-même son
mépris affecté pour une science qu'elle ignore et qu'elle devrait au
moins s'abstenir de juger, l'histoire de la philosophie offrirait aux
vrais sages un tableau régulier et assez uniforme de vérités premiè-
res, morales ou intellectuelles, reconnues de tout temps, et des
erreurs systématiques de l'esprit humain, dans cette courbe rentrante
où l'on aura sans doute à tracer des inflexions et des rebrousse-
ments, mais dont les deux pôles fixes, immuables, ont été et seront
toujours Dieu et l'âme pensante, dans l'ordre des essences, la per-
140 sonne *moi* et la personne *Dieu* dans l'ordre | de la connaissance.

Hors de ce grand cercle, les anomalies et les aberrations des systè-
mes cosmogoniques, physiques, naturalistes ne comptent plus, et
l'on ne peut vouloir en charger ou en embarrasser l'histoire de la
philosophie que pour faire une parade d'érudition, ou dans le des-
sein prémédité de tout mélanger, tout confondre, pour tout criti-
quer, tout proscrire en masse.

Vous voyez bien, Monsieur, comment je suis conduit par vous-
même à prendre une marche tout à fait opposée à celle que vous
avez choisie, dans l'espoir de faire retomber sur la philosophie,
entendue de toutes les manières les plus opposées, tous les coups
dirigés précisément contre tout ce qui n'est pas elle. J'aurai besoin
de mettre en évidence ce que vous dissimulez ou confondez, dans
le tableau varié de tant d'opinions qui ne touchent en rien le sujet
principal, et ne prouvent ni pour ni contre votre thèse
antiphilosophique.

Je choisis dans votre exposé historique les points saillants rela-
tifs à la question, et je rattache à Socrate d'après vous ou d'après
M. Degérando, le premier anneau de la chaîne de l'histoire de la
philosophie. Socrate est vraiment le premier des *philosophes* ou des
141 sages, non parce qu'il fit | descendre, comme on a dit, la philoso-
phie du ciel, mais parce qu'il sut lui assigner son propre domaine,
la vraie connaissance de l'homme, de la nature de ses facultés mora-
les, de ses rapports nécessaires avec Dieu et avec ses semblables.

Quand même Socrate aurait trouvé *dans les livres* des Hébreux plutôt que *dans ses propres méditations* les notions de ces vérités premières que la vraie philosophie constate sans les prouver, il pourrait être dit les avoir découvertes, car lorsqu'il s'agit des vérités morales ou religieuses, la tradition, la révélation même ne peuvent qu'éveiller dans l'âme une notion qui était en elle et ne la créent pas, observation importante que nous aurons besoin de rappeler
42 dans une autre occasion. | Si Socrate sut distinguer la vérité dans les livres des Hébreux et se l'approprier ou la rendre sienne, c'est que cette vérité était en lui, au moins en état de germe, et qu'il avait la faculté de l'inventer et de la rendre sienne ; autrement il ne l'aurait pas comprise. Ceci est général et s'applique à l'invention des signes.

Socrate, dites-vous, aurait affermi sur la terre la morale qu'il avait fait descendre du ciel, « si le génie d'un homme quel qu'il soit pouvait être une *autorité* pour l'homme et une garantie pour la *société.* » (23) Certes le génie d'un Socrate constatant des vérités telles que l'*unité d'un Dieu créateur, rémunérateur et vengeur, l'immortalité de l'âme et la loi du devoir*, etc., devait exercer, comme elle exerce encore et exercera à jamais sur tous les êtres intelligents et moraux, l'autorité complète de l'évidence, l'autorité du sentiment, de la conscience, de la raison universelle, c'est-à-dire l'autorité et la garantie de Dieu même, qui est la lumière et la source suprême de toute raison.

Ainsi l'entendait le premier disciple de Socrate, le second des *philosophes* proprement dits, qui compare si bien et si profondément les premières vérités morales, ces notions universelles et nécessaires, à des *réminiscences* de l'âme, qui les saisit la première fois non comme nouvelles, mais comme les ayant eues auparavant et toujours en sa possession ; caractère bien éminemment distinctif de ces notions, que Platon proclama le premier comme *idées innées*, et qui ont été après lui signalées sous le même titre et sous des titres équivalents tels que : virtualités, formes, lois innées. A cet égard du moins il faut reconnaître, malgré les temps et les lieux, une parfaite uniformité de vues entre des doctrines philosophiques qu'un premier coup d'œil fait juger différentes ou même opposées dans
143 leur principe. | L'autorité évidente, la garantie, qui appartient non à l'homme, mais au caractère ou à l'essence même des vérités qu'il met au jour, passe tout entière de Socrate à Platon qui y mêla d'autres éléments tirés d'une source différente. Platon, le premier disciple de Socrate, et le second des philosophes (dans le sens propre du mot) puisa aussi au fond de son âme plutôt que dans les livres des Juifs, les lumières qu'il répandit sur la nature morale et sur ses rapports nécessaires avec Dieu même, avec la source suprême d'où elle émane. En proclamant ces premières vérités intellec-

tuelles et morales, comme en les apercevant et en les sentant immédiatement, il ne croyait pas les enseigner aux hommes comme des choses ou des idées nouvelles, mais les réveiller, les reproduire dans leur pensée comme des réminiscences d'idées qui y étaient auparavant ; et en effet, qui croit ne pas avoir su toujours ces notions dont l'évidence frappe notre esprit pour la première fois ? Que les expressions sensibles ou matérielles, nécessaires à la manifestation, à la communication de toute vérité d'intuition, soient apprises comme nouvelles, ou si l'on veut, révélées par le ciel, la vérité en elle-même
144 n'est | pas nouvelle à l'esprit, le matériel des signes appris ou révélés l'excite et la réveille et ne la produit pas. La révélation par le signe n'est donc pas la révélation de la vérité même ou de l'idée qui s'y lie, mais seulement le moyen de manifester ou de produire au-dehors ce qui préexistait déjà au fond de l'âme, et sans cette préexistence des idées aux signes qui les expriment, ceux-ci seraient sans nulle valeur, fussent-ils révélés par Dieu même.

Une autre autorité que celle du génie de Platon a maintenu la doctrine des idées innées, et l'a reproduite dans divers systèmes de philosophie qui se sont succédé depuis cet homme de génie jusqu'à nous sous des titres différents qui la déguisent aux esprits superficiels. Ainsi les *virtualités* de Leibniz, les *formes* et les *catégories* de Kant, les *lois inhérentes à l'esprit humain* des philosophes écossais ne diffèrent presque pas au fond de ces réminiscences platoniciennes ou des idées innées que Descartes et Malebranche n'ont pas renouvelées de Platon, mais qui sont les produits indigènes de leur propre génie médiatif.

145 | Sur ce point du moins, comme sur quelques autres, il y a lieu d'admirer la constance et l'uniformité des opinions et des doctrines de ces philosophes, qui, séparées par le temps et les lieux, indépendantes comme le génie, tournent spontanément dès l'origine dans des orbes semblables, réductibles à un certain nombre d'équations fondamentales.

Solemque suum sua sidera norunt (24)

Comment se fait-il que les premières révélations divines aient été s'altérant et se transformant sans cesse dans leur passage au travers des siècles, que la parole ni l'Écriture divines n'aient pu leur conserver la moindre trace connaissable de leur sens primitif, tandis que certaines opinions philosophiques, certaines vérités sur la morale, une fois constatées, ont conservé, dans tous les temps et les lieux, un ascendant universel, une évidence égale pour tous les esprits qui n'ont pas même eu besoin de se les communiquer pour les conserver ou les reproduire toujours les mêmes ? Ne serait-ce pas celles-ci surtout qu'il faudrait attribuer à une révélation intime,

immédiate, faite à toutes les âmes par celui qui les créa, plutôt qu'à
146 une parole qui ne se fit entendre qu'à | quelques hommes dans un
point déterminé de l'espace ou du temps ?

Je saisis, Monsieur, comme vous le voyez, chaque occasion qui se présente pour préparer de loin la solution d'un grand problème qui est comme le gant jeté par vous à la philosophie et aux philosophes, et je prends votre tableau historique pour ce qu'il paraît avoir été dans votre esprit, savoir, un arsenal où vous allez choisir les armes les plus propres à la grande attaque que vous préparez. Il est naturel que j'y cherche aussi des moyens de défense pour la vraie philosophie.

Je ne sais si l'on peut dire exactement et sans explication qu'Aristote fit descendre les esprits « de la hauteur à laquelle Platon les avait élevés ». Il serait plus exact de dire que le chef du Lycée attira les esprits du dedans au dehors ; qu'à la place de ce monde idéal de réminiscences platoniciennes, il développa à leurs yeux un monde visible qui devait avoir pour eux l'attrait de la nouveauté. De tous les talents que possédait cet homme étonnant, créateur de la dialectique ou de l'art logique, naturaliste, physicien, grammairien, métaphysicien, celui qu'il eut au plus faible degré, quoiqu'il ait été longtemps comme le premier des philosophes, c'est ce talent philosophique qui s'attache au fond même des idées et peut n'avoir presque rien de commun avec les formes sensibles. Ces formes sont
147 tout en effet pour Aristote. |

C'est avec elles qu'il a lutté sur un autre terrain que Platon. Leurs doctrines sont tellement séparées, tellement hétérogènes qu'on ne saurait dire que l'une soit en opposition ou en contradiction avec l'autre ; car il faut qu'il y ait quelque parité ou analogie entre des sujets de méditation ou d'étude qui occupent deux esprits pour qu'on puisse reconnaître les différences qui les séparent ou les analogies qui les rapprochent.

Ainsi, par exemple, les *idées* ou images qu'Aristote fait venir des sens à l'entendement n'ont aucun rapport avec celles que Platon considère comme innées ; un platonicien pourrait adopter la maxime d'Aristote dans son vrai sens et en conserver tous les avantages. L'intellect de celui-ci n'a rien de commun avec l'entendement de celui-là. Aristote ne pouvait pas entendre les idées de Platon tant qu'il s'occupait du dehors et qu'il n'étudiait la pensée humaine que dans ses formes logiques et ses instruments organiques. C'est absolument de la même manière que les objections de Gassendi et de Hobbes sur la philosophie de Descartes n'effleurent pas même le
148 sujet des méditations de ce philosophe. |

Quand on sait bien se placer successivement dans le point de vue de ces objections toutes matérielles et dans celui des réponses vraiment psychologiques de Descartes, on s'étonne de ce combat à traits perdus ou lancés en l'air comme par des hommes qui se tournent le dos. La thèse contestée roulant sur un sujet donné ou conçu de telle manière, croit-on l'attaquer ou la contredire en parlant d'un tout autre sujet ? C'est pourtant là le tableau que nous présente cette histoire des diverses opinions systématiques qu'on réunit si mal à propos sous le titre vague de philosophie, lequel emporte pourtant une valeur propre et déterminée par son étymologie.

Ces opinions, dit-on, ont été diverses ou même contradictoires depuis des siècles ; les philosophes n'ont jamais été d'accord sur rien ; donc la philosophie n'est qu'une chimère. Conclusion analogue aux prémisses : il faut bien que les opinions diffèrent quand elles portent sur des sujets réellement divers.

149 | *Philosophiquement* parlant (puisqu'il s'agit de recherches philosophiques), nous sommes autorisés à distinguer deux sortes de révélations : l'une, qui est uniquement du ressort de la foi ou de l'autorité de la religion, est extérieure à l'homme et fondée sur des moyens extérieurs, des signes parlés ou écrits ; l'autre, qui est du ressort de la raison ou de l'autorité seule de l'évidence, qui, loin d'exclure la religion, se concilie si heureusement avec elle, est tout intérieure, et peut se faire entendre sans intermédiaire à l'esprit et au cœur de l'homme[16].

153 | Montrons par des exemples comment cette distinction peut être justifiée.

Après le meurtre d'Abel, Caïn entend la voix du Tout-Puissant qui lui crie : *Qu'as-tu fait de ton frère ? la voix de son sang s'est élevée de la terre vers moi* ; et ces paroles terribles révèlent au premier des coupables humains, et l'horreur du crime et sa condamnation écrite dans le ciel même. Nous croyons, sur l'autorité des
154 livres sacrés cette révélation extérieure ; mais Dieu n'eût-il parlé | à Caïn que comme il parle aujourd'hui à ses coupables descendants par cette voix intime de la conscience que tout violateur de la loi du devoir entend au fond de lui-même, sans qu'aucun son articulé frappe son oreille, sans même qu'une loi écrite retrace à ses yeux et à sa pensée les caractères distinctifs du bien et du mal, cette révélation, pour être intérieure, en serait-elle moins divine, moins uni-
155 verselle, moins immuable ? |

Que, selon la révélation extérieure, tout l'appareil sensible de la puissance et de la majesté divine soit employé pour apprendre au peuple choisi qu'il doit adorer et aimer Dieu, honorer père et mère, s'abstenir du meurtre, du vol, du faux témoignage, ces comman-

[16] *Les folios 150, 151 et 152 sont des brouillons se rapportant au début du texte et aux folios suivants.*

dements, sans avoir été gravés sur des tables dont Dieu inspira les
termes, eussent-ils été gravés seulement, comme ils le sont, *dans
la conscience de tout homme venant au monde*, la source en serait-
elle moins divine ?

En général, que dans un ordre surnaturel nous croyions que Dieu
ait employé primitivement le langage humain pour parler à
56 l'homme, | ou que, dans l'ordre naturel, qu'il nous est donné de
concevoir et de connaître, Dieu parle uniquement aux esprits par
des lumières innées ou infuses en eux dès la création, et aux cœurs
par des inspirations qui n'ont pas besoin de l'intermédiaire de la
parole pour se manifester ; que l'esprit seul et toutes ses puissan-
ces ou facultés ressortant ainsi immédiatement de Dieu qui l'a
donné, la lettre parlée ou écrite ait été donnée en même temps ou
livrée aux conventions des hommes ; que dans l'ordre même des
57 miracles, le plus surnaturel pour l'homme, Dieu ait agi d'une |
manière miraculeuse immédiate, en changeant ou suspendant les
lois de la nature soit physique, soit morale, faisant paraître dans
le ciel ou sur la terre des prodiges dont il avait révélé le secret à
ses prophètes, ou que le Grand Être ayant tout prévu, tout préor-
donné dès l'origine dans l'acte unique de la création ait déposé en
même temps soit dans la nature, soit dans certaines âmes privilé-
giées, les germes des idées propres à la représenter, comme dans
158 un tableau prophétique, | ces deux révélations dont l'une est fon-
dée sur l'autorité de la parole extérieure, l'autre sur l'autorité de
l'évidence intérieure, devront s'offrir à tous les esprits éclairés de
vraies lumières, comme ayant même *source* et même objet, ou un
même but essentiel, et ne pouvant différer entre elles que par le
moyen qu'il a plu à Dieu de choisir pour se révéler à l'homme et
l'éclairer de ses lumières.

159 | En effet, si, comme nous l'enseigne la vraie philosophie, Dieu
est l'objet immédiat de la raison, si la notion d'une cause suprême
de qui nous dépendrons vient presque s'identifier avec le fait pri-
mitif de notre existence personnelle, si c'est une vérité première et
dont il est impossible de douter que toutes les facultés de l'âme
humaine viennent de cette cause suprême : que Dieu ait agi dans
le temps sur l'homme ou sur tels hommes pour leur communiquer
immédiatement certaines idées avec certains signes, ou qu'ayant
donné à l'homme les facultés appropriées, il les ait livrées soit à
leur activité propre, soit à l'influence des causes secondes qui
160 devaient les développer ; | dans le premier cas, la révélation exté-
rieure, dans le second, la révélation intérieure, ont évidemment la
même source, et l'*objet* et le but de ces deux révélations se trou-
vent encore les mêmes ; car Dieu, son existence, sa loi ou la loi du
devoir, universelle et immuable comme lui, la liberté ou l'activité

de l'âme humaine identifiée avec le fait primitif de son existence
personnelle, par suite sa responsabilité devant le juge suprême, son
immortalité, ses espérances, seront des vérités premières commu-
161 nes aux deux révélations qui auront ainsi même objet, | même but
essentiel.

Reste donc la différence dans les moyens des deux révélations,
dont l'une emploierait les signes matériels ou sensibles, tandis que
l'autre se fonderait sur le fait des idées, du sens inné primitif, de
prénotions ou de germes déposés dans l'âme par celui qui l'a créée,
et développés en elle, soit par le concours des causes secondes pré-
parées dans l'ordre immuable de la nature ou de la Providence, soit
par l'activité libre de l'âme dans l'ordre de la nature intellectuelle
et morale, soit enfin par d'heureuses et ineffables inspirations dans
l'ordre de la grâce.

162 | Le philosophe et le théologien considèrent, chacun sous le point
de vue qui lui est propre, ces deux sortes de révélations, et, s'ils sont
d'accord, comme ils doivent l'être, sur leur objet et leur fin com-
mune, ils n'auront point à disputer sur la nature des moyens que
Dieu a pu choisir pour révéler à l'homme et son existence et sa loi.

En effet (et ceci doit être soigneusement noté à l'avance pour
éclaircir ce qui nous reste à montrer par la suite), admettez que Dieu
ait parlé à l'homme non dans un langage déjà connu ou inventé
par l'homme (25), mais dans une langue toute nouvelle, de forma-
tion divine ; il faut bien admettre aussi de ces deux choses l'une :
ou que les idées et les sentiments exprimés, préexistant d'avance
dans l'âme humaine, n'étaient que réveillés et excités par ces signes
163 divers, écrits ou parlés, | avec lesquels ils avaient quelque analogie
naturelle ou surnaturelle, ou que l'âme, *table rase*, comme dit
Locke, avant les signes, a reçu avec eux et par eux seuls primitive-
ment les idées ou les sentiments qu'ils expriment en vertu des mêmes
analogies.

Dans le premier cas la révélation extérieure part des *données*
mêmes de la philosophie et ne les explique pas davantage. Dans
le second cas on admet la contemporanéité ou simultanéité parfaite
des premières idées conçues ou de l'*esprit* même, et des signes par-
lés ou écrits appropriés à ces idées, ou de la lettre *matérielle* de ces
164 choses révélées. Mais toujours faut-il reconnaître que | les signes
ne sont pas les idées, que la lettre n'est pas l'esprit, et qu'il n'aurait
servi à rien par exemple que Dieu parlât une certaine langue aux
premiers hommes, qu'il frappât l'ouïe de tels sons articulés ou la
vue de tels caractères, s'il n'avait en même temps suggéré ou ins-
piré le sens de ces signes, sens précis, univoque, immuable comme
il devait l'être, ce semble, venant de Dieu. *Da mihi intellectum ut
sciam testimonia tua* (26). Mais pour que l'*intelligence* de l'homme

pût saisir le sens des paroles inspirées, il fallait bien que l'entendement fût constitué tel, ou, comme dit Leibniz, que l'entendement fût du moins inné à lui-même. Voilà donc le théologien ramené, quoi qu'il fasse, à la source où le philosophe puise les premières données, les premiers moyens de l'intelligence humaine, et voilà l'autorité de la parole même, telle qu'elle a été originellement entendue par l'homme, reconnue indivisible de l'autorité de cette faculté
65 de concevoir ou d'entendre | spirituellement les idées, dont Dieu dut au moins déposer les germes dans l'âme de l'homme, avant de frapper les sens externes des signes matériels qu'il voulait révéler à l'homme.

Il ne saurait donc y avoir ici de contradiction entre le théologien et le philosophe ou entre les deux points de vue sous lesquels chacun d'eux considère respectivement la révélation des premières vérités religieuses et morales, dans la *lettre* ou dans l'*esprit*, dans les
66 faits miraculeux | des signes divins et dans la parole de Dieu révélée à l'homme extérieur, ou dans des faits naturels et primitifs de sens intime, des signes humains, produits immédiats de cette activité volontaire qui constitue la personne morale elle-même, et crée avec les mouvements les signes premiers par lesquels la pensée se complète et se manifeste, enfin dans la voix de la conscience ou la loi de Dieu même révélée par elle à l'homme intérieur. Telle est cette loi spirituelle si bien connue, caractérisée par saint Paul, et rapportée par ce vrai philosophe à sa source propre, savoir à l'homme *intérieur*, opposé au charnel ou à l'extérieur : *Condelector legi Dei secundum interiorem hominem* (27). C'est là, c'est à l'homme intérieur que la religion et la philosophie viennent se rallier et puiser, comme à une même source, un fond de vérités communes.

67 | Encore une fois donc il ne peut y avoir aucune opposition essentielle entre les deux sortes de révélations ou de moyens que Dieu a choisis pour faire connaître à l'homme son existence, sa loi ou la vraie science, la vraie sagesse qui vient de *lui*, qui est lui-même (*ego sum via et veritas*) (28). Ces deux révélations n'ayant qu'un seul objet, qu'un seul but essentiel, les moyens ne peuvent différer entre eux que comme l'homme extérieur diffère de l'homme intérieur, ou comme le sens et l'imagination anthropomorphique diffèrent de l'intellect pur. La contradiction n'est que pour ceux qui mettent la lettre qui tue avant l'esprit qui vivifie, qui transforment une question de philosophie première, telle que l'origine des idées et
168 celle du langage, en un article de foi, | qui paraissent adopter comme philosophes l'opinion des idées ou des sentiments innés à l'âme ou ne venant que de son propre fond, et prétendent, comme théologiens, faire venir les signes du dehors ou de Dieu à l'âme par une sorte de *transcréation miraculeuse*.

La contradiction est inverse, mais parfaitement égale à celle des
idéologues qui, après avoir fait naître toutes les idées des sensa-
tions passives du dehors, font naître les langues de l'activité de
l'esprit humain, comme si d'une part les facultés qui forment les
idées ou en développent les premiers germes cachés au fond de l'âme
ne suffisaient pas pour instituer les premiers signes ; et d'autre part,
comme si la même activité qui suffit à créer les signes pouvait être
étrangère à la formation des idées ou même des premières
sensations[17].

170 | Mais n'anticipons pas davantage sur ce qui doit suivre au sujet
de l'origine du langage, qui est comme le point central de tout le
système auquel notre auteur rapporte de loin toutes les données qu'il
a voulu emprunter à la philosophie ou à son histoire, en les accom-
modant le mieux possible à ses vues systématiques. Quant à nous,
en entrant dans son dessein, il nous suffit d'avoir commencé à éta-
blir par ces considérations préliminaires, prises dans le fond même
du sujet, que si la dissidence des systèmes est une des graves plaies
de l'esprit humain, qu'il ne s'agit plus de sonder mais bien de fer-
mer s'il est possible, on peut en trouver les moyens dans la vraie
philosophie comme dans la vraie religion. La raison comme la foi,
171 l'autorité de l'évidence comme l'évidence de l'autorité, | la révéla-
tion intérieure des premières vérités comme la révélation des mêmes
vérités par la parole de Dieu ou par des signes donnés à l'homme,
peuvent concourir avec une égale efficacité à fermer cette plaie. Loin
qu'il y ait opposition ou différence essentielle entre ces deux sortes
de moyens, ils s'accordent parfaitement au contraire quant à la
source commune dont ils émanent, l'objet ou le but de vraie science,
de vraie sagesse auquel ils tendent. Ces sortes de moyens mêmes
de révélation extérieure que la foi nous enseigne sont inséparables
de la révélation intérieure ou des faits primitifs de conscience tels
que la vraie philosophie les constate et les prend pour base.

On peut voir d'ici les différences capitales qui nous séparent.
172 | M. de Bonald ne trouvant que dissidences et contradictions dans
ces systèmes qu'il ne fait qu'entrevoir au travers d'une lunette un
peu trouble, paraît croire et prétend démontrer qu'il n'y a de terme
aux disputes que dans l'autorité de la foi, ou, comme il dit, dans
l'évidence de l'autorité, exclusivement à l'autorité de l'évidence.
Vous n'êtes d'accord sur rien, dit-il aux philosophes, donc vous
êtes incapables de jamais vous entendre entre vous, il faut donc
vous en rapporter à une autorité extérieure, supérieure à celle de
tous vos raisonnements. Nous verrons bientôt si la dissidence est
173 aussi générale que le dit M. de Bonald, | mais quant à la conséquence

[17] *Le folio 169 est la première rédaction du folio 168.*

nécessaire qu'il en déduit, comment n'a-t-il pas appris de l'histoire même que ce fut précisément la conclusion des sages, des vrais philosophes de tous les temps contre les fauteurs d'hypothèses de tout genre, contre ces éternels sophistes, ces habiles dialecticiens également disposés à soutenir et à nier toutes les thèses, prétendant soumettre au raisonnement jusqu'aux premières données de la raison, et dissidents en tout, uniquement parce qu'ils n'avaient pu, ou ne *voulaient* pas s'entendre ou s'accorder sur rien ?

Si l'auteur des *Recherches philosophiques* eût été moins préoccupé d'un système qu'il tend à établir sur les ruines de tous les autres, ou sur celles de la raison même immolée à l'autorité exclusive de la foi, il aurait su distinguer d'après l'histoire même des opinions, telle qu'il la présente ou qu'il l'a faite, une philosophie
74 vraie, entre tant d'autres *fausses* ou | faussement nommées, philosophie qui, toujours constante à elle-même et fidèle à son titre primitif, a pris pour base depuis son origine l'autorité de l'évidence, les lumières de la conscience ou de la raison même, appliquée à constater les vérités immédiates du fait primitif et non moins immuable sous ce rapport que l'évidence de l'autorité ou la parole de Dieu même, qui a voulu aussi s'expliquer par cet organe commun à tous les hommes. Donc, avec M. de Bonald, pour faire ressortir l'analogie de ces deux sources de lumières, nous pouvons à notre tour invoquer le témoignage de l'histoire, non telle qu'il semble se plaire à l'embrouiller, en confondant sous un titre vraiment trompeur tous les produits du délire de l'imagination des premiers poètes, tous les artifices des sophistes, des raisonneurs de mauvaise foi de tous
176 les siècles et de tous les pays[18] ; | mais celle qui, prenant la vraie philosophie à sa naissance et dans l'acception propre de son titre primitif, la suit dans sa constante direction, au sein des méditations et des travaux divers des sages, qui tous, à partir du premier « voulurent s'élever à la connaissance d'eux-mêmes *et de la nature morale* et cherchèrent dans la raison de l'homme ce qu'ils ne pouvaient plus reconnaître dans les croyances de la *société.* » (29)

C'est M. de Bonald lui-même qui caractérise ainsi la philosophie première, et nous aimons a reconnaître la fidélité et la précision de ce caractère, mais il ne faudra pas oublier sa définition quand nous parlerons des dissidences et des contradictions de la philosophie.

177 | Socrate est le premier des sages qui « voulurent s'élever à la connaissance d'eux-mêmes et de la nature morale » pour chercher
178 au fond de la conscience et de la raison | ce qu'ils ne trouvaient ni dans les croyances puériles de la société ni dans les vains systèmes

[18] *Le folio 175 est la première rédaction du folio 172.*

des savants du siècle. Socrate sépara la science de l'homme intel-
lectuel et moral de toutes les autres ayant des objets extérieurs ou
étrangers à l'homme. Le premier il assigna à la philosophie son sujet
propre ; le premier il lui donna le titre qu'elle porte encore
aujourd'hui, titre tant diversifié et si malheureusement profané
depuis son origine.

Avant Socrate et de son vivant, il y avait des politiques, des ora-
teurs, des mathématiciens, des musiciens, des physiciens ; il n'y avait
point de philosophes. Anaxagoras lui-même, le disciple le plus hono-
rable de Pythagore, quoiqu'il fût le plus rapproché de l'idée d'un
Dieu unique, par la manière même dont il s'était élevé à la notion
d'une cause première, en cherchant à expliquer par des hypothèses
179 la manière dont elle agit, | Anaxagoras était plutôt un physicien systé-
matique qu'un *philosophe*. Avant Socrate, les nombres et les mou-
vements, d'où l'on faisait naître et mourir les choses sensibles ; la
grandeur des astres, leur distance, leur cours ; tels étaient les grands
objets qui occupaient toutes les pensées des premières écoles grec-
ques. Socrate le premier rappela la raison humaine, sous le nom
de philosophie, des choses du ciel à celles de l'homme lui-même ;
il la fixa, comme dit Cicéron, dans les villes, les maisons, les famil-
les, il en fit la science de la *vie*, des mœurs, celle du bien et du *mal*,
des vertus et des vices. Refusant absolument le titre de philosophes
à tous ceux qui ne tenaient qu'à pénétrer les secrets d'une nature
180 étrangère, il | voulut que ses disciples s'appliquassent exclusivement
à se connaître et à perfectionner la nature en eux et dans les autres ;
et ceux qui se laissaient distraire de ce grand objet pour arracher
à la nature étrangère des secrets qu'elle refuse à notre vaine curio-
sité, et dont la connaissance ne servirait pas à rendre l'homme plus
sage, meilleur ou plus heureux, Socrate leur refuse expressément
le titre de philosophes dans la propriété de l'expression qu'il avait
lui-même consacrée. A plus forte raison refusait-il ce titre honora-
ble aux sophistes auxquels il arracha le masque et qu'il combattit
jusqu'au dernier moment de cette belle vie dévouée tout entière aux
intérêts de la morale et de la vraie science.

181 | Mais il y avait une classe supérieure de savants qui entreprenaient
de recueillir toutes les connaissances diverses de leur temps, ce qui
leur était d'autant plus facile que chaque branche se trouvant encore
assez limitée et n'ayant reçu qu'une faible partie de son développe-
ment, des esprits ordinaires pouvaient les embrasser toutes et offrir
au vulgaire le phénomène d'une encyclopédie vivante. Aussi l'his-
toire nous apprend-elle qu'il y en avait plusieurs de cette espèce
avant Socrate.

Il fallait un *nom* qui caractérisât ces hommes universels toujours
prêts à disserter et à répondre comme à attaquer sur les matières

les plus relevées. Quand le mot philosophe aurait été connu, il eût été trop modeste pour ces savants universels qui ne faisaient pas seulement profession d'aimer et de chercher la sagesse ou la vraie
182 science, mais | qui prétendaient la posséder et s'ériger en professeurs publics de sagesse et de science. Aussi se donnèrent-ils à eux-mêmes le nom de *sages* par excellence, titre qui s'appliquait plus spécialement à ceux qui s'occupaient des choses du ciel, d'où ils planaient avec orgueil sur celles du monde, où la plupart ne cherchaient pas moins toutefois à occuper la meilleure place. Aussi a-t-on pu dire, dans le sens le plus vrai et le plus étendu, que Socrate fit descendre la sagesse du ciel sur la *terre*, parce qu'il rabaissa l'orgueil des sophistes ou des prétendus sages, de toute la distance
183 qui sépare le ciel et la terre, et qu'il | rappela la pensée du dehors où elle s'égarait, à l'étude des choses qui sont le plus près de l'homme et avant tout de sa nature morale, de son principe, de ses moyens de sagesse ou de bonheur, de sa destination présente et future, de ses espérances immortelles.

Socrate fixa donc à la vraie *science* de l'homme son objet propre, son but, ses instruments et ses moyens tous concentrés dans notre nature morale, tous implicitement renfermés dans cette admirable parole de l'oracle de la sagesse : *nosce te ipsum*.

Il employa sa vie entière à montrer la *vanité* de toutes les *sciences* qui, détournant l'homme de ce grand objet, enflent son esprit et son cœur plutôt qu'elles ne le nourrissent, et servent à une sorte d'apparat théâtral plutôt qu'au bon usage et à la *fin* même de la vie humaine.

Les sophistes se disaient les plus sages entre les hommes, et Socrate leur montre qu'ils en sont les plus insensés par l'emploi de leurs facultés, de leurs talents les plus supérieurs, par tous les efforts, toutes les peines qu'ils se donnent pour être réputés savants et
185 sages[19], | car toute la sagesse humaine consiste dans l'amour de la vérité, dans une recherche faite de bonne foi des moyens qui y conduisent, dans un désintéressement complet de la gloire ou de la vanité et des avantages matériels du savoir même. Or les sophistes, inspirés par le démon de l'orgueil, s'occupaient uniquement de l'effet plutôt que de la vérité de leurs opinions, et leur mauvaise foi était en proportion de l'habileté ou de l'adresse de leurs moyens déloyaux, ou des subtilités dialectiques qu'ils savaient employer pour soutenir des paradoxes. Ces prétendus sages professaient et prati-
186 quaient une morale fondée sur l'intérêt personnel. | Pour eux la religion n'était qu'une invention humaine appropriée à la politique. La politique ou la science sociale ne se fondait que sur le droit du

[19] *Le folio 184 est la première rédaction du folio 197.*

plus fort ou du plus adroit. Le beau, dans la nature physique, comme le bon et le vrai, dans la nature morale et intellectuelle, n'étaient que les qualités relatives aux sens et à l'imagination, et variaient comme les climats ou les dispositions de la sensibilité. De là le scepticisme, le *nihilisme* même, et tous les systèmes résultats nécessaires d'une sorte de doctrine funeste assez connue par l'histoire de ses destructions qu'elle appelle ses conquêtes. Les premiers sophistes laissèrent sans doute beaucoup à faire dans ce genre de conquêtes aux derniers venus : mais ils connaissaient déjà tous les principes de théorie. Quant aux moyens, les modernes sophistes
187 auraient eu peu à apprendre aux | premiers, la perfectibilité universelle paraît s'être appliquée aussi peu à la fausse qu'à la vraie philosophie ; si l'on en doute on n'a qu'à lire les dialogues de Platon, surtout le *Théétète* et le *Protagoras*.

Socrate, puisant à la vraie source des lumières, chercha la vérité en lui-même, de *bonne foi* et avec un *cœur pur*, et au fond de sa conscience il trouva, dans cette raison naturelle qui *n'est pas* le raisonnement, les vérités premières de la morale et de la religion ; à la frivole incrédulité des sophistes il opposa l'unité du Dieu créateur, à la morale de l'intérêt, la morale du devoir, au droit du plus fort, les droits de la justice, à l'arbitraire du législateur, les lois éter-
188 nelles de la raison, | à une doctrine fondée sur des passions variables ou des intérêts qui meurent, le dogme de l'immortalité dans toute son évidence et sa sublimité. Aussi Socrate arrache complètement le masque aux sophistes, les livre au ridicule et à la risée du peuple qu'ils séduisaient avant lui, plaide contre eux jusqu'à la fin de sa vie la cause de la vérité et meurt victime de son dévouement à la philosophie qu'il avait instituée. Qui eût dit alors que le nom même de philosophie, inséparable de celui de son inventeur, et destiné à rappeler la gloire de Socrate et l'humiliation des sophistes, passerait à la sophistique elle-même, et offrant après tant de siècles l'exemple le plus frappant de cet abus des mots si fami-
189 lier et si favorable aux sophistes, | ne serait plus qu'un signe de réprobation sous lequel des sophistes d'une autre espèce se plairaient à envelopper et à confondre les doctrines filles de Socrate et dignes de lui, avec celles de ses ennemis les plus acharnés, afin de discréditer et de flétrir sous un mot commun la vraie philosophie confondue avec la sophistique, avec tout ce qui n'est pas elle, afin qu'elle portât les péchés du monde et devînt l'objet des préventions et des haines des hommes accoutumés à juger sur la parole ou d'après l'étiquette, les choses qu'ils ne peuvent comprendre et qu'il
190 serait trop long d'examiner ! | Puisque du temps de Socrate ce nom de philosophe exprimait justement le contraire du sophiste, du sceptique, de celui qui professe des opinions contraires à la morale,

à la religion, à l'ordre essentiel des sociétés, pourquoi, prenant ce mot à contresens, l'appliquer spécialement aux sophistes et outrager sous leur nom l'école entière de Socrate ? Puisque le même titre était refusé aux poètes, aux physiciens, aux astronomes, aux naturalistes *ex professo*, comme aux politiques, aux orateurs, aux musiciens, etc., qui avaient chacun leur dénomination propre, étrangère à ce que Socrate appela philosophie, pourquoi transformer la valeur propre de ce mot en celle d'un terme universel qui embrasse tous
91 ceux qui ont exploité à leur manière | une portion du vaste champ des connaissances ? Demandez-le à l'auteur des *Recherches philosophiques* et il vous répondra, s'il est franc, que dans son projet de ruiner tous les produits de la raison de l'homme (cet homme fût-il Socrate), en montrant qu'elle ne fait que se contredire ou s'opposer sans cesse à elle-même, il lui importe de n'avoir qu'un mot pour exprimer tous ces produits les plus divers, les plus opposés réellement par leur nature ou leur objet ; que s'il y a eu et s'il y a encore de mauvais raisonneurs en morale, en politique, en physique même, s'il y a eu des hommes pleins de talents mais tout extérieurs, n'ayant jamais réfléchi, jamais senti Dieu et l'âme, qui s'appellent philosophes parce qu'ils ont l'art de se passer de reli-
92 gion, il sera convenable et utile aux vues de l'auteur | de pouvoir se servir du titre de mépris qu'il leur applique pour insulter et discréditer par le nom qu'il leur décerne, tous les hommes qui se servent de leur raison pour soutenir des opinions opposées à sa doctrine, afin d'être dispensé de les examiner au fond, dans l'espoir d'en dégoûter les autres.

93 | En se plaçant dans le point de vue du père de la philosophie pour apprécier le caractère, l'objet et le but de la *science* à laquelle ce nom fut d'abord spécialement dévolu, on trouve en effet si peu de rapport et tant d'opposition entre cette philosophie et la sophistique, que des sages historiens n'ont pas hésité à exclure entièrement les *sophistes* grecs antérieurs à Socrate ou ses contemporains du tableau de l'histoire des philosophes proprement dits. On peut voir à ce sujet les raisons du savant Brucker soutenant cette thèse contre Struvius qui en avait jugé autrement (30).

Mais si les sophistes se trouvent justement exclus de l'histoire comme de la classe des philosophes, ou s'ils ne sont appelés à y figurer que pour faire en quelque sorte l'ombre du vrai tableau, que penser d'un auteur qui, affectant de prendre sans cesse l'ombre
194 pour le corps, | se fonderait sur l'identité de nom par lequel il lui plaît de les désigner pour charger la philosophie de toutes les taches, défauts et écarts de la sophistique ? Ne serait-ce pas le comble de l'injustice ? Quelle raison peut-il y avoir de donner la plus grande place dans la même histoire de la philosophie à ces personnages

qui consacraient leurs talents ou leurs connaissances à exciter la curiosité, réveiller les passions ou satisfaire l'imagination superstitieuse des premiers peuples encore enfants, qui prétendirent enseigner tout ce que l'homme doit ignorer à jamais, en le détournant de la seule science qui le touche de près, surtout des vertus de cette sagesse qui est seule la voie du bonheur, la véritable vie des peuples et des individus ? En quoi tous ces poètes, orateurs, politiques, physiciens, naturalistes, musiciens, etc., qui avaient toute la vogue avant Socrate, avant que le nom même de philosophie existât, appartiennent-ils à l'histoire de la philosophie ?

195 | Si nous étions fidèles à la première définition de la philosophie, son histoire devrait être uniquement celle des *sages*.

On veut nous prouver d'après l'histoire la filiation exacte des idées de ces sages qui, à partir du premier de tous, ont « cherché à s'élever à la connaissance d'eux-mêmes et de la nature morale » en demandant à la raison, à la conscience intime de l'homme ce qui ne peut être trouvé que dans cette *source*, et voilà qu'on commence par nous initier à toutes les rêveries des Grecs sur les premiers principes des choses : le feu, l'eau, la manière dont les dieux se sont engendrés, celle dont le monde a été formé ; plus tard on mêlera l'histoire des découvertes ou des progrès des sciences mathématiques et physiques ou naturelles, qui vont sans cesse en se perfectionnant, avec celle de l'homme et de la nature morale qui n'a jamais changé depuis Socrate jusqu'à Descartes et Kant. Et quand on a ainsi tout brouillé, tout confondu dans ce *chaos* qu'il plaît d'appe-
196 ler histoire de la philosophie, on osera | invoquer l'*expérience* de cette prétendue histoire à l'appui des dissidences et des contradictions perpétuelles dont on prétend faire un signe universel de réprobation contre la philosophie et les philosophes, comme si la différence d'objets ou d'études pouvait être confondue avec l'opposition des doctrines sur un même sujet, comme si l'on pouvait s'autoriser de cette confusion d'idées ou de l'application arbitraire d'un terme général pour proscrire le genre en vue d'une telle espèce, comme si enfin on pouvait faire retomber sur la vraie philosophie l'anathème lancé contre toutes les fausses par le premier des philosophes.

197 | Nous venons d'indiquer le *sophisme* sur lequel roule presque uniquement le nouveau plaidoyer que M. de Bonald a donné contre la philosophie.

Nous nous croyons dispensé de le suivre dans ses recherches *historiques*, étrangères, d'après ce que nous venons de dire, à une véritable histoire de la philosophie, en tant qu'elle a pour objet la connaissance de l'homme ou de la nature intellectuelle et morale. Nous nous bornerons à relever les points où son exposition historique

rentre dans le sujet en question. Nous avons à examiner *ces points de fait :* 1° si les dissidences et les contradictions des philosophes sont aussi réelles, aussi nombreuses qu'il le prétend ; 2° si cette diversité des doctrines ou des opinions, entendue comme elle doit l'être, sans rien exagérer ni brouiller, est une plaie sociale aussi profonde que semble le croire l'auteur des *Recherches philosophiques* ; 3° enfin si la vraie philosophie ne porte pas en elle-même et en elle
8 | seule le préservatif ou le remède contre le mal.

Suivons : « Les systèmes les plus anciens de philosophie furent des genèses et des cosmogonies. » (31) La philosophie n'a fait ni genèses, ni cosmogonies, ni théogonies. Elle n'existait pas même de nom, lorsque des esprits aussi audacieux qu'aveuglés sur eux-mêmes et sur la portée de nos facultés naturelles prétendirent expliquer ce qu'il n'est pas donné à la raison de comprendre et que la foi seule peut enseigner. Quelque grande que fût la pénétration et la profondeur de son génie dans l'investigation et l'explication des faits de la nature physique, Anaxagore est repris par Socrate comme un sophiste ordinaire, lorsqu'il cherche à expliquer la formation de l'univers, en reculant autant qu'il le peut l'action de la cause créa-
9 trice, dont son | esprit philosophique lui faisait pressentir la nécessité, et dont il indiquait plutôt qu'il ne démontrait l'existence (32) : vérité première qu'il était réservé au père de la philosophie de mettre dans tout son jour, après l'avoir puisée à sa véritable source.

« Socrate trouva dans ses méditations, ou peut-être dans les livres des Hébreux déjà répandus en Orient, les notions des vérités importantes dont la philosophie cherche depuis si longtemps les preuves. » (33) Le doute sur la vraie source où le père de la philosophie puisa les notions des premières vérités religieuses et morales dont il s'agit est beaucoup moins important qu'on ne le croirait d'abord. Si Socrate ne trouva ces notions qu'en lui-même, et par cette sorte de révélation intérieure que nous avons distinguée, il faut bien reconnaître que c'est là une véritable source de lumière placée par Dieu au fond de l'âme même, afin qu'elle éclairât sur les premières véri-
0 tés de la religion et de la | morale tous les hommes qui n'ont pas pu entendre ou recueillir sa *parole* même. M. de Bonald reconnaît donc ici que l'autorité de l'évidence qui éclaire tous les hommes supplée heureusement et peut entièrement remplacer l'évidence de l'autorité qui ne parle ou ne commande qu'à quelques-uns ; et il nous fournit lui-même un exemple de l'accord que nous avons remarqué entre les deux révélations, l'externe et l'interne. Que si Socrate trouva dans les livres des Hébreux les vérités premières dont il s'agit, cette découverte ne fut encore pour lui qu'une *occasion* pour en reconnaître et en constater l'évidence en lui-même, dans des faits de sens intime ou dans des idées dont le germe était dans

201 son âme. Ainsi, pour les reconnaître et les proclamer à titre de | véri-
tés, et avec le sentiment d'une entière et profonde conviction, il n'eut
besoin que des lumières d'une révélation intérieure, sans laquelle
les lettres révélées de l'Écriture eussent été mortes et sans valeur
pour son esprit.

Remarquons bien que ce n'est pas la vraie *philosophie*, celle de
Socrate, première de nom et de fait, « qui cherche depuis si long-
temps les preuves des premières vérités » (34), des premiers faits,
car la lumière intérieure ne se prouve pas plus que l'extérieure. Les
sophistes, les sceptiques seuls demandaient que le raisonnement
prouvât les données premières ou les conditions mêmes de toute
raison. Malheur à ceux qui ont besoin qu'on leur démontre autre-
ment que par les faits de sens intime l'activité de l'âme et l'exis-
tence de la cause première ! Dès qu'ils repoussent, autant qu'il est
202 en eux, l'*autorité* intérieure qui leur fait la *loi*, | aucune autorité plus
certaine, plus évidente ne parlera du dehors à leur âme et ne pourra
s'en faire entendre. C'est ainsi que l'entendait le père de la *philo-
sophie*, lorsqu'il recommandait si expressément à ses disciples de
s'attacher à reconnaître les faits de la Providence, au lieu de recher-
cher curieusement et bien vainement la manière dont elle agit, de
s'attacher aux effets de la cause bien évidente par elle-même, au
lieu de chercher à pénétrer dans son essence, aux résultats des pre-
miers *principes*, au lieu de faire de vains efforts pour *prouver* ce
qui n'a pas besoin de preuves.

Cette philosophie ne s'est pas perdue, ni même altérée dans la
203 succession des âges, à travers toutes les distances de | temps et de
lieux. Nous la retrouvons pure et perfectionnée encore en théorie
dans les écoles modernes, dont la morale sublime nous offre tous
les traits d'une honorable filiation, avec la preuve vivante d'une
constante et heureuse uniformité dans les principes de cette vraie
philosophie qu'on accuse de tant de dissidences et de mobilité.

« Socrate qui fit descendre la morale du ciel, l'aurait sans doute
affermie sur la terre, si le génie d'un homme quel qu'il soit pouvait
être une autorité pour l'homme et une garantie pour la
204 société. » (35) | Non, sans doute, le génie d'un homme quel qu'il
soit n'a pas sur l'homme une autorité propre et durable. L'esprit
humain est indépendant par essence : chacun suit sa lumière ; mais
la même lumière luit pour tous, et la raison n'obéit qu'à la raison
qu'elle entend, et non point à la bouche qui l'annonce ou à la parole
qui l'exprime. Le génie qui proclame les premières vérités morales,
205 *l'unité d'un Dieu créateur, conservateur et rémunérateur, et* |
l'immortalité de l'âme, ne fait pas entrer dans l'âme des idées nou-
velles ; il lui montre distinctement ce qui était en elle obscurément,
il développe, ce qui était en germe. Ce n'est pas la voix, la parole

extérieure, de quelque poids qu'elle puisse être, qui fait l'*autorité*, mais bien la voix intérieure éveillée et répondant comme l'écho. Les signes des premières vérités entendus, transmis, n'ont qu'une fonction excitative de l'esprit qui les reçoit ; ils n'apportent point l'esprit avec eux, ni en eux. Éclairé lui-même par une raison plus élevée
6 ou plus hâtive dans sa marche, l'homme ne croit jamais | véritablement qu'à sa propre raison.

Chose surprenante ! la parole de Dieu même, révélant à l'homme les premières vérités morales, ne tarde pas à s'altérer autant par les passions que par l'éloignement des temps et la dispersion des peuples. Lorsque des traditions grossières l'ont déguisée, transformée ou rendue méconnaissable, il faut que les sages qui veulent s'élever à la connaissance d'eux-mêmes et de la nature morale redemandent à la raison ce qu'ils ne peuvent plus reconnaître dans les croyances de la société, consultant la voix intérieure sur ce que ne peut plus leur apprendre une révélation extérieure défigurée. Cette raison, cette voix intérieure leur répond clairement ; elle seule rétablit le texte sacré qui n'aurait pu conserver la pureté et l'évidence
7 primitive | que par la continuité du même miracle qui le produisit ; elle supplée même ce texte pour les sages qui n'ont jamais pu le connaître, elle parle à tous le même langage, les éclaire tous de la même lumière ; et si, comme la langue sacrée, elle est susceptible d'être momentanément obscurcie par les passions, il ne faut du moins aucun secours étranger, aucun miracle pour lui rendre son évidence ; elle ne peut s'altérer ni se perdre par la dispersion des peuples, ni par toutes les différences de climats, de langage, de siècles, de croyances accessoires qui empêchent les sages répandus sur toute la surface de la terre de communiquer ou de s'entendre. Comment ne pas reconnaître là le caractère d'une autorité absolue, universelle, immuable ? où le trouver si n'est dans cette source ? Comment cette garantie infaillible de vérité que trouve en lui-même chaque homme participant à la *raison* universelle (*rationis particeps*) (36) ne serait-elle pas la première garantie de la collection des êtres raisonnables ou de la société ?

08 | Quelque éminent que fût le génie de Socrate, ce n'est donc pas lui seul qui pouvait affermir sur la terre le règne de la philosophie qu'il y avait fait descendre. Le flambeau excité ou ôté de dessous le boisseau, et non point allumé ou créé par ce génie, a lui et luira toujours pour les esprits qui ne voudront pas s'en détourner. Non, la philosophie de Socrate ne saurait mourir ; et les âmes élevées à sa hauteur peuvent encore, en partant de la source, en suivre les traces lumineuses dans la marche des siècles, et jusque dans les ténè-
09 bres de la barbarie, pour la retrouver encore vivante | dans une école moderne où la philosophie morale de Socrate brille d'une lumière

toute nouvelle, que d'autres sophistes cherchent à étouffer, et que les aveugles volontaires ne peuvent voir.

La doctrine de Socrate nous a été transmise immédiatement par deux de ses disciples dont l'un, Xénophon, l'a seul conservée pure, et l'autre, Platon, la systématisa, en la mélangeant avec bien des idées hétérogènes.

L'auteur des *Recherches philosophiques*, qui conteste toujours à l'esprit humain son indépendance de droit, et ne reconnaît comme autorité fixe, malgré la raison et l'expérience contraire, qu'une révélation extérieure, croit trop peut-être à la nécessité des emprunts
210 faits par les premiers philosophes | à des autorités étrangères. Que
Platon ait mêlé aux opinions de Socrate quelques-unes de celles de Pythagore, qu'il ait recouru soit aux lumières des prêtres de Memphis, soit à celles plus élevées encore des livres juifs, nous laissons aux érudits le soin d'éclaircir le fait. Ce que nous concevons bien, c'est que Platon dut puiser abondamment à la même source que Socrate, et après lui, au fond des vérités premières, qui est comme le patrimoine commun de tous les esprits raisonnables ; tandis que d'un autre côté, cette imagination si féconde, si riche de poésie, a pu lui inspirer comme aux premiers poètes, précepteurs des peuples enfants, une foule d'idées, d'opinions étrangères à la doctrine du maître et au domaine de la philosophie proprement dite ou de l'étude de l'homme intellectuel et moral, que ce sage avait considérée comme la première et la seule vraie *science*.

211 | Si la philosophie se trouvait circonscrite dans le domaine propre
que lui assigne son premier auteur, la place qu'occuperait Aristote dans son histoire serait d'autant plus petite que celle qu'il remplit dans l'histoire des sciences en général est grande. Législateur de toutes les connaissances humaines, grand observateur des choses, analyste supérieur des formes, ce qu'il observa et connut le moins, ce furent les lois intérieures de l'esprit et du cœur de l'homme ;
212 il désapprit, pour ainsi dire, la philosophie de Socrate, et | l'exila
de nouveau hors de l'homme et de la nature morale pour l'attacher aux objets de la nature physique, à tout ce qui n'est pas l'homme. Si Socrate eût été le contemporain d'Aristote, il l'aurait peut-être classé parmi ces sophistes, si universels par les connaissances et les talents, si forts dans l'art de la dispute, et qui maniaient si bien l'arme de la dialectique pratique, avant même qu'Aristote en donnât la théorie et en rédigeât le code. Et ce maître qui rayait du tableau de ses disciples les orateurs, les physiciens, tous ceux qui couraient après l'éclat, la science qui enfle, en négligeant la vraie lumière, celui qui n'accordait pas le titre de philosophe ou de sage
213 au maître de | Périclès, pour s'être perdu dans la recherche des cau-
ses secondes et l'explication de leur manière d'agir, au lieu de s'éle-

ver à cette Providence qui a tout réglé avec poids et mesure, de chercher à connaître ses vues et ses fins dans la nature morale surtout, où elles peuvent se manifester au cœur de l'homme, le père de la philosophie, dis-je, aurait bien refusé au chef du péripatétisme une honorable adoption.

Parlerons-nous de la troisième école grecque, la stoïcienne, si digne de respect et d'admiration pour sa partie morale, qui mérita seule, mais si parfaitement, le titre de philosophie, tandis que la
4 partie spéculative tout entière, sophistique ou sceptique, | n'ayant aucune base dans les faits de l'âme, ne se soutenait que par les vains artifices d'une dialectique appliquée hors de ses limites aux *principes* mêmes ou premières données de la raison humaine ?

Ainsi Zénon sembla avoir justifié la doctrine du premier maître en offrant dans sa métaphysique un exemple de plus de la vanité et des illusions des systèmes, et dans sa philosophie pratique, la source vraie et unique où l'homme puise les lumières. Il donna la preuve la plus éclatante de la réalité du savoir et du pouvoir de l'homme dans les limites de sa nature, dans la sphère propre de son activité, de sa liberté intérieure et de sa conscience, où il trouve primitivement renfermées toutes les données de la science, tous les moyens de sagesse.

15 | Nous pourrons voir bientôt la philosophie socratique justifiée de la même manière dans une de nos plus modernes écoles de philosophie sous le double point de vue de métaphysique négative ou sceptique, et d'une morale positive, invariable dans ses dogmes, certaine et absolument évidente dans sa pratique.

De ce coup d'œil rapide et superficiel sur les premières écoles grecques, nous pourrions tirer, si nous l'osions, une conclusion mieux motivée peut-être que celle de l'auteur des *Recherches philosophiques* qui passe encore plus légèrement que nous sur ces premiers systèmes, quoiqu'il les regarde *comme la source de tous les autres*. « Sur l'existence de la première cause et le principe des connaissances humaines », dit-il en terminant ce qui regarde les premiers systèmes grecs, « les *philosophes anciens* | flottèrent toujours entre l'intelligence suprême et la matière éternelle, comme entre l'esprit de l'homme et ses sens, tantôt mêlant quelque chose de matériel à la divinité, tantôt quelque chose d'intelligent à la matière. » (37)

(In the printed page, the margin number 16 stands beside the line "miers systèmes grecs, « les philosophes anciens | flottèrent toujours".)

Je réponds en concluant au contraire que les philosophes *proprement dits*, à partir de l'origine jusqu'à nous, n'ont jamais flotté entre les attributs propres de l'intelligence et de la matière, de l'esprit et des sens, dont la distinction bien faite et bien observée est le premier objet et le vrai *critérium* de toute philosophie.

Les idéalistes sont ceux qui partent du *moi*, ou des faits primitifs de la conscience et du sens intime ; et, en déduisant ou en raisonnant par analogie avec ce sujet, ils sont arrivés nécessairement à des causes spirituelles et à l'intelligence suprême qui se révèle à l'homme intérieur avec une évidence supérieure (*certissima scientia*) ; telle a été la marche de Platon et de son école.

Les naturalistes ou physiciens, fabricateurs d'hypothèses cosmo-
217 goniques, | partent de l'objet ou de la matière telle qu'elle s'offre
phénoméniquement à l'imagination et au sens *qui ne jugent pas* ;
et, *raisonnant* par induction de ses premiers phénomènes sensibles,
ils admettent la matière éternelle sans flotter entre elle et l'esprit
qu'ils ne peuvent pas même concevoir, c'est-à-dire imaginer. Tels
ont été les premiers auteurs des systèmes cosmogoniques ou physiques : Thalès, Anaximène, Démocrite, Héraclite, et plus tard Épicure et Lucrèce, qu'on ne saurait en aucune manière appeler philosophes, tant qu'ils n'ont fait qu'imaginer ou rêver sur la nature extérieure et les premiers principes des choses. Ceux qui ont observé les phénomènes sensibles, qui ont étudié profondément ou exposé les lois et expliqué les causes secondes sans monter plus haut, en laissant de côté ou reniant même la cause première intelligente et les lois de notre nature morale qui s'y rapportent comme à leur *prin-*
218 *cipe* et à leur fin, ceux enfin qui font « Dieu de | la matière, et l'âme
de l'homme de ses organes » (38), n'ont jamais compté et n'auront jamais rang parmi les *philosophes*.

Une autre conclusion que l'histoire de ces premières écoles fournit à M. de Bonald, et que nous prendrons aussi la liberté de contredire, c'est l'application qu'il prétend faire à l'âge actuel de la philosophie, de l'histoire de son premier âge. Le savant historien, sur l'autorité duquel s'appuie l'auteur des nouvelles recherches, a dit avec peu d'exactitude et par un abus du mot *philosophie*, que déjà du temps de Socrate « la réforme était devenue nécessaire », que « toutes les idées étaient confondues », etc. Sur quoi M. de Bonald fait la remarque plus satirique que juste pour son siècle : « Qu'en changeant les dates, ce tableau nous conviendrait parfaitement. » (39)

219 Mais quelle analogie peut-on établir entre une *époque* | où la vraie
philosophie n'existait pas même de nom, et celle où tous les points de vue sous lesquels la nature intellectuelle et morale peut être saisie, conçue en spéculation et étudiée dans la pratique se sont successivement présentés aux philosophes qui, depuis Socrate, ont pris pour sujet d'étude l'homme, le sujet pensant lui-même, et se trouvent en quelque sorte épuisés à tel point qu'un nouveau système semble devenu impossible, comme le dit plus bas l'auteur lui-même, et sans doute avec un peu de témérité ?

Non, ce ne fut pas la philosophie, mais l'esprit humain lui-même

que Socrate voulut *réformer*, en *créant* la vraie philosophie, ou en
lui assignant son objet propre et séparé, pris dans l'intimité de la
0 conscience de l'agent moral. | Il fallait montrer ou ouvrir la voie
méconnue de la vraie *sagesse*, de la vraie science, en rétablissant
le crédit de cet oracle oublié : *nosce te ipsum*. Aujourd'hui toutes
les routes sont ouvertes et bien frayées ; toutes les vastes mers de
notre monde intérieur ont été parcourues et explorées dans tous les
sens. Peut-être que, touchant au pôle, la boussole ordinaire ne bouge
plus, et qu'il faut ou revenir sur ses pas, ou en faire de nouveaux
en avant pour trouver le vrai méridien sous lequel il faut se diriger
pour gagner le port du repos, peut-être, pour parler sans métaphore,
21 | ce n'est plus sur l'esprit, mais sur le caractère, qui n'est plus en
rapport avec l'esprit, que devrait porter une réforme, si elle pou-
20 vait avoir lieu. | Ce n'est pas la science qui manque aux hommes
d'aujourd'hui, mais plutôt les hommes qui manquent à la science.
21 | Rien ne se ressemble entre les deux époques comparées. Quand
il s'agit de l'ancienne Grèce et de ce premier âge des sciences où
un seul homme, suivant la culture de son esprit, pouvait embras-
ser, comme dans une encyclopédie informe, ce qui était connu de
son temps, et s'attirer l'admiration du vulgaire, sous le titre de sage,
de devin, d'interprète des dieux ; on peut savoir à peu près ce qu'on
veut dire en parlant de la doctrine de tel siècle ou de tel pays où
se remarquait quelque lumière, vraie ou fausse, au milieu des ténè-
bres qui couvraient tout le reste.

Le tableau cité donne donc une idée plus ou moins exacte de la
22 philosophie en Grèce à l'époque dont il s'agit. | Mais que peut-on
entendre quand on parle dans les mêmes termes de la philosophie
du dernier âge ? Je ne parle pas de l'abus du mot philosophie, appli-
qué aux systèmes les plus divers, ou ayant un tout autre objet que
la nature intellectuelle et morale de l'homme ; mais en prenant notre
monde actuel savant ou civilisé comme l'historien des systèmes a
considéré la Grèce, y a-t-il *une philosophie* européenne à laquelle
puisse s'appliquer le tableau de la philosophie grecque avant
Socrate ? Non sans doute ; et M. de Bonald en fera ailleurs la
remarque expresse, quand il s'agira de prouver le désaccord cons-
tant et universel des philosophes de tous les temps et de tous les
pays. Donc on ne pourrait savoir ce qu'on dit, ni de quoi l'on parle,
23 | en prétendant que la philosophie du dernier âge « est dépourvue
à la fois de certitude dans ses maximes, d'utilité dans ses résultats,
de dignité dans son caractère ». (40) De quelle *philosophie* s'agit-
il en effet ? Est-ce de celle de Condillac ou de Reid, qui paraissent
aujourd'hui se partager nos écoles en France ; celle de l'école écos-
saise luttant surtout en Angleterre avec bien de la peine contre
l'indifférentisme général pour toutes les doctrines spéculatives ? Est-

ce la philosophie de Kant et tous les divers systèmes qu'elle a engendrés en Allemagne, où il n'y eut jamais autant d'écoles et de doctrines diverses ? Peut-on dire également de toutes ces philosophies qu'elles manquent de certitude dans les principes, d'utilité dans les
224 résultats, de dignité dans le caractère ? | L'anathème lancé contre l'une d'elles sous quelqu'un de ces rapports, n'est-il pas à la décharge de l'autre, ou ne fait-il pas même indirectement son apologie ? Si l'on dit, par exemple, que la philosophie des sensations et la morale des intérêts manquent à la fois de certitude, d'utilité et surtout de dignité, le dira-t-on également de la philosophie morale, ou de la raison pratique de Kant, de cette morale sublime fondée sur la conscience du *moi*, la liberté du *moi* et l'absolu du devoir ?

Nous livrons ces questions à la philosophie, c'est-à-dire à la justice et à la bonne foi du savant auteur des *Recherches philosophiques*.

En attendant sa réponse, en voici une qu'il nous fournit lui-même assez à propos, et qu'il aurait sagement fait de bien méditer avant
225 | de lancer son arrêt de proscription en masse contre la philosophie : c'est avec d'autres noms la même que fit autrefois saint Clément d'Alexandrie à des sceptiques qui niant, avec toute philosophie, les bases mêmes de la raison, menaçaient d'entraîner dans la même ruine la vraie religion et la foi. Disons à notre tour à l'âge où nous sommes parvenus : ce qu'il faut appeler philosophie n'est pas celle de Descartes, de Leibniz, de Reid, de Locke, de Condillac, de Kant, « mais le choix formé de ce que chacune de ces doctrines contient de vrai, de favorable aux mœurs, de conforme à la religion », (41) car voilà le véritable éclectisme qui nous convient aujourd'hui, le vrai moyen de réforme approprié à notre âge, la vraie philosophie appelée aujourd'hui, comme du temps de Socrate, à réformer l'homme plutôt qu'à se réformer elle-même. Ce moyen de réforme est moins tranchant mais plus efficace pour fermer la plaie de l'opposition des systèmes que la dénégation ou la fin de non-recevoir opposée à tous les systèmes de philosophie sur la simple étiquette,
226 | sans examen du fond, et par le seul motif qu'on ne peut se prévaloir d'une autorité autre que la raison et supérieure à la raison ou à la conscience même.

Le Père de l'Église dont nous sommes mieux fondé que M. de Bonald à invoquer ici le témoignage, éclairé par une double révélation, comprit admirablement qu'il y a un fond de vérité commun à toutes les doctrines qui ont l'homme et la nature morale pour objet ; que c'est là la vraie philosophie ; que ces vérités premières qui se trouvent plus ou moins purement contenues dans chaque système en constituent toute la partie philosophique, laquelle une fois séparée des éléments hétérogènes ou accessoires se trouve cons-

tamment identique ou égale à elle-même de quelque doctrine qu'elle
27 soit extraite, | comme il y a identité dans la matière sucrée extraite
de diverses plantes. La philosophie ainsi considérée, ayant sa base
dans la nature humaine, ne peut différer de la religion universelle
ni par la source d'où elle émane, qui est nécessairement Dieu, auteur
de la nature humaine, ni par la base sur laquelle elle se fonde : l'une
et l'autre viennent de Dieu ; elles ont été révélées à l'homme par lui.

M. de Bonald approuve l'éclectisme de saint Clément, quoiqu'il
soit vraiment philosophique, fondé sur ce « qu'il ne faisait que ral-
lier des vérités *éparses* et *particulières*, à une doctrine toute formée,
28 à un système général de vérités, | et rapprocher ainsi les conséquen-
ces de leurs principes. » (42) Mais de quelle doctrine, de quel
système de vérités s'agit-il ? de celles qui se fondent sur la révéla-
tion intérieure et que tout homme trouve en lui-même ? Nous som-
mes d'accord, et la doctrine de Socrate nous a prouvé qu'il n'était
pas impossible à l'homme de s'élever à cette doctrine, à ce système
de vérités que le divin fondateur du christianisme a représenté épuré,
agrandi, et non point détruit ou changé au fond. S'agit-il d'un
système de vérités donné à une certaine classe d'hommes choisis
ou privilégiés de Dieu ? Nous sommes bien hors de la philosophie,
mais si les vérités éparses tirées du stoïcisme, du socratisme et du
229 platonisme | ont pu venir se rallier à cette doctrine révélée, il fallait
bien qu'il y eût analogie parfaite avec celle qui se fonde sur la nature
même de l'homme, et comme une harmonie préétablie entre les deux
révélations extérieure et intérieure. Autrement les idées ou les sen-
timents qui constituent celle-ci n'auraient pu se rattacher aux faits
surnaturels ou aux signes divins qui composent celle-là, comme les
conséquences se rattachent aux principes ou les effets aux causes,
ce qui nous ramène au parallélisme entre les deux sortes de *révéla-
tions* et à l'identité de source, d'objet et de fin que nous avons pré-
cédemment reconnue.

230 | Cela nous explique comment les premiers docteurs du christia-
nisme purent concilier avec leurs dogmes plusieurs points fonda-
mentaux de la doctrine de Socrate, et le mélange qui se fit dans
l'école, du platonisme avec le christianisme, ce qui fait le caractère
de la philosophie du Moyen Age.

M. de Bonald reconnaît lui-même que « les idées de Platon se
rapprochaient de quelques vérités fondamentales de la religion chré-
tienne, comme le stoïcisme, de sa morale sévère. » (43) Or comme
on ne saurait établir, quoique l'auteur cherche à l'insinuer sous
forme de doute, que Socrate et ses disciples eussent emprunté leur
doctrine morale des livres juifs, et comme l'auteur avoue lui-même
« que Platon n'avait trouvé que dans son génie et Zénon, dans son
231 caractère, les | vérités analogues aux dogmes ou aux pratiques que

la *nouvelle philosophie** venait enseigner, prescire ou conseiller. » (44) Nous pourrions terminer ici nos observations sur l'histoire de la philosophie, et conclure des propres aveux de notre auteur, au sujet des doctrines anciennes qu'il passe en revue exprès pour faire ressortir leurs oppositions et leurs divergences, que ces rapprochements prouvent au contraire que toutes ces doctrines, en
232 tant qu'elles peuvent justifier leur titre, présentent | un admirable accord de principe, d'objet, de moyens et de fins ; qu'à partir de Socrate il y a même plus qu'analogie entre le fond des premières vérités qui font la chose de ces doctrines, et que, comme il n'y a qu'une vraie religion, malgré toute la diversité des sectes, des communions, des dogmes et des rites propres, crus ou pratiqués en divers pays, il n'y a de même qu'une vraie philosophie morale et intellectuelle malgré la diversité des systèmes philosophiques. Nous pourrons conclure enfin que l'*autorité de l'évidence* a pour le moins autant de pouvoir pour maintenir l'unité de doctrine fondamentale en philosophie, que l'*évidence de l'autorité* pour maintenir l'unité de doctrine religieuse ; que les deux sortes de pouvoirs tendent réellement au même but, par des moyens qui sont distincts sans être séparés, même aux yeux de l'homme, et qui s'identifient peut-être ou se confondent aux yeux de Dieu.

233 | Le parallèle que nous avons en vue d'établir entre les deux sortes de moyens, interne ou externe, naturel ou surnaturel, dont Dieu a pu se servir pour révéler à l'âme humaine les premières vérités de la morale et de la religion, se trouve ressortir de l'accord même, historiquement vérifié entre les premiers dogmes des nations éclairées par Dieu, et ceux des premiers sages qui avaient trouvé dans les inspirations de la conscience et de la raison les mêmes vérités que Dieu avait fait entendre à son peuple choisi, en lui parlant de sa propre voix ou par celle de ses prophètes.

Nous concevons maintenant comment Dieu a pu permettre le mélange de la doctrine sacrée qu'il avait donnée immédiatement, avec une *philosophie* qui, pour être dite profane, n'en venait pas moins de la même source, seulement par une autre voie et par une
234 autre inspiration. | Nous concevons enfin comment il a pu arriver dans l'ordre de la Providence que la « philosophie platonicienne ait dominé presque exclusivement dans la première école chrétienne

* Cette expression est bien remarquable quand il s'agit de la religion chrétienne, et elle rentre parfaitement dans nos principes. Pourquoi ne dirait-on pas en effet, dans le sens le plus éminent du mot, *la philosophie de Jésus-Christ* ou des *Évangiles*, comme on dit la philosophie de Socrate ? Mais que deviendrait alors l'anathème lancé contre la philosophie en général ?

jusqu'au temps de l'inondation des Barbares, et du bouleversement
général qui la suivit. » (45)

Dans l'extinction de toutes les lumières, la religion qui ne meurt
point dut préserver sans doute d'une destruction complète la phi-
losophie avec qui elle avait contracté une si étroite alliance dans
la première école chrétienne. Mais quand tout aurait péri, quand
les monuments, les langues, les écritures et toutes les traditions
auraient été anéantis, tant qu'il serait resté des hommes sur la terre,
les germes des premières vérités morales et religieuses subsistant au
235 fond des âmes | pouvaient être encore fécondés par le concours natu-
rel de nouvelles circonstances sociales, sous l'influence du génie d'un
nouveau Socrate, d'un autre Platon. C'était par là que la philoso-
phie pouvait encore se relever par ses propres moyens, c'est-à-dire
par ceux que Dieu a donnés à l'homme en le créant, tout aussi bien
que par de nouveaux miracles, par une autre révélation, ou par le
don répété des langues et des écritures. La lumière une fois créée
236 ne s'éteint plus, quoiqu'elle soit sujette à s'éclipser et à disparaître |
aux regards des hommes ; il suffit d'ôter les obstacles qui intercep-
tent ses rayons, et les ténèbres disparaissent sans que Dieu ait besoin
de répéter sa parole créatrice : *fiat lux*. Les esprits déchus, ou tom-
bés d'une certaine hauteur de connaissance, ont encore la tendance
à remonter ; ils ne sont pas table rase, ou comme s'ils partaient
de l'ignorance absolue ; de même que les aveugles par accident ne
sont pas comme les aveugles-nés qui verraient pour la première fois,
et sans la chercher, une lumière inconnue.

Cela seul nous explique pourquoi la première restauration des
études en Occident suivit un ordre inverse de celui des progrès natu-
rels de l'esprit humain, et commença par où la science humaine a
coutume de finir, par l'érudition et les subtilités de la dialectique,
237 pourquoi aussi des « esprits incultes | (ou plutôt déchus d'un état
avancé de culture), n'ayant pas même dans leur langue à demi-
formée d'instruments suffisants de la *pensée*, devinrent subtils avec
Aristote, plutôt qu'ils n'auraient été éloquents avec Platon. » (46)

Certainement ce n'était pas des vaines disputes du péripatétisme,
de ses questions abstraites et oiseuses, si propres à détourner ou
à dissiper l'homme intérieur, à l'aveugler sur lui-même, que la vraie
philosophie pouvait se relever ; et nous abondons entièrement dans
le sens de l'auteur des *Recherches*, lorsqu'il déplore cette époque
d'égarement de l'esprit, où les règles mécaniques de l'art de rai-
sonner tenaient lieu de raison, où l'on croyait trouver dans les uni-
238 versaux et les catégories | l'universalité des connaissances humai-
nes, et l'*omniscience* toute formée. Mais au lieu de blâmer cette
fausse direction des esprits, il faudrait la regarder, au contraire,
comme la seule bonne, si le don des langues (ou ce qui est la même

chose, celui des formes appelées les universaux, les catégories) emportait celui des idées ou notions toutes faites ; que celles-ci se trouvassent nécessairement et matériellement exprimées dans les signes parlés ou écrits révélés de Dieu ; enfin que le langage fût l'homme tout entier, et que la parole renfermât tous les secrets de la pensée.

Il ne faudrait peut-être pas non plus sacrifier la vérité des faits
239 historiques au désir de faire triompher une opinion, | en affirmant envers et contre tous que, sous la domination exclusive du péripatétisme, lorsque la dialectique offrait un arsenal toujours ouvert aux combattants de tous les genres, et sous les étendards les plus opposés, « il y avait uniformité de doctrines, sur les points importants, et unité de sentiments », (47) que les combats que se livraient les docteurs, de différentes universités, de diverses nations, n'étaient que *simulés* ; et « qu'ils faisaient assaut d'arguments plutôt qu'ils ne luttaient d'*opinions*. » (48)

On conçoit aisément ce dernier point, si les docteurs n'avaient pas d'opinion ou d'idée sur ce dont ils disputaient, ce qu'il est naturel de présumer, comme il arrive entre gens à qui les *règles mécaniques de l'art de raisonner tiennent lieu de* raison. Mais en quoi pouvait consister l'uniformité de doctrines, et surtout l'unité de *sen-*
240 *timents* ? | Mais dans un temps où la philosophie entièrement confondue avec la théologie n'était pas encore devenue ce qu'elle fut plus tard, pour son malheur, selon M. de Bonald, une étude profane, par quel miracle des philosophes théologiens, sans cesse armés pour le combat, et ayant sous les yeux une arène toujours ouverte, avaient-ils si bien tracé cette ligne de démarcation toujours si délicate, toujours si difficile à observer, entre les points de doctrine livrés aux disputes des hommes, et ceux que l'autorité révélée décidait sans interprétation ? Ainsi, une fois du moins, la paix et le bon accord auraient régné entre les philosophes et les théologiens ! Dieu sans doute put faire ce miracle, mais moins l'époque paraît
241 en être digne, plus le miracle est extraordinaire, | plus aussi il a besoin d'être attesté par une autorité impartiale, puisqu'il n'est pas lui-même un article de foi.

Quoi qu'il en soit, le miracle avait bien au moins cessé entièrement à l'époque de la réformation, époque si remarquable de l'histoire de l'esprit humain aspirant à l'indépendance, à l'affranchissement de toute autorité, lorsque le champ des disputes sérieuses passa de la métaphysique à la religion, et envahit le domaine de la foi qui se trouva ainsi ouvert de toutes parts. Peut-être eût-il dû être fermé plutôt par un mur de séparation qui le distinguât de celui de la philosophie, au risque de faire de celle-ci une *étude profane* ? Peut-être que malgré la prétendue uniformité de doctrines et l'unité

de sentiments, il y avait déjà plus que de petites guerres et des combats simulés, entre les docteurs des différentes universités qui faisaient assaut d'arguments sur les points où ils n'osaient pas encore avoir ou manifester des opinions destructives ; peut-être enfin la
242 réforme | était-elle déjà en état de germe dans les esprits longtemps avant d'éclater, comme il arrive de toutes les grandes révolutions qui doivent laisser après elles de longues traces.

243 | Il en fut de la réforme religieuse comme de toutes les révolutions politiques ; il s'en faut de beaucoup que l'époque de l'événement soit celle de l'origine. Les novateurs du XVIe siècle ne purent pas faire un peuple nouveau se croyant, sur leur parole seule, arbitre de ses constitutions politiques et juge de ses croyances religieuses, mais ces novateurs appartenaient au peuple nouveau, ils sortaient de ses rangs, et déclaraient des opinions préexistantes.

244 Les points sur lesquels les réformateurs | fondaient leurs dissidences auraient bien pu échapper à des esprits moins exercés aux subtilités du péripatétisme, et on conçoit que la séparation des doctrines une fois déclarée dut fortifier le sentiment d'indépendance et multiplier les disputes, mais non pas donner une autre direction à l'enseignement purement philosophique.

A entendre M. de Bonald : « Il était naturel qu'une doctrine religieuse ou théologique qui, dans l'explication des dogmes de la religion chrétienne, se tenait au rapport des sens et ne voyait rien audelà, fît incliner la philosophie au péripatétisme qui n'admet d'idées que celles qui viennent par les sens, et c'est aussi ce qui arriva, tandis que par la raison contraire, les écoles catholiques, et même les luthériennes, penchaient davantage vers les idées de Platon. » (49)

Cette assertion est inconcevable et démentie par les faits les plus modernes, puisque les doctrines les plus enthousiastes, les plus mystiques, les plus éloignées des sens sont nées et professées, surtout aujourd'hui, dans ces mêmes lieux où la réforme eut son berceau et a conservé ses prosélytes les plus ardents. D'ailleurs comment des différences si légères aux yeux de la raison, qui ne peut pas même en concevoir l'objet, auraient-elles pu entraîner les esprits
245 dans des directions aussi opposées que | le sont la philosophie des sensations et celle des idées innées ? Certainement les sens ne jouent pas un plus grand rôle dans l'explication des dogmes religieux dans la théologie de Calvin ou de Luther que dans celle du catholicisme le plus orthodoxe. Si la Réforme introduisit les langues vulgaires jusqu'au sein de la philosophie, nous convenons que cet usage fut malheureux pour les progrès de la science ; et le talent propre à l'auteur des *Recherches philosophiques*, dont le style brillant s'allie si rarement avec la solidité et la précision des idées, nous fournirait lui-même le meilleur exemple du danger qu'il y a « à faire un

sujet vulgaire de *conversation* » ou d'écrits « de ces doctrines élevées, destinées à faire l'objet des méditations et de l'entretien des vrais savants. » (50) Si, comme autrefois, les métaphysiciens et les moralistes avaient une sorte de langue universelle, appropriée à tous
246 les sujets de haute philosophie | dont les gens du monde sont aussi peu curieux que mauvais juges, M. de Bonald n'aurait pas fait ses ouvrages de philosophie, ou il les aurait faits d'une autre manière ; et la philosophie eût pu y gagner ce que la littérature y aurait pu perdre.

Il est tout simple que le « divorce de la philosophie et de la théologie », (51) considéré comme un bonheur par l'historien des systèmes, ait paru un grand mal aux yeux de M. de Bonald, et nous en verrons bientôt la raison. Ce divorce ne suffisait pas, il est vrai, pour empêcher la philosophie de divaguer dans la route du péripatétisme, où elle se trouvait engagée, sur ces grandes questions de la cause première ; mais l'esprit humain affranchi pouvait trouver de meilleures méthodes, et ne pas porter le joug des *croyances* dans les recherches d'analyse qui demandent toute l'indépendance de la pensée et exigent que l'esprit de bonne foi avec lui-même entende toutes les idées et n'adopte pour vrai que ce qu'il peut entendre.
247 | En marquant l'époque où la philosophie commença à se séparer de la théologie, après le Moyen Age, l'auteur de l'*Histoire comparée des systèmes* observe que ce fut un bonheur pour la philosophie de redevenir, en vertu du divorce, une étude profane ; et les vrais philosophes, ceux qui savent reconnaître les limites respectives de la raison et de la foi, ne peuvent qu'être du même avis sur ce point. M. de Bonald a, pour penser autrement, des raisons de système que nous apprécierons plus tard ; mais nous pouvons dès à présent lui faire observer qu'en admettant, même comme fait historique, que la religion ni la philosophie n'eussent d'abord rien gagné à la séparation qu'il condamne, il n'en serait pas moins vrai que le divorce était de droit, comme fondé sur la nature même des choses, ou sur celle de facultés dont les domaines ne doivent jamais être confondus.

La vraie philosophie, ou la raison même qui sait se tracer ses pro-
248 pres limites, apprend à connaître | et à respecter celles de la foi, qui sont hors d'elle et au-dessus d'elle. Pour elle les croyances nécessaires composent un domaine à part de celui de la connaissance. Sans renier l'autorité de l'évidence, dans les objets soumis à ses recherches, elle ne repousse point l'évidence de l'autorité qui l'oblige à croire sans examiner. Confondez ces limites, et l'homme, tantôt portant la foi dans la science, croira aveuglément ce qu'il est appelé à étudier et à connaître, ne saura rien ni de Dieu, ni de la nature, ni de lui-même ; tantôt portant la raison dans la foi, ne croira plus
249 rien que ce qu'il pourra toucher, percevoir ou sentir. |

Que la philosophie, redevenue profane, ait été rejetée dans ces grandes questions qui « avaient occupé et divisé les philosophes de l'Antiquité sur la cause première de l'univers, l'origine des choses, la distinction de l'esprit et des sens, les fondements de la morale et de la société », (52) où est le malheur ? Le mal ne serait-il pas au contraire de croire aveuglément, sur la seule évidence de l'autorité, ce qu'il est possible à la raison de démontrer, et de soutenir de tout ce que l'autorité de l'évidence a de force, de consistance et de durée ?

Ôtez les recherches sur l'origine des choses ou les cosmogonies,
qui ne peuvent sortir du domaine de la foi ou des croyances reli-
gieuses, sans passer sous celui d'une imagination poétique, est-ce
que l'unité de la *cause* suprême des existences, la distinction de
250 l'esprit et des sens, | les fondements de la morale, ne sont pas les
premiers objets de la raison naturelle et de cette philosophie qui
mène nécessairement à Dieu par divers chemins tous les esprits qui
pensent comme il faut ? Est-ce qu'il n'y a pas sur les points fonda-
mentaux la plus admirable uniformité entre tous les philosophes
anciens et modernes qui ont justifié le titre de sages par l'emploi
légitime de ces facultés qu'ils tiennent de l'auteur même de toute
raison ? Et si ces vérités premières, universelles et nécessaires,
avaient jamais pu s'obscurcir et se perdre parmi les hommes, n'eût-
ce pas été en passant du domaine de la raison à qui elles appartien-
nent, sous l'empire exclusif de la foi qui repousse l'examen, et sous
251 l'autorité des traditions ? | Certainement les Modernes n'avaient ni
plus de moyens ni d'autres données que les Anciens pour résoudre ces questions capitales, mais il suffisait pour rétablir la vraie philosophie d'avoir les moyens et les données de Socrate, d'entrer dans la voie de ce premier sage, et de faire un aussi bon emploi que lui des moyens donnés à l'homme pour connaître sa nature morale en suivant sa vraie distinction.

Comment la philosophie n'aurait-elle pas gagné à se séparer de la
253 religion, | et à redevenir de cette manière une étude profane ? Croit-
on que les doctrines mystiques, théologico-philosophiques du Moyen Age n'eussent pas été également funestes à la vraie religion et à la vraie philosophie, et qu'il ne valait pas mieux renouveler des Grecs des doctrines telles que celles de Socrate, de Platon et des stoïciens, que de renouveler des Juifs les doctrines cabalistiques des Alexandrins et des théosophes, le système des émanations, les visions extatiques, la démonologie, la magie et la divination ? Certes les promoteurs de ces systèmes mystiques étaient intéressés aussi à prévenir le divorce dont il s'agit ou à empêcher que la philosophie ne redevînt une *étude profane*. Il est si commode de couvrir ses idées systématiques de l'autorité de la religion comme d'une

égide sacrée ; et quel est l'homme d'imagination qui ne voudrait être le maître d'imposer à tous les esprits ses hypothèses et ses croyances comme autant d'articles de foi, devant lesquels la raison n'a qu'à se courber et qu'il s'agit de croire sans examiner ?

254 | Si la philosophie profane, en livrant les facultés de l'esprit à toute leur indépendance, laissait ouvertes avec elle toutes les chances d'erreur comme de vérité, n'est-ce pas la condition naturelle d'un être actif et libre, dont tout le mérite consiste à discerner et à choisir le vrai combiné avec le faux, le bien mêlé avec le mal ? Ils ne pensaient pas aussi mal de la philosophie considérée comme étude profane, ces Pères de l'Église, et tous ces saints personnages qui aimaient à reconnaître tout ce qu'ils lui devaient, tous les secours qu'ils avaient trouvés en elle pour atteindre le but plus élevé qu'ils se proposaient ; témoin un saint Clément d'Alexandrie, déjà cité, qui s'élève avec tant de chaleur contre ceux qui prétendent que l'introduction de la philosophie a été funeste à l'homme et à la
255 société ; | un saint Justin, qui considère la philosophie comme très agréable à Dieu, « puisqu'elle seule nous conduit à lui » ; un Minucius Félix, qui met au rang des chrétiens anticipés ces philosophes qui ont reconnu un seul Dieu sous différents noms, et veut que les chrétiens ne soient autres que de vrais philosophes (53).

256 | Passons avec l'auteur des *Recherches* aux réformes qu'éprouva la philosophie dans des temps plus rapprochés.

L'historien des systèmes de philosophie désigne et caractérise les trois hommes de génie qui tentèrent presque en même temps d'exécuter cette grande œuvre d'une réforme philosophique : Bacon, en Angleterre, Descartes en France, Leibniz en Allemagne. Tous trois, dit cet historien, « viennent chercher également dans le principe de nos connaissances, le fil qui va les diriger, mais se divisant entre eux au point de départ, ils s'engagent dans des routes diverses. »* (54) C'en est assez ! s'écrie M. de Bonald qui se plaît tant au spectacle des guerres philosophiques, qu'il voit partout, même où elles ne sont pas. « Ces trois réformateurs, dit-il, qui se divisent au point de départ, ne se rejoindront plus. » (55)

Ces réformateurs, nécessairement divisés tant qu'ils s'attacheront chacun à un sujet d'étude différent par sa nature, pourront se rejoindre ou se rencontrer dans des points de doctrine homogènes. L'auteur des *Recherches philosophiques*, qui fait quelquefois de
257 la vraie et bonne philosophie | sans le vouloir, et comme poussé par un démon, fait des observations dont je suis personnellement inté-

* Il n'est pas vrai qu'ils partent du même point, mais ils ont chacun leur point de départ, et marchant dans des routes diverses, ils ne peuvent se rencontrer.

ressé à faire ressortir la justesse, puisque j'ai eu le bonheur de les faire de mon côté dans une autre occasion.

La première c'est que la direction que donne Bacon à ses recherches principales, à sa grande réformation qu'il appelle lui-même instauration (*instauratio magna*), aurait dû le faire placer plutôt parmi les pères de la philosophie naturelle ou de la physique, que parmi les réformateurs de la philosophie proprement dite ou de la science de l'homme intellectuel et moral.

Cela est évident par la lecture des principaux ouvrages du philosophe anglais, dont l'objet est de constater ou d'enseigner les véritables moyens qui sont donnés à l'homme pour étudier et connaître exactement les faits de la nature extérieure et les lois qui la diri-
58 gent, | savoir la sensation, la comparaison et le raisonnement ; les sens pour observer et recueillir les faits ; la comparaison pour les classer ; le raisonnement pour poser les lois. Voilà en effet toute la philosophie naturelle et la seule bonne. Bacon a réformé la physique, mais la physique n'est pas la psychologie ni la morale ; elle n'a même que des rapports très éloignés avec la philosophie proprement dite qui forme une étude à part. Toutes les erreurs de nos modernes naturalistes viennent précisément d'avoir voulu soumettre cette étude spéciale à la méthode de Bacon, ou ranger l'homme intérieur, le sujet actif et libre au nombre des objets de la nature, passible de ses lois, de ses formes, susceptible d'être observé et étudié en dehors comme les phénomènes, et aussi variable qu'eux. En entraînant les esprits dans une direction tout à fait contraire à la
59 philosophie proprement dite. | Bacon ne doit donc pas être mis au rang de ses réformateurs. Mais si l'on veut envelopper sous le nom vague de la philosophie la science de la nature extérieure et étrangère à l'homme intellectuel et moral, il sera tout à fait injuste de dire épigrammatiquement que cette philosophie « qu'on réforme sans cesse, et qui ne se forme jamais, n'y aura gagné que d'élargir son champ de bataille », (56) car la philosophie naturelle, restaurée par Bacon, n'a fait qu'avancer depuis et toujours heureusement dans la même direction et se former de plus en plus, sans que rien nous autorise à croire qu'elle aura ultérieurement besoin d'être réformée.

60 | La première observation que nous venons de rapporter ne prouve donc point du tout ce que l'auteur prétend en induire de contraire à la philosophie ; elle tend seulement à mettre en évidence un défaut d'exactitude de la part de l'historien des systèmes, quand il met Bacon sur la ligne des vrais réformateurs, et quand il dit que ce philosophe cherche dans le principe de nos connaissances le fil qui devait le diriger dans sa grande *instauration* de la philosophie naturelle. En effet, ce père de la physique suppose les premières

connaissances formées par la nature même ; il ne cherche point à en étudier les moyens, ni à en justifier la réalité ; en un mot, le principe de ces connaissances objectives est pour lui une donnée qu'il est non seulement superflu, mais même dangereux et vain de scruter et d'explorer avant de s'attacher aux résultats pratiques de l'expérience *extérieure*.

Bacon suppose bien comme vraie la maxime d'Aristote qui place dans le sens l'origine des idées, mais il ne l'énonce même pas ; ce
261 n'est pas là qu'il sent | le besoin de rattacher sa théorie, car pour vérifier ce principe, ou même pour en saisir la valeur, il faudrait réfléchir, réagir sur soi-même, s'étudier ou s'observer intérieurement, et c'est cette étude, cette observation intérieure que le père de la physique moderne proscrit expressément dans ces paroles remarquables, dont nous trouverons bientôt le commentaire dans un passage du livre de M. de Bonald lui-même : *Mens humana si agat in materiem, naturam rerum et opera Dei contemplando, pro modo materiae operatur atque ab eadem determinatur : si ipsa in se vertatur, tanquam aranea texens telam, tunc demum indeterminata est, et parit telas quasdam doctrina tenuitate fili operisque mirabiles, sed quoad usum frivolas et inanes.* (57)

262 | La seconde observation, sur laquelle je tombe parfaitement d'accord avec M. de Bonald, c'est que Descartes est le véritable réformateur de la philosophie, le seul sans contredit (je ne dis pas peut-être) qui ait justifié ce titre parmi les modernes. Là où Bacon commence, Descartes finit ; la philosophie première, réformée, ou plutôt formée pour la première fois par ce grand homme, se trouve en avant de la philosophie naturelle placée hors de son champ. Ce sont deux réformes, deux grandes restaurations, et non pas une seule. Le principe, l'objet, les moyens méthodiques, le but, tout est différent de part et d'autre ; les deux chefs ne partent pas du même point, ne suivent pas la même route. La marche de l'un est intérieure et souterraine, celle de l'autre est extérieure et au grand jour. Comment donc y aurait-il des points de rencontre ?

263 Descartes sera à jamais le père de la vraie | philosophie, de la science de l'homme intellectuel et moral, fondée sur la réflexion ou l'expérience intérieure, comme Bacon sera à jamais le père, et non pas seulement le restaurateur de la véritable physique, ou d'une science de la nature fondée sur l'observation et l'expérience extérieure. Pour mettre dans tout son jour la différence essentielle des deux sujets d'étude, et l'extrême danger qu'il y a à les confondre dans l'unité artificielle de doctrine, il suffit d'observer que la méthode philosophique de Descartes, appliquée à la nature, n'a produit que des erreurs ou des illusions systématiques, de même que la méthode de Bacon, appliquée à la philosophie, a amené tous les écarts funestes des doctrines modernes.

Aussi, n'est-il pas difficile de faire dans ces doctrines la part exacte du cartésianisme et du baconisme.

Descartes a fourni tout le fond des idées psychologiques de Locke et de Condillac ; c'est lui qui a le premier soulevé ces questions
264 | vraiment premières et fondamentales que Bacon ne paraît pas même avoir soupçonnées. C'est Descartes, en effet, qui a le premier cherché, dans le fait primitif de conscience, le principe de la connaissance humaine, et créé ainsi la vraie psychologie. Aussi, est-ce sous l'influence unique de ce père de la métaphysique qu'ont été conçus et nettement posés tous ces problèmes de philosophie, dont les anciennes écoles ne s'étaient pas embarrassées, sur l'origine et la réalité de nos connaissances qui ont tant occupé nos modernes, et autour desquels Locke, Condillac et leurs disciples ont tourné laborieusement. Tout ce qu'il y a de bon et de vrai dans leurs doctrines mixtes et hétérogènes appartient à Descartes et se trouve en germe dans sa philosophie ; tout ce qu'il y a d'erroné et de contraire à la vraie philosophie, à la morale et à la religion, tient au mélange d'une doctrine hétérogène, ou à l'application qu'on a faite si mal à propos et si malheureusement des principes de la méthode, et des classifications des physiciens à la philosophie morale dont on a ainsi dénaturé et dissimulé l'*objet*[20].

266 | Il n'est donc pas vrai que Bacon et Descartes aient réformé la philosophie sur un plan particulier ; mais chacun réforme sa science sur le plan qui convient à elle seule et non pas à l'autre. Les esprits qui se rangeront sous chacun de ces deux étendards se trouveront partagés entre deux objets d'études, et non pas divisés sur un seul et même objet.

C'est ainsi que tout peut s'éclaircir quand on distingue les idées vraiment diverses, arbitrairement renfermées sous un mot vague et général ; de même que tout se confond pour celui qui fait servir à dessein le vague de ce mot pour brouiller et neutraliser les véritables idées des choses[21].

268 | Gardons-nous donc de prendre la division naturelle qui existe entre les deux sciences respectives, si heureusement réformées par Bacon et Descartes, pour une division d'opinion entre les réformateurs travaillant sur un seul et même sujet, et n'abusons pas du vague de ce mot philosophie, indistinctement appliqué à la science de la nature et à celle de l'homme moral, pour confondre les idées et trouver des contradictions de doctrines là où il n'y a que diversité d'objets ; car ainsi nous montrerions ou le défaut de bonne foi, ou le défaut de lumières sur les objets que nous prétendons discuter.

[20] *Le folio 265 est la première rédaction du folio 269.*

[21] *Le folio 267 comporte le plan des folios suivants.*

Bacon ne *reconstruisit* pas, mais il construisit pour la première fois le vrai système des sciences naturelles qui n'avait jamais été
269 ainsi conçu | avant son exemple. Ceux qui l'ont appelé l'Aristote des temps *modernes*, uniquement parce qu'il a appliqué dans sa sphère et ses justes limites le principe des idées originaires des sens, n'ont saisi qu'un rapport superficiel et même tout à fait inexact entre ces deux doctrines, qui n'ont au fond aucune analogie. Quand Bacon, en effet, enseigne que toute science naturelle commence à l'observation directe des sens, il n'a en vue ni la valeur philosophique du principe en lui-même ni ses conséquences psychologiques ; il marche droit à l'application ou à la vraie méthode d'étudier et de connaître la nature extérieure, sans s'occuper du sujet qui connaît, ni des opérations qui forment la connaissance. Rien ne ressemble là à la métaphysique d'Aristote ; rien de plus opposé aussi que la méthode d'observation et d'induction enseignée par Bacon, et la dialectique ou le syllogisme de l'école péripatéticienne dont
270 notre restaurateur de la philosophie naturelle | parle si souvent avec mépris[22].

271 | Si nous ne confondons pas les genres, nous ne dirons donc pas, comme M. de Bonald, que Descartes, « en détrônant Aristote, *a réformé Bacon.* » (58) Ce que Descartes a vraiment détrôné, c'est la philosophie ou la métaphysique péripatéticienne, en affranchissant l'esprit humain, en substituant la voix immuable de la conscience à la parole incertaine, locale et changeante du maître. Ce que Bacon a détrôné de son côté et pour toujours, c'est cette physique toute d'hypothèses, n'ayant pour objet que des êtres de raison dont l'imagination seule faisait les frais en les créant ou les multipliant sans nécessité. La méthode qui consiste à étudier ou observer la nature pour la connaître, au lieu de la deviner, établie, ensei-
272 gnée et prouvée par Bacon, lui a valu le titre | de père de la physique. En cela, il n'a pas été réformé par Descartes, et ne le sera jamais par personne. Il y a donc quelques réformes qui durent, quelques systèmes de vérités qui restent ; et elles constituent comme un trésor de richesses intellectuelles, comme un capital fixe que l'esprit humain peut grossir, transformer en espèces diverses, mais qui ne périra point pour lui.

Quant à Leibniz, il n'a pu être ni réformateur ni réformé. On ne peut établir entre Descartes et lui cette opposition de genres qui sépare Bacon et Descartes. Leibniz a donné un grand mouvement aux esprits ; il a répandu de grandes lumières dans tout le monde philosophique ; l'école allemande l'a reconnu et doit le reconnaî-
273 tre encore pour son chef, mais il | n'a rien réformé. Le génie émi-

[22] *Le folio 270 est la première rédaction du folio 273.*

nemment systématique de Leibniz conduit à la métaphysique par la géométrie et la physique, conserve toujours le caractère de cette
74 double origine | : les faits de sens intime, la pensée intérieure qui, dans le point de vue de Descartes, ne supposent rien avant eux, s'étonnent de se trouver liés aux monades comme des effets à leurs causes, des conséquences à leurs principes. La psychologie et la morale ne se voient pas sans crainte enchaînées à un automatisme spirituel. Cependant, l'hypothèse de l'harmonie préétablie, qui ne diffère pas au fond de celle des causes occasionnelles, porte avec elle son titre de filiation avec la philosophie de Descartes.

Que sont ces virtualités, ces dispositions ou tendances inhérentes à l'âme humaine, antérieures à l'expérience qu'elles règlent, et qui ne saurait les déterminer en principe ? N'est-ce pas en d'autres termes, les idées innées de Descartes, telles qu'on a affecté de les méconnaître, quoiqu'il s'en explique lui-même si clairement dans ses réponses aux objections, dans ses lettres, etc. ?

76 | Ainsi, malgré la différence des traits et des formes extérieures, on reconnaît à un air de famille la parenté des deux doctrines. Leurs chefs, indépendants l'un de l'autre, volent chacun de leurs propres ailes ; l'œil assez fort ou assez exercé, qui peut suivre au loin le vol de ces génies et mesurer leur course, voit dans les profondeurs de l'espace et du temps leurs grands orbes qui se rapprochent, se touchent et se coupent en certains points communs bien notables ; on pourrait les comparer à ces lieux géométriques ou à ces courbes tracées d'après certaines conditions communes qui expriment, par leurs intersections, les vraies racines des équations qui ont servi à les construire, et résolvent les problèmes les plus élevés[23].

75 | S'il y a, en effet, une lumière réelle qui luise pour tous les esprits qui peuvent ou veulent se diriger vers elle, chacun doit en recevoir l'influence, en percevoir les rayons directement, et sans avoir besoin de l'intermédiaire d'un autre esprit de même nature. Leibniz n'a pas plus emprunté ses virtualités ou ses forces inhérentes à l'âme humaine que Descartes n'a emprunté à Platon ses idées innées, ou à saint Augustin le principe fondamental de toute sa philosophie : je pense, donc je suis. La même lumière intérieure a lui sur tous ces esprits, parce qu'ils ont su la chercher et la voir là où elle est ; et cette indépendance des esprits qui voient tous la même lumière, est précisément la preuve de sa réalité. L'autorité donnée orale ou écrite a-t-elle le même avantage ? Et l'autorité de l'évidence que chacun sent en lui-même ne peut-elle pas équivaloir à l'évidence de l'auto-
278 rité que les hommes croient sur la parole les uns des autres ? | Tel est, en effet, le *critérium* propre et spécial des vérités philosophi-

[23] *Le folio 277 comporte les brouillons des folios précédent et suivant.*

ques (et nous avons besoin de ne pas le perdre de vue, pour apprécier à sa valeur le système de M. de Bonald), c'est que chaque esprit, chaque *moi* constitué personne pensante, trouve en lui-même ces vérités premières, et ne peut les trouver qu'en lui, alors même qu'elles lui seraient révélées par une autorité quelconque. Nous n'apprenons pas, en effet, les vérités psychologiques et morales comme les vérités historiques, physiques ou même mathématiques ; nous ne les recevons pas d'un autre toutes faites, de telle sorte que nous n'ayons qu'à les *répéter*, en attachant les mêmes idées aux mêmes signes ; il faut, de plus, que nous les découvrions nous-mêmes dans leur source intérieure, que nous les fassions ou que
279 nous les | inventions de notre côté par l'emploi de la même activité intérieure, qui a révélé ces idées au premier inventeur. C'est bien là certainement la vraie cause du défaut d'uniformité absolue d'idées, et de signes qu'on remarque dans les doctrines de philosophie proprement dite, défaut dont les sceptiques ou les détracteurs de la raison humaine à un titre quelconque, prétendent tirer un si grand parti[24].

281 | En attendant l'application de ce qui précède au système favori de M. de Bonald, système dont les recherches historiques qui précèdent ne sont que le prélude, nous en tirerons seulement deux conclusions spécialement relatives aux réformes philosophiques, qui sont l'objet de sa critique plus maligne que réfléchie. La première, c'est que le vrai réformateur de la philosophie, Descartes, et avec lui tous ceux qui ont su mettre en évidence quelque vérité première, quelque fait primitif de notre nature intellectuelle et
282 morale, n'ont fait et ne | feront que fournir aux esprits méditatifs l'occasion de constater ces vérités en eux-mêmes, en se tournant du même côté. Les dissidences qu'ils éprouveront de la part de ces esprits, au lieu d'arguer d'un défaut de réalité contre les faits ou les notions que ces philosophes ont constatés en eux-mêmes, prouveront seulement que les autres n'ont pas su ou voulu se placer dans le même point de vue, le seul propre à apercevoir ces faits et à acquérir ces notions. L'accord parfait de plusieurs esprits sous un chef, touchant certaines vérités fondamentales, ou leur formule, prouve toujours la réalité du point de vue de celui qui a donné le premier
283 éveil aux esprits. | Ce que l'on doit reprendre dans chaque chef d'école, ce n'est pas le défaut absolu de vérité dans le point de vue sous lequel il considère la nature humaine, mais ce qu'il y a d'exclusif dans ce point de vue. Car trop souvent la pensée de son auteur s'y renferme comme s'il était l'unique, comme si le même principe, soit physique, soit physiologique, soit psychologique ou moral, soit

[24] *Les folios 279 et 280 sont des variantes du folio 173.*

ontologique, devait à lui seul, et exclusivement à tout autre, expli-
quer tout l'homme et toute la nature extérieure, tout ce qui appar-
tient au sujet ou le constitue, et tout ce qui appartient à l'objet.

Ce point étant éclairci et l'autorité de l'évidence commune sur
les faits primitifs ou les premiers principes de la philosophie, une
fois reconnue comme étant le partage de tous les *esprits* individuels,
284 indépendants les uns des autres, | il résulte de cette indépendance
que chaque esprit envisage, sous un point de vue particulier, un
sujet aussi compliqué que l'esprit humain ; de là, la différence des
systèmes qui tous ont leur côté vrai.

Ce n'est pas seulement dans les hautes régions du monde intel-
lectuel, mais dans la sphère ordinaire de l'activité de l'esprit humain,
qu'on trouve ces points de rencontre, ces foyers communs de véri-
tés où viennent se rallier des esprits tous indépendants l'un de
l'autre, et semblables de nature, quoique inégaux en force ou en
énergie de facultés ; c'est là ce qui caractérise, aux yeux de tout
observateur de bonne foi, ces notions communes, ces données pre-
mières de la raison ou du sentiment, qui sont comme l'apanage ou
285 l'attribut essentiel de la nature humaine. | Le vrai talent philoso-
phique, et aussi l'influence réelle qui appartient aux réformateurs
et aux pères de la vraie philosophie, consiste à savoir se placer de
prime abord à ce foyer commun de lumière ; il consiste à trouver
les signes propres de la manifestation des vérités qui y sont renfer-
286 mées, ou qui s'en déduisent pas des lois certaines ; | c'est par là,
et par là seulement, que Descartes a mérité le titre de réformateur
de cette même philosophie dont Socrate fut le premier père. C'est
par là aussi que les noms de Leibniz et de Kant, se liant aux gran-
des vérités philosophiques qu'ils ont su constater ou mettre dans
un nouveau jour, sont devenus immortels comme ces vérités mêmes,
et ne sauraient « vieillir », comme on l'a dit légèrement, avec les
noms de tant de faiseurs d'hypothèses et de systèmes parti-
culiers (59).

Quand on a en effet une idée de l'histoire de la philosophie, ou
287 qu'on veut l'étudier avec quelque *sérieux*, | comment pouvoir con-
fondre ces idées systématiques qui varient et passent, avec ce fond
de vérités vraiment philosophiques qui restent invariables comme
la religion, comme la morale, dont elles sont une partie essentielle ?
Comment ne pas distinguer la philosophie proprement dite de ce
tissu d'opinions hasardées sur tant d'objets étrangers à la nature
morale, que des esprits brillants et hardis forment dans un temps
et dans un lieu particuliers, et que d'autres esprits détruisent, font
oublier ou remplacent par d'autres artifices pareils ? Est-ce que la
philosophie de Platon, de Descartes, de Malebranche, de Leibniz,
de Bossuet, de Fénelon, n'aurait eu qu'une vogue passagère et pour-

rait passer de mode ? Est-ce que la philosophie de Socrate n'aurait remplacé qu'au même titre l'art des sophistes qui avaient avant lui toute la vogue ? Et les satires d'Aristophane, en rétablissant l'équi-
290 libre, auraient-elles pu *discréditer* la *sagesse* même[25] ? | Et pourraient lui être opposées aujourd'hui en forme d'arguments, ou comme preuves d'un défaut d'autorité, de même que les critiques et les sarcasmes des modernes sophistes sont opposés à la philosophie comme signes de discrédit du dogme des idées innées, soutenu « par les plus beaux génies qui aient honoré la philosophie ancienne et moderne ? » Ainsi sans doute les attaques, les sophismes, les blasphèmes ou les railleries de l'impiété discréditeraient la vraie religion, et mettraient en défaut son autorité propre, comme les dissidences ou les disputes des théologiens sur certains dogmes, en accuseraient l'inconstance et la mobilité. Il faut s'étonner que l'auteur des *Recherches philosophiques* n'ait pas craint les dangers de ce parallèle qu'il provoque à chaque instant ; son inconcevable précipitation d'esprit l'a sans doute empêché de voir que, si les variations de ce qu'il appelle *philosophie*, les attaques et les sarcasmes dont les plus respectables systèmes ont été l'objet, pouvaient servir
291 d'argument contre la philosophie, | l'histoire de la religion deviendrait par la même raison un arsenal où les incrédules trouveraient des armes tout autrement dangereuses.

Voulons-nous mettre un terme à tous ces arguments frivoles, à toutes ces critiques légères et sans consistance, sans lien ou sans suite, sachons donc une bonne fois ce qu'il faut entendre par philosophie, ou adoptons, si on l'aime mieux, la définition de ce saint Père de l'Église d'Alexandrie déjà cité. Que la philosophie soit, non plus comme un système ou une sorte d'encyclopédie universelle, où se trouvent rapprochées et liées, tant bien que mal, des notions hétérogènes et de genres divers, sous le nom propre d'un auteur
292 ancien ou moderne | (tel que Platon, Aristote, Zénon, Épicure ou Descartes, Bacon, Leibniz, Kant, Locke ou Condillac). Qu'elle soit au contraire le vrai système des connaissances psychologiques ou des vérités premières morales et religieuses, que tous ces philosophes ont également reconnues, chacun de leur côté, quoique chacun ait pu les exprimer ou qu'il ait cherché peut-être vainement à les démontrer à sa manière ; et dès lors, on pourra s'entendre sur ce qu'il faut appeler l'*expérience* de la philosophie, on pourra déterminer l'espèce des faits ou la nature des questions, résolues ou non, qu'on peut déduire de son histoire ; en formant une classification exacte et méthodique des systèmes de philosophie proprement dite, et en réduisant la variété des formules ou des expressions qui

[25] *Le folio 288 est un brouillon du folio 290. Le folio 289 est une page blanche.*

renferment des opinions communes et des vérités identiques, on verra ressortir les vraies analogies entre des systèmes qu'on aurait
293 crus d'abord opposés lorsqu'on | les jugeait sur un premier coup d'œil *superficiel* ; on verra aussi quelles sont les véritables différences qui les séparent ; on ne pourra plus prendre les différences de points de vue qui donnent, pour ainsi dire, un sujet différent à chaque philosophe, pour des oppositions et des contradictions sur un seul et même sujet.

Par exemple, on comparera les doctrines qui roulent sur les faits de sens intime, ou d'observation intérieure avec les systèmes métaphysiques qui s'appuient sur les notions universelles, et aspirent à la science des réalités absolues ; on pourra apprécier ainsi la différence essentielle de ces points de vue, et l'on cherchera très utilement comment ils se rejoignent, au lieu de se faire un jeu d'une prétendue *opposition* qui n'est point du tout dans ces systèmes, mais
294 bien | dans l'imagination de ceux qui prétendent les discréditer, sans pouvoir ou sans vouloir les comprendre. Plus il y a différence de genre, moins il peut y avoir d'opposition ou de contradiction réelle entre des systèmes qui ont respectivement pour sujet, les uns une nature animale purement sensitive ou passive, les autres une nature intellectuelle ou morale, essentiellement active et libre, quoique ces systèmes s'appellent également philosophiques ; de même qu'il ne peut y avoir d'opposition ou de contradiction entre des systèmes chimiques et astronomiques, par exemple, quoiqu'ils se trouvent compris sous le nom commun de physique ou de science de la
295 nature. | Le plus grand, et peut-être le seul reproche fondé qu'on puisse faire aux divers systèmes qui se partagent le champ de la philosophie, agrandi comme il l'est aujourd'hui, ce n'est pas de différer l'un de l'autre : car il faut bien *qu'ils diffèrent*, comme les points de vue sous lesquels chacun d'eux considère cette nature humaine si variée elle-même, puisque tous les progrès de la science de l'homme tiennent eux-mêmes à cette diversité, comme les progrès de l'industrie et des arts mécaniques tiennent à la division du travail. Mais le tort réel de chaque système, c'est de ne pas se donner pour ce qu'il est, savoir pour un aspect particulier de notre nature intellectuelle et morale, ou de se prendre lui-même pour ce qu'il n'est pas, savoir comme un système universel, exclusif de tout autre, pour un centre unique où doit aboutir, converger et se réunir la science du sujet comme celle de l'*objet*.

296 | S'il y a quelque fondement solide dans cette manière d'envisager la philosophie, et avant tout les divers systèmes de philosophie première, lorsque ce mot est entendu comme il faut, conformément à l'ancienne définition de saint Clément d'Alexandrie, que deviennent tous les arguments moitié sérieux, moitié plaisants de l'auteur

des *Recherches philosophiques ?* Et d'abord, qu'entend-il par cette philosophie *une*, qu'il affecte de chercher et qu'il défie chaque pays de montrer ? Quelle idée a-t-il d'un système complet encyclopédique, capable de réunir tous les esprits dans une doctrine commune
298 de philosophie[26] ? | Et comment conçoit-il cette doctrine ? Est-ce celle qui se bornerait à la science des vérités premières, intellectuelles et morales, communes à tous les systèmes, quoique plus ou moins déguisées dans quelques-uns ? Cette doctrine existe, et l'on a près de soi ce qu'on cherche. Est-ce celle qui embrasserait sous un seul système la prétendue philosophie des animaux, des plantes, des minéraux, qui réunirait étroitement sous un commun point de vue, la science de la nature physique et celle de la nature morale, du sujet et de l'objet ? Nous convenons de l'impossibilité d'un tel système ; la vraie philosophie elle-même nous apprend qu'il faut à jamais y renoncer, elle en donne la raison prise, non pas seulement dans l'histoire, mais dans la nature même de l'esprit humain ou de ses facultés, et ce service seul, en inspirant de la reconnaissance aux sages, devrait imposer silence à ceux qui ne le sont pas.

Ainsi, comme dans le premier cas on demande ce qu'on sait, dans celui-ci, on ne sait ce qu'on demande : ce qui arrive quelquefois
299 aux disciples comme aux ennemis de la philosophie. | D'ailleurs, si l'on a si abusivement généralisé le mot philosophie en le détournant tout à fait de sa signification première, faut-il s'en prendre à la science même, à laquelle ce nom appartient en propre ? Quand il y aurait une philosophie *des pierres ou des métaux*, quand on verrait certains hommes appeler ainsi « l'art de se passer de religion », la doctrine de Socrate, de Platon ou même de Descartes, de Bossuet, de Fénelon, en serait-elle moins vraiment la philosophie (60) ? Les choses changent-elles comme leurs noms, et peut-on de bonne foi proscrire les bonnes sous le titre artificiel et trompeur des mauvaises ?

Enfin si, sous tel nom qu'on voudra, on exprime une vraie science
300 des choses intellectuelles et morales, | il s'agit de savoir s'il existe ou s'il peut exister un système vrai, qui ait réuni et réunisse encore tous les bons esprits dans une doctrine commune. Ici la question est précise, c'est oui ou non. Consultons l'histoire ou nous-mêmes, nous saurons ce que nous devons répondre ; nous n'aurons point à nous embarrasser des variations perpétuelles ou des écarts, réels ou supposés, des philosophes : nous n'aurons point à tenir compte de la philosophie des animaux, des plantes, des êtres inanimés, ou de celle des athées.

En restreignant même un peu plus le sens du mot philosophie,

[26] *Le folio 297 est une première rédaction du folio 299.*

nous nous inquiéterons peu pour le sort de la philosophie, « que les opinions de Hume, de Berkeley, de Reid, de Hartley, se partagent les esprits de | nos voisins les Anglais », (61) assez peu soucieux d'ailleurs de ces spéculations regardées comme creuses par ceux qui ne cherchent que la vie extérieure ; qu'en Allemagne les divers systèmes métaphysiques qui ont pullulé à la suite de ce grand mouvement excité par le kantisme, se succèdent rapidement et tombent les uns sur les autres, quoique Leibniz et Kant dont les doctrines diffèrent sans se contredire, restent debout ; nous nous rassurerons même au lieu de nous inquiéter, en voyant le plus sage éclectisme former aujourd'hui le caractère de la philosophie en France, comme il est depuis longtemps celui d'une illustre Académie (celle de Berlin). Au lieu de trouver dans le jugement de notre aréopage de l'instruction, une preuve de la nullité des systèmes, nous y verrons la *possibilité* reconnue de fonder sur leur accord l'unité même de la philosophie de l'esprit humain[27] |. En effet, si « les traités de Bacon comme ceux de Descartes, de Locke comme de Malebranche, de Condillac comme de Leibniz » et de Kant sont également recommandés par le conseil supérieur qui surveille et dirige l'instruction publique en France (62), c'est sans doute que les sages qui le composent entendent la philosophie comme l'entendait le sage d'Alexandrie ; c'est qu'ils ont profondément jugé que la vraie doctrine philosophique, sans former un système à elle seule, se trouve dans les principaux systèmes qui méritent le titre de philosophie ; qu'elle s'y trouve, il est vrai, unie à diverses opinions ou notions d'espèces différentes ; | mais que ces notions mêmes peuvent être utilement comparées, réunies, et qu'il est ensuite facile aux esprits exercés d'en faire le départ et d'en extraire cet ensemble de vérités intellectuelles et morales qui constitue la vraie philosophie de l'esprit humain.

(margin: 301, 303, 304)

C'est là ce qui rendrait si éminemment utile aux progrès de la science et de la sagesse un cours d'histoire de la philosophie proprement dite fait dans l'esprit que nous avons vu, non en tant qu'il ne présenterait, comme *l'histoire des états populaires* que *guerres* et *révolutions*, mais, au contraire, en ce qu'il mettrait en évidence toutes ces grandes vérités auxquelles les sages de tous les siècles, de tous les pays ont dû constamment se rallier ; en ce qu'il nous offrirait dans cet accord constant le *critérium* le plus sûr de la vérité philosophique.

305 | Qu'importent enfin à cette philosophie *une*, la diversité et même l'inutilité des tentatives faites dans tous les temps pour résoudre des questions qui ne devaient pas être posées, ou pour prouver des

[27] *Le folio 302 est un brouillon entièrement rayé.*

vérités premières, immédiates, qui n'avaient pas besoin de preuves ? comme si la réalité des existences à partir du *moi*, en remontant à Dieu, pouvait être l'objet du raisonnement et demandait à être prouvée. Qu'importe la multiplicité des preuves ? Peut-on en induire la nullité de toutes ? Qu'importe par exemple que Condillac attaque la preuve de Descartes sur l'existence de Dieu pour lui en substituer une autre prise dans un point de vue tout différent ? Qu'importe que Reid, qui sait très bien sur quoi il s'appuie, en
306 appelle au sens commun | comme à la base la plus sûre et au meilleur *critérium* de toute vérité (63) ? Supposez que ces vérités premières, manifestées à la raison humaine, eussent de plus besoin d'être prouvées ou démontrées par le raisonnement. Est-ce qu'elles ne pourraient pas l'être de diverses manières ? Est-ce qu'une démonstration *a priori*, comme celle de Descartes, exclurait nécessairement les preuves *a posteriori*, comme celles de Locke et de Condillac ? Pourquoi la même vérité ne gagnerait-elle pas plutôt à être démontrée de plusieurs manières ? Et quel avantage le scepticisme religieux pourrait-il tirer contre la philosophie de la seule diversité
307 des preuves ? De ce que, par exemple, | la notion de l'être nécessaire ou de la cause première, emporte avec elle la réalité de son objet, s'ensuit-il que cette réalité ne puisse pas être prouvée aussi par les merveilles de la nature ? et en sens inverse, la preuve cosmologique exclut-elle la preuve métaphysique ? Pour que le scepticisme triomphe, il ne suffit donc pas qu'il y ait différence de preuves, il ne suffit pas même qu'il y ait opposition ou contradiction entre elles et exclusion de l'une par l'autre, il faut de plus qu'elles
306 soient ou également nulles ou également concluantes. | La conclusion sceptique qu'on fonderait sur l'opposition même de ces preuves n'impliquerait donc que l'impuissance du raisonnement ou son manque d'appropriation aux vérités premières ; mais elle concourrait par là même à établir l'autorité de l'évidence immédiate de la révélation intérieure ; aussi pécherait-elle dans le fond comme dans
307 la forme, en prétendant établir | la nécessité absolue d'un recours à l'évidence de l'autorité d'une révélation extérieure comme moyen unique et exclusif de tout autre. Car c'est là que tendent tous les arguments que M. de Bonald (comme tous les sceptiques religieux) prétend tirer de l'histoire des oppositions ou divergences de la philosophie.

Ce point étant fondamental, il ne sera pas inutile de s'y arrêter encore quelques instants.

310 | « Non seulement la philosophie manque d'évidence pour convaincre les esprits, mais les philosophes manquent bien plus d'autorité pour les soumettre... » (64)

Il serait étrange que les philosophes voulussent exercer sur les esprits une autorité autre que celle de l'évidence ou de la raison. Ce point est capital dans la doctrine de M. de Bonald et demande quelques développements.

L'homme qui parle à ses semblables, leur parlât-il au nom de la divinité, doit s'adresser à quelqu'une des facultés humaines ; car c'est par elles seulement que l'homme, que Dieu même peut agir sur l'homme. Et l'autorité exercée du dehors sur un homme intelligent et sensible n'est jamais que l'autorité de ses facultés elles-mêmes.

Celui qui exerce l'autorité par la parole peut s'adresser soit à la *volonté* pour lui faire accomplir certains actes ou l'entraîner dans une certaine direction, soit à l'entendement pour l'éclairer de lumières nouvelles.

11 | Dans le premier cas, l'autorité se borne à fournir des *motifs* pour l'exercice de la volonté qui reste toujours *sui juris*, et qu'on anéantit en cherchant à la contraindre.

Un homme annonce sa supériorité sur d'autres hommes par des signes |?| de puissance ; il parle et sa voix seule imprime le respect et la crainte ; il commande et se fait obéir. Il prescrit des actes dans un certain but connu de lui seul, et ces actions sont exécutées par ceux qui reçoivent les signes matériels du commandement, même lorsqu'ils ignorent le but et l'intention de celui qui parle, et qu'ils ne participent en rien à ses lumières. Voilà une autorité qui peut bien tendre à la perfection morale de l'homme, mais par des moyens étrangers à l'intelligence.

12 | Là est une autorité qui peut s'exercer d'en haut par des moyens surnaturels, impénétrables à notre faible intelligence, comme étrangers à toutes nos facultés |?| ; mais qui peut aussi, dans l'ordre d'une nature sensible et passionnée, n'être que l'empire d'une imagination forte sur des imaginations faibles qu'elle entraîne comme par un charme magique.

Reste que si l'autorité exercée sur la volonté se borne à lui fournir des motifs d'un autre ordre, la volonté se détermine alors librement et en restant elle-même.

Si l'homme à qui un autre homme parle au nom de la divinité
conserve la faculté de *suspendre son jugement*, d'examiner les carac-
13 tères de la révélation qui lui est faite | du dehors pour savoir s'il
doit en croire les dogmes ou en suivre les préceptes, nous rentrons dans le deuxième cas de l'exercice de l'autorité exercée sur l'entendement.

Comment un homme parlant de la divinité exerce-t-il sur d'autres hommes l'autorité de l'instruction et des lumières ? C'est sans doute uniquement en s'adressant aux facultés constitutives de la nature humaine, et, ces facultés mises en jeu d'une manière quelconque, ce sera sur leur autorité que se fondera la science et la *croyance*.

Ainsi, pour que je croie à la parole d'un homme qui m'assure qu'il perçoit actuellement tels faits externes ou internes, il doit faire en sorte que je les perçoive comme lui en me déterminant à diriger mes regards du même côté ; et, dès lors, c'est à ma propre faculté perceptive que je crois, et non point à l'autorité de l'homme. Le fait me rappelle tel fait passé dont j'ai été le témoin : c'est encore à l'autorité de ma mémoire que je m'en rapporte ; que si je n'ai pas été témoin du fait et qu'il puisse ne plus se reproduire à mes yeux,
314 je pourrai, il est vrai, céder | à l'autorité du témoignage. Mais si le fait rapporté est dans l'analogie de la nature et des habitudes ou des lois de ma faculté perceptive qui a aussi sa part d'autorité prédominante, il faut bien tenir compte, dans ce cas, de cette loi naturelle de sympathie entre les êtres doués de facultés semblables, et qui fait que j'imagine ou me représente les faits qui me sont rapportés et que je crois en fait que mon imagination les saisit et me les représente avec une assurance proportionnée à la vérité du tableau que je forme, sans révoquer en doute la véracité du témoin.

S'agit-il du jugement ou de la comparaison entre les idées, si ces idées sont présentes à mon esprit, un autre homme peut me faire apercevoir entre ces idées un rapport que je n'aurais pas perçu sans lui ; mon esprit imite l'opération d'un autre esprit ; mais alors qu'il est dirigé dans une route toute nouvelle, il ne se fie encore qu'à lui ou à sa propre lumière atténuée ou excitée et non empruntée.
315 | Le maître qui veut éclairer l'entendement de ses disciples sait qu'il n'y parviendra que par le concours de leur activité en tant qu'ils croient à ce qu'ils voient ou comprennent, et non point à ce qu'il dit.

Si l'autorité la plus respectable parlait un langage supérieur à mon intelligence en exprimant des idées que je n'ai pas, son ascendant sur mon esprit consisterait à me persuader qu'il y a dans ses paroles un sens vrai ou profond et mystérieux et que toute mon activité intellectuelle s'attacherait à pénétrer. Mais cette confiance dans l'autorité qui suffirait pour déterminer les actes intellectuels ou moraux ne saurait suppléer à la lumière propre ni remplacer pour moi l'autorité de l'évidence de la raison intérieure.

Et quand l'homme inspiré m'expliquerait, au nom de la divinité, des choses qui seraient si supérieures ou contraires à ma raison et
316 mon intelligence, et me prouverait sa mission par ces miracles, | il ferait taire ma raison et ne l'éclairerait pas ; et il ne ferait pas que l'évidence de l'autorité exclurait tout lien de l'autorité de l'évidence intérieure.

Mais il ne s'agit ici que de l'autorité des philosophes, et il est trop clair par ce que nous venons de dire qu'elle ne peut être autre que celle des facultés mêmes, intellectuelles et morales. Or la première faculté à laquelle s'adresse le philosophe, et qui fait la base même de toute philosophie, c'est la réflexion ou la conscience et le sens intime. Il y a ici une distinction bien notable à faire entre l'objet de la philosophie première et celui de toutes les sciences dérivées.

Ainsi avons-nous vu que dans les sciences de mémoire et d'imagination il y a des esprits modeleurs et un esprit imité, un modèle et des copies. Dans les sciences de raisonnement, l'esprit ne donne son adhésion qu'à ce qu'il connaît et entend lui-même. Les opérations intellectuelles qui précèdent et amènent cette adhésion n'en
17 | sont pas moins imitées ou *calquées*. Aussi y a-t-il un maître et des disciples. Un inventeur reconnu pour tel et des esprits qui marchent après lui ou se précipitent dans la route nouvelle qu'il a ouverte.

Mais cela est vrai des sciences physiques, mathématiques, politiques même. Ça l'est peu de la philosophie première ou de la science des vérités intérieures ; là les hommes doivent très peu aux communications ou aux leçons reçues du dehors ; chacun se fait sa *science* propre, avec soi-même, sans un premier avertissement ou un éveil donné à la conscience ou à la faculté réflexive, ou même spontanément, et sans aucun secours du dehors autre que les premières données des premières lois de la raison, cette activité libre dont Dieu a doué l'âme humaine en la créant.

Et ici chaque personne morale n'entend une autre personne semblable qu'autant qu'elle s'entend d'abord elle-même, et l'homme qui peut recevoir sa science propre d'un autre ne la tient en effet
18 que de lui-même. Il reconnaît son | apanage propre dès qu'il lui a été présenté, et de quelque manière qu'il le soit, il le saisit sans faire aucunement attention à l'invention extérieure qui le lui fournit sans croire qu'il puisse le tenir d'ailleurs que de lui-même.

D'après quelle autorité autre que celle de ma conscience pourrais-je être assuré que je suis *moi*, qui pense ou m'apparais exister, que je veux et détermine mes propres actes, que je ne suis pas cause de mes sensations ou impressions passives, que tout ce qui nous concerne a une cause efficiente et, par là, qu'il y a une cause suprême de qui je dépends quant au sens de mon être, comme je dépends des causes secondes quant à mes modifications.

Certainement, les faits primitifs ne sont pas appris, ni révélés du dehors. Comment donc l'autorité du philosophe qui les a remontés à leur source et les expose avec netteté, et parvient à montrer comment d'autres faits d'évidence de la même espèce en dérivent, comment, dis-je, cette *autorité* serait-elle autre que celle de l'évidence intérieure elle-même, parlant le même langage à tout esprit indépendant qui la consulte ?

319 | Prétendre arguer contre la philosophie du défaut d'*autorité* propre aux philosophes, c'est montrer qu'on n'a pas la moindre idée de l'objet ou du but de la philosophie.

Trouver dans l'indépendance des facultés de l'esprit humain un obstacle à l'établissement des vérités philosophiques, c'est voir l'obstacle dans le moyen même, dans l'unique moyen fourni à l'homme pour entendre la vérité alors même qu'elle lui vient du dehors ; c'est méconnaître le critérium même des premières vérités qui consiste dans l'accord spontané des esprits qui les conçoivent de la même manière, sans les recevoir du dehors.

La philosophie morale de Kant est la seule philosophie proprement dite que chacun se fasse avant son système particulier de philosophie. Ce système s'adresse à la réflexion ou au sens intime. On verra s'il y a tant de désaccord dans les principes quoiqu'il y en ait peut-être dans les expressions[28].

330 | Que veut dire M. de Bonald en affirmant « que non seulement la philosophie manque d'*évidence* pour convaincre les *esprits*, mais que les philosophes manquent bien plus d'*autorité* pour les *soumettre* ? » (65) Certainement la philosophie première ne peut manquer d'*évidence*, si elle est la science des premières vérités ; et si ces premières vérités étaient incertaines, si elles avaient besoin de preuves et que ces preuves pussent être contredites, il faudrait renoncer à toute connaissance, y compris celle de Dieu et du *moi*, les deux *pôles* de la *science* humaine. Et certainement si les faits extérieurs,
331 comme le dit l'auteur un peu auparavant, sont évidents pour | tous les hommes *au moyen de certaines conditions*, les faits intérieurs le sont pour tous les hommes sans *aucune condition*, tant pour ceux qui fondent leurs systèmes de philosophie sur cette base, que pour ceux qui, en les *recevant*, aperçoivent les mêmes faits au-dedans d'*eux-mêmes* ; et, comme dit Leibniz, si les expériences internes, immédiates, pouvaient nous tromper, il n'y aurait point de vérités certaines.

Certainement si un homme me parlait en son nom et qu'il voulût imposer à mon esprit ses propres pensées, mon premier mouve-
332 ment serait de me révolter contre | lui et de fermer l'oreille à ses paroles ; mais si je parvenais à maîtriser ce premier mouvement jusqu'à lui demander de sang-froid d'où il tient sa mission, et qu'il me répondit qu'il la tient de son génie et qu'il s'appelle Descartes, ou Leibniz, ou Kant, rien ne pourrait m'empêcher d'argumenter

[28] *Tout le passage qui précède à partir du folio 308, et qui avait été considéré par Naville (ainsi que par Tisserand) comme une lacune dans le manuscrit est rétabli partiellement par nous ; ces folios contiennent, outre le passage que nous avons transcrit (folios 310-319) des brouillons et des états préliminaires des folios précédents et suivants ; par ailleurs, ce texte développe un thème repris* in fine *(folios 399-404) dont la fin du ms. constitue un brouillon.*

contre lui ; quand il m'assurerait tenir sa mission de Dieu et la prouverait par des miracles, il ne pourrait confondre ma raison et me faire voir l'évidence là où mon sens intime ne l'apercevrait pas. Mais si cet homme parle à mon sens intime et exprime des vérités qui
3 l'éveillent, des vérités appropriées à son témoignage, | je ne lui demande plus quelle est son autorité ni d'où il tient sa mission : je sais que cette autorité n'est autre que la révélation intérieure elle-même et vient de la même source ; je n'ai pas besoin de *suspendre mon jugement*, d'examiner si les caractères extérieurs des vérités ou des commandements qui me sont signifiés par une parole étrangère sont tels que je doive les croire ou les *pratiquer*. Si je pouvais douter, *examiner*, et que j'eusse besoin de miracles à l'appui de la *parole*, je pourrais bien douter de la vérité et finir par ne pas croire à ce que j'aurais mis en question. Mais je crois sans miracle parce que cette parole est immédiate et intérieure et qu'elle vient de la source même de mon existence, de mon être moral.

34 | Concluons que la véritable et l'unique influence des réformateurs ou des pères de la vraie philosophie dans tous les temps, ne pouvait dépendre d'un nom ou d'une autorité même surnaturelle, propre à attribuer à leur parole le poids et cette sorte d'infaillibilité qui n'appartient pas à l'homme ; mais elle consista, au contraire, essentiellement en ce qu'ils excluaient toute autorité étrangère pour ne chercher leur appui que dans la conscience de tout homme qu'ils prenaient à témoin de la vérité de leurs paroles.

En effet, et ici l'auteur des *Recherches philosophiques* aura notre plein assentiment : « L'esprit de tout homme, naturellement indépendant de toute autorité humaine, n'obéit jamais qu'à lui-même, lors même qu'il reçoit sa direction d'un autre. Que ce soit Bacon ou Descartes, Leibniz ou Locke, qui vienne me proposer ses opinions, je n'en reçois jamais que ce que je comprends ou ce que je
38 crois comprendre[29] ». | M. de Bonald complète l'idée quand il dit : « Je ne puis même adhérer aux pensées de ces philosophes, qu'autant que je les retrouve dans mon esprit ou plutôt qu'elles sont les miennes » (il faudrait dire : autant que je les fais miennes, s'il s'agissait de toute autre science que de celle de la psychologie ou des faits de l'âme. Mais ces vérités intérieures sont déjà miennes, lorsque Descartes, Leibniz, Locke me donnent occasion
39 d'y penser ou les réveillent dans mon | sens intime. — On ne peut pas mieux reconnaître le caractère de cette révélation intérieure dont nous parlons) ; « comme je ne puis obéir à un autre homme ou même à Dieu, qu'autant qu'il me fait vouloir moi-même. » (66) Ceci est

[29] *Le folio 335 est une page blanche. Le folio 336 est une première rédaction du folio 334, de même le folio 337.*

bien précieux : si un autre homme, si Dieu même ou sa volonté me
forçait ou m'enchaînait à certains actes ou mouvements nécessai-
res, je plierais sous cette force ou cette autorité supérieure, mais
je ne ferais pas acte d'obéissance et ma volonté serait sans exercice.
Ainsi quand je me soumets volontairement à une autorité étran-
gère, je n'obéis en effet qu'à moi-même, et c'est alors seulement
que je suis *libre* ou que j'agis comme étant *moi*, personne morale.

De même quand j'entends une parole extérieure, fût-ce celle de
340 Dieu même, son influence | réelle sur mon intelligence tient essen-
tiellement à ce que cette intelligence est déjà en elle-même ou à la
manière dont elle est spontanément disposée à agir ; et si Dieu me
parle ou me commande, il faut qu'il me fasse entendre et vouloir
par moi-même, en vertu d'une inspiration surnaturelle ; ou bien
il faut qu'il ait déposé dans mon âme, en la créant, le germe de
ces idées ou de ces vouloirs qu'une occasion extérieure, une parole
quelconque viendra exciter sans les produire ni les forcer, de manière
que, dans tous les cas, ce soit en moi-même que j'entende ou par
moi-même que je veuille. Changez cet ordre essentiel de la nature
humaine, substituez l'influence immédiate d'une autorité extérieure
quelconque à l'autorité ou à l'évidence de la conscience ; qu'une
force étrangère prenne la place de la spontanéité du vouloir et de
la liberté de l'action, et vous détruirez l'homme moral, vous anéan-
tirez du même coup et la *science* et la *vertu*.

341 | En effet, qu'on y pense bien : l'homme qui renoncerait à sa rai-
son propre, individuelle, et par suite à sa volonté constitutive pour
les soumettre entièrement à une autorité extérieure, une parole étran-
gère, fût-ce celle de Dieu même, cet homme abdiquerait par là même
le titre de personne morale qu'il tient de son créateur, il cesserait
de participer à la raison suprême, il se mettrait hors de la loi de
Dieu et cesserait de l'entendre ou de la posséder, alors qu'il cesse-
rait de s'appartenir à lui-même.

Continuons : « Cette disposition naturelle, involontaire, néces-
saire, de l'esprit humain, qui engendre cette diversité d'*opinions* ;
cette multitude de sectes qui pullulent au sein de toute réforme phi-
losophique, politique et religieuse. » (67) Si la divergence d'opinions
était *universelle*, nécessaire et sans exception, si elle s'appliquait
342 également et de la même manière à | tous les résultats de l'activité
de l'esprit humain, aux faits primitifs et intérieurs comme aux vérités
dérivées et extérieures, et si enfin cette divergence d'opinions était
inhérente à l'esprit humain ou avait sa source dans la nature même
de la raison ou dans ses procédés essentiels, alors, sans doute, il
n'y aurait plus non seulement de philosophie possible, mais même
aucun système d'idées sur la nature humaine qui pût être commu-
niqué d'homme à homme. Dieu aurait livré pour toujours à nos

disputes le monde moral et religieux comme le monde politique, et toute tentative de système philosophique passée, présente et à venir, serait parfaitement comparable à la tour de Babel ; elle trouverait, en effet, un obstacle à jamais invincible dans la confusion *nécessaire* des langues et des idées, et le mal serait sans remède ;
43 la plaie resterait ouverte jusqu'à la | fin des siècles ; Dieu même quand il parlerait encore aux hommes ne pourrait faire qu'ils s'entendissent entre eux sur le sens même de sa parole, et pour mettre d'accord toutes ces pensées et ces volontés indépendantes et naturellement dissidentes comme il les a faites, il faudrait qu'il les refît (68). Mais tout au contraire, la diversité, l'opposition même des doctrines, loin d'être universelle, ne comporte-t-elle pas les exceptions les plus notables ? Loin d'être dans l'essence de chaque raison indépendante, cette diversité d'opinions ne tient-elle pas nécessairement à la dépendance d'une autorité étrangère à la raison ou à la tyrannie des préjugés, des passions ou des intérêts qui obscurcissent la lumière et font taire sa voix ?

Entre les esprits qui consultent cette lumière ou entendent cette voix intérieure, chacun de leur côté, n'y a-t-il pas eu et n'y aura-
44 t-il pas toujours | un accord parfait au sujet des premières vérités philosophiques et religieuses ? Les disputes ne viennent que de l'application du raisonnement hors de ses limites ; le *critérium* le plus sûr de ces vérités consiste précisément dans cet accord parfait de tous les esprits indépendants qui, prenant la conscience pour guide et leur raison seule pour autorité, ont su s'élever de la personne *moi* à la personne Dieu, et construire entre ces deux pôles fixes une vraie science. Or, cette science, les siècles n'ont pu et ne sauraient la détruire, puisque tout homme trouvera toujours en lui les éléments propres à la refaire. Enfin ce *critérium* de vérité ne repose-t-il pas sur l'indépendance, l'activité libre de l'esprit humain, et sur le fait que des pensées se rencontrant aux mêmes vérités fondamentales,
45 | les trouvent et les expriment chacune de leur côté, sans avoir pu se donner le mot ni se modeler les unes sur les autres, sans obéir à aucune autorité extérieure ? Car la parole de cette autorité sujette à interprétation, demanderait elle-même un *critérium*, au lieu de pouvoir en servir. Si tout cela est vrai, comme nous le croyons, bénissons cette heureuse indépendance sans laquelle il n'y aurait point de véritable communication entre les esprits pensants, aucun point
46 de ralliement aux mêmes vérités, et aucun *critérium* de celles-ci | ; et reconnaissons que si elle engendre une certaine diversité d'opinions philosophiques sur quelques questions, elle est aussi le vrai principe de leur ralliement à ce fond de vérités éternelles qui résistent à son épreuve et demeurent les mêmes quand toutes les opinions passent ou changent, soit qu'elles se perfectionnent, soit qu'elles s'altèrent dans la succession des âges.

Ne croyons pas au surplus qu'en prenant le mot philosophie dans
cette extrême latitude et cette acception vague qu'on lui donne, ne
croyons pas, dis-je, que l'indépendance de la raison humaine qui
produit la variété des systèmes, soit une cause réelle des contradic-
347 tions, | des oppositions dont on cherche à se prévaloir contre la phi-
losophie ; gardons-nous surtout de prendre les différences de points
de vue philosophiques pour des contradictions entre les philoso-
phes, et ne prononçons pas légèrement que tous les systèmes sont
convaincus d'incertitude et d'erreur, parce qu'ils rouleraient sur des
choses différentes ou emploieraient des formules diverses pour
exprimer des vérités identiques au fond. La nature de l'homme,
physique, intellectuelle et morale, est susceptible d'être considérée
sous bien des points de vue différents. L'observateur qui s'attache
par prédilection à l'un de ces côtés y voit bien ce qui y est, mais
non pas ce qui appartient à une autre face. Il est certain par exem-
ple que, hors de l'activité de l'intelligence et du vouloir humain, il
y a des sensations, des images, des appétits, des passions qui font
348 la loi, | et entraînent l'animal dans un cercle où la sensibilité physi-
que imprime le mouvement et réciproquement.

Le psychologue prend ces faits pour ce qu'ils sont, mais en voit d'autres d'une espèce supérieure qui se combinent avec les premiers. Le défaut des systèmes, c'est de se donner pour exclusifs, et l'erreur commune aux philosophes comme aux ennemis de toute philosophie, c'est de prendre les différences pour des oppositions.

Si M. de Bonald eût voulu de bonne foi chercher ce fond commun d'idées et de vérités morales, reconnues depuis Socrate jusqu'à Kant, et qu'il eût appelé cela philosophie, sans doute les réformes et les révolutions de la philosophie se seraient offertes à son esprit sous un tout autre aspect[30].

350 | Quelles sont ces vérités universellement reconnues par tous les
esprits, indépendamment de toute autorité, de toute influence
médiate ou immédiate, naturelle ou miraculeuse, et par la seule auto-
rité de l'évidence, ces vérités absolues, que tous les systèmes s'accor-
dent à reconnaître, et qu'ils prennent toujours comme données évi-
dentes, alors même qu'ils cherchent à les dissimuler sous diverses
expressions ? Quels sont au contraire les résultats ou points secon-
daires de doctrines où les esprits se séparent pour marcher chacun
351 sous son enseigne propre, sans que l'évidence | même de *l'autorité*
puisse tenir lieu de *l'autorité de l'évidence ?* Voilà ce qu'il eût
importé véritablement de bien rechercher, et ce qu'il eût été utile
et instructif de distinguer, en notant avec plus d'exactitude que ne

[30] *Le folio 348* in fine *est une copie au net du folio 199 ; le folio 349 est un double au propre des folios 172-174.*

l'ont fait quelques historiens de la philosophie, les points de ralliement et de convergence des systèmes divers en apparence par les formes, et parfaitement identiques quant à la base ou au fond même des idées. Mais quand même ces recherches n'auraient eu que le succès le plus incomplet, elles auraient toujours eu plus d'utilité pour nous que ces déclamations vagues contre la philosophie qui enveloppent toutes les doctrines dans la même proscription et flétrissent également tous les efforts que l'esprit de l'homme a faits ou pourrait faire à l'avenir pour connaître ses propres opérations et satisfaire complètement au précepte de l'oracle de la sagesse : *nosce te ipsum*.

52 | De ces objections contre la philosophie, considérée en général sans distinction de doctrine, objections tirées de la nature de son objet, de l'impuissance de ses moyens, et de l'impossibilité où elle est de donner la loi comme de la recevoir, l'auteur passe brusquement à un tout autre genre d'attaque, et prétend juger les doctrines philosophiques par leurs effets. « Quels ont été, demande-t-il, les résultats de cette philosophie tant vantée sur la stabilité et la force des sociétés qui l'ont cultivée ? car c'est uniquement dans leur rapport à la société qu'il faut considérer l'homme et ses opinions. » Nous n'avons pas besoin de suivre l'auteur dans cette digression où il donne trop beau jeu à la critique, et où, en voulant faire le procès à la raison humaine, il ne fait que celui de la sienne propre.
53 |Quand on parle des résultats de la philosophie, il faudrait s'entendre d'abord. Vouloir que l'on considère uniquement l'homme et ses opinions spéculatives dans leur rapport à la société, c'est prétendre tracer le cercle où doit se renfermer la raison humaine ; c'est lui interdire toute spéculation sur les choses et les êtres qui se trouvent par leur nature hors de la société ; car les vérités spéculatives n'ont par elles-mêmes aucun rapport avec les individus ou les sociétés et en sont indépendantes. Que signifie de plus cette assertion dogmatique, quand on dit que : le *critérium* de toutes les doctrines est l'état de la société où elles sont professées ? Ne prend-on pas l'effet pour la cause ou la cause pour l'effet ? Pourquoi la philosophie, comme la littérature qui en est la fille ne serait-elle pas
54 l'expression de la société, plutôt que l'état de la société ne | sera l'expression ou le *critérium* des doctrines philosophiques. Si la France a produit tant de maux, comment une philosophie opposée en Allemagne a-t-elle pu produire des effets également funestes ? C'est donc un tort attribué au nom ! Mais tout ce qui est dit contre notre philosophie prétendue du XVIIIe siècle en France ne devrait-
55 il pas être à la décharge du kantisme ? | Est-il bien vrai d'abord que « l'homme et ses opinions spéculatives ne doivent être considérés que dans leur rapport à la société » (69) ou à l'influence qu'elles y exer-

cent, comme s'il n'y avait pas d'autres connaissances ou d'autres études que celles qui peuvent s'appliquer aux affaires de ce monde ? Est-il permis, est-il possible de limiter, ou plutôt de fermer entièrement le champ des vérités spéculatives ? N'y a-t-il pas des vérités abstraites qui peuvent et qui doivent être considérées uniquement dans le rapport qu'elles ont entre elles ou à l'esprit qui les perçoit, avant même de l'être dans leur application aux objets ? Est-ce que la géométrie ne serait qu'une chimère si elle ne servait pas à la mesure des champs ou à la détermination des orbes planétaires ? Combien de vérités mathématiques et métaphysiques qui sont et seront peut-être toujours sans application au monde extérieur ! En sont-elles moins des vérités *évidentes* ?

356 | Les faits que cite l'auteur à l'appui de son assertion font voir
qu'il prend parti contre toute *philosophie* de la même manière que
J.-J. Rousseau se déclare contre les sciences et les lettres dans son
fameux discours. Mais, de ce qu'il y aurait eu dégradation de mœurs
et de force sociale chez certains peuples en même temps que la *phi-
losophie* y aurait germé, que certains systèmes s'y seraient déve-
loppés, la simultanéité de deux effets suffirait-elle, aux yeux de la
raison, pour les considérer comme *cause* l'un de l'autre, lorsqu'il
peut y avoir d'ailleurs une ou plusieurs autres causes éloignées qui
ont concouru à produire simultanément les deux sortes d'effets dont
357 il s'agit : | *post hoc* ou *cum hoc, ergo propter hoc ?* Cette manière
de raisonner est assez familière à des hommes qui ne sont pas
philosophes.

Il est difficile de croire, quoi qu'en ait dit Montesquieu, que ce soit la philosophie d'Épicure qui ait gâté l'esprit et le cœur des Romains ; mais on conçoit très bien que des esprits et des cœurs déjà gâtés par des circonstances sociales que la politique peut assigner, aient mis en vogue la doctrine d'Épicure, modifiée et défigurée par les passions, qui ont, comme on sait, une logique et une métaphysique appropriée. Si la doctrine d'Épicure avait pu avoir la primauté d'influence pour amollir et gâter les cœurs, celle de Zénon n'aurait-elle pas eu aussi son influence pour fortifier et élever les âmes en épurant les mœurs ?

358 | Certes, M. de Bonald devrait être aussi intéressé qu'aucun philosophe à ce que les opinions purement spéculatives ne soient pas frappées d'une proscription aussi générale, aussi absolue, et jugées sous le rapport unique de leur application à la société. Comment peut-on croire d'ailleurs que le *vrai critérium* de toutes les doctrines philosophiques (y compris celles d'une métaphysique transcendante qui est le domaine d'un si petit nombre de penseurs) soit uniquement l'état de la société où ces doctrines naissent ?

L'auteur a dit ailleurs, dans son langage aphoristique, que la lit-

térature est l'expression de la société ; pourquoi n'en pas dire autant
359 de la philosophie, véritable tronc de la science, | dont la littérature est la fleur ? Certainement on risquerait beaucoup de se tromper en jugeant de l'état de la société d'après certaines opinions spéculatives qui y sont adoptées par telle école de philosophie. Mais s'il y a une influence quelconque, ou un rapport entre deux termes si éloignés l'un de l'autre, c'est bien plutôt l'état de la société ou le concours de toutes les causes morales, politiques, physiques, auxquelles cet état est dû, qui aura imprimé aux opinions philosophiques telle direction particulière, plutôt, dis-je, que ces opinions n'auront produit l'état de la société. Si donc le *critérium* dont parle M. de Bonald avait quelque vérité, ce serait dans un sens précisément inverse de celui qu'il lui donne en confondant la cause avec l'effet, l'*expression* avec la *chose exprimée*.

360 | Les doctrines les plus diverses se trouvant confondues sous le nom général et vague de *philosophie*, l'anathème qui frappe le genre tend à flétrir toutes les espèces également ; et les stoïciens sublimes, dont Montesquieu a dit qu'ils n'exagéraient en théorie comme en pratique que ce qu'il y a de plus grand dans la nature humaine, ne doivent pas plus trouver grâce aux yeux des détracteurs de toute philosophie, que la doctrine toute sensuelle et le matérialisme systématique de Lucrèce. Et cependant, si l'on convient que l'épicurisme fit plus de mal à Rome que tous ses ennemis ensemble, il faudrait bien convenir aussi que le stoïcisme professé par les Antonins lui fit plus de bien que ne pouvait lui en faire l'ignorance ou le mépris de toute philosophie professée par les premiers Romains.
361 | Si l'état politique et moral où la société était parvenue au temps de Marc Aurèle avait permis que la philosophie de Zénon se popularisât autant que celle d'Épicure, les derniers Romains auraient valu un peu mieux que les premiers sous le rapport de la force et de l'élévation des âmes, de l'amour de l'ordre et de la stabilité sociale. C'est ainsi que dans cette partie des objections qu'il élève contre toute *philosophie* en général, l'auteur est toujours dans le vague des déclamations, parce qu'il passe ou saute à chaque instant du particulier au général, en appelle à toutes les doctrines et croit, par une illusion singulière, pouvoir se servir des mêmes armes pour combattre ou renverser d'un seul coup les systèmes les plus
362 opposés ; il ne songe pas que les objections particulières | qu'il élève avec raison contre l'un servent précisément à étayer tel autre qu'il veut pourtant envelopper dans la même proscription.

M. de Bonald, croyant qu'il allait battre en ruine la philosophie, se jette d'abord imprudemment dans la mêlée des systèmes, et passe au travers sans avoir vu autre chose que les signaux, sans se faire
363 même une idée des forces réunies | qu'il avait à combattre. Ce n'est

pas ainsi qu'ont fait les hommes véritablement redoutables, les Pascal, les Montaigne et Kant même, si mal apprécié par M. de Bonald. C'est au cœur même de la philosophie qu'ils ont visé, ces hommes véritablement forts ; c'est à la raison humaine si bien et si profondément explorée par leurs travaux qu'ils se sont attaqués en l'interrogeant sur ses titres, et lui contestant le pouvoir d'établir une vérité quelconque. C'est en prenant les choses de plus haut, en planant sur le champ entier que couvrent les systèmes les plus divers, qu'ils ont combattu toute philosophie, et ont pu, sinon se flatter d'un triomphe général et complet, du moins ébranler la raison humaine et la laisser indécise entre elle et le scepticisme, entre la philosophie et la foi.

364 | Nous n'avons pas besoin d'examiner les divers caractères que l'auteur attribue à la philosophie de chaque pays. La manière dont il cherche à caractériser les écoles anglaise, allemande, française, est tellement vague et superficielle qu'on ne peut s'empêcher de penser que l'auteur connaît seulement sur parole les choses dont il parle. Nous doutons que la société philosophique du nord de l'Allemagne soit beaucoup affectée de l'horoscope funeste lancé contre elle par notre antiphilosophe français : mais lorsqu'elle donne tant de certificats de vie à ceux qui savent lire sa langue, elle apprendra peut-être avec quelque surprise qu'on la proclame *morte*, si ce n'est de fait, au moins de droit.

Il y a aussi par trop de témérité (je n'ose dire de légèreté quand
365 il s'agit d'un personnage si grave), | à vouloir juger de tout ce qu'on ne connaît pas, dont on n'a pas même la première idée, à traiter de billevesées et de pures chimères des systèmes qui occupent tant de têtes pensantes ; il y a de la présomption à traiter aussi légèrement tant de savants qui, après avoir exploré toutes les branches de la connaissance humaine, s'attachent à l'envi à creuser jusqu'aux dernières racines de l'arbre et qui ont pénétré si avant dans ce souterrain où ils ont le courage de s'enfermer. Ces efforts fussent-ils inutiles, tout juge compétent, ami de la morale et de la religion, ne pourrait encore « se défendre d'un sentiment d'admiration pour cette vie intérieure, cette vie de la pensée qui forme un trait distinctif du caractère et du génie national des Allemands. C'est là que se trouve la vraie grandeur et la vraie dignité de la nature humaine. » (70)

Il y a loin de cette manière de voir à celle de notre auteur sur l'état de la philosophie comme de la morale et de la société en Allemagne.

De la croyance et de la raison

366 | Il y a dans l'esprit humain deux tendances différentes, mais non opposées, et qu'on chercherait vainement à détruire ou à sacrifier

l'une à l'autre. C'est le besoin de *croire* les vérités premières et nécessaires, indépendamment de tout examen, de toute preuve, et le besoin d'*examiner* ou de chercher des preuves à tout ce qu'on croit ou qu'on affirme. N'admettez qu'une de ces tendances et vous n'aurez, ou qu'un scepticisme absolu, ou qu'une crédulité aveugle et superstitieuse. Tout croire sans examen lorsqu'il s'agit d'un
67 certain ordre de vérités placées hors de la | sphère du raisonnement et non de la raison, repousser toute croyance qui ne peut être prouvée, sont deux extrêmes également opposés aux lois de l'esprit humain. Entre ces deux extrêmes vient se placer la vraie philosophie qui prend l'esprit humain tel qu'il est, intégralement et sans mutilation. La philosophie, ou la science de la sagesse, fixe les limites de la raison et fait la part des croyances.

Il se peut que le meilleur temps pour les sociétés humaines ait été celui où des vérités d'un certain ordre n'étaient jamais contestées ni mises à l'épreuve du doute et de l'examen ; où les hommes pouvaient bien être entraînés par les passions à violer les lois de la morale, mais ne cherchaient pas du moins à justifier leurs écarts et leurs vices par des arguments sceptiques, opposés aux premières vérités de la religion et de la morale, destructifs de cette noble fermeté de croyance à laquelle se rattachent comme à leur source tous les sacrifices, toutes les vertus publiques et particulières. Mais lorsque la raison humaine a étendu et dépassé ses bornes légitimes, lorsqu'une philosophie sophistique, ou une métaphysique audacieuse, ont tout mis en discussion, jusqu'aux bases mêmes de la science comme de la sagesse, ce ne sera point en proscrivant tout examen qu'on ramènera les hommes aux croyances nécessaires ; ce sera au contraire par un examen sérieux et approfondi de la nature intellectuelle et morale, ou par la vraie philosophie, par la raison même se rendant compte de ses moyens, de ses procédés, de ses lois, et cherchant elle-même à déterminer ses propres limi-
368 tes. | Et l'on conviendra que ces points d'arrêt que la raison s'impose à elle-même, en employant toutes les forces de l'abstraction et du raisonnement à reconnaître les limites où ses facultés n'ont plus d'autorité ni d'application légitime, on conviendra, dis-je, que ces bornes sont autrement fixes quand la raison les a posées, que si une autorité extérieure quelconque tendait à les élever. Ici comme ailleurs, la maturité d'examen, la liberté du consentement ou du choix servent à fonder l'obéissance et le respect pour la loi. Que les antagonistes de la métaphysique, quels qu'ils soient, apprennent donc à honorer le philosophe qui a le premier élevé une barrière infranchissable entre la science, dont il sonda si avant les profondeurs, et le *sanctuaire* des premières vérités religieuses et morales dont il montra la sanction dans la conscience et le sentiment (71).

C'est bien vainement au surplus qu'on cherche à mutiler l'esprit humain en lui interdisant l'exercice d'une faculté d'examen qui, étant dans sa nature, n'est susceptible d'aucune limitation prescrite
369 *a priori* ou avant l'expérience, | car l'expérience seule peut en manifester les abus ou l'inutilité, quand elle est appliquée hors de sa sphère. Ceux qui prétendent soustraire ainsi *ex abrupto* à la juridiction de la raison humaine certains dogmes qu'ils ordonnent de croire et qu'ils défendent d'examiner, ne sont pas mieux fondés que ceux qui s'obstinent à méconnaître les bornes nécessaires de la raison en rejetant tous les principes de croyances qui ne sont pas susceptibles de preuve ou de démonstration.

Entre ces deux extrêmes vient heureusement se placer la vraie philosophie qui, faisant valoir la raison selon toute l'extension de son droit, se sert de la raison même pour faire la part de la croyance et de la science ; commence par tout *examiner*, tout mettre en discussion ; distingue par là même les vérités premières des objets qu'il est également impossible de démontrer dans la spéculation, et de ne pas croire dans la *pratique*. D'où cette conclusion éminemment philosophique qu'on n'est en droit de *tirer* qu'après un examen *critique* et très approfondi de la raison humaine, et non pas par l'énu-
370 mération *historique* plus ou moins incomplète de ses écarts : | commencer par tout examiner, tout discuter, tout soumettre à la raison *spéculative* pour apprendre à reconnaître ce qui doit être adopté par la raison pratique à titre de vérité première, de notion universelle ou de fait primitif indémontrable ; employer toutes les forces de l'abstraction et du raisonnement métaphysique pour convaincre d'impuissance la métaphysique elle-même et rétablir l'autorité des croyances primitives qu'elle tend si vainement à usurper : tel est le caractère de cette philosophie créée par Descartes et que Kant a poussée à un degré nouveau de profondeur et d'élévation[31].

372 | L'homme, dit M. de Bonald, doit croire des vérités universelles, morales, sociales, qu'il trouve établies dans la société, sans aucun examen et sur la foi de la société du genre humain. Celui qui « examine avec sa raison ce qu'il doit admettre ou rejeter de ces croyances générales, se constitue, par cela seul, en état de révolte contre la société ; il s'arroge, lui simple individu, le droit de juger et de réformer le général, il aspire à détrôner la raison universelle, etc. » (72) Ils étaient donc en révolte contre la société ces premiers sages, qui, sentant le besoin de s'élever à la connaissance d'eux-mêmes et de la nature morale, rejetèrent un amas de croyances superstitieuses et puériles pour chercher dans la raison de l'homme et au fond de la conscience « ce qu'ils ne pouvaient plus rencon-

[31] *Le folio 371 est un brouillon entièrement rayé.*

trer dans les croyances de la société ». Il méritait donc d'être rejeté
73 comme coupable envers la société ce premier des sages | qui sut s'éle-
ver au-dessus de toute les vaines croyances du paganisme, qui éta-
blit le dogme de l'unité de Dieu, qui reconnut l'origine, le carac-
74 tère et la vraie sanction des lois morales. | Il fallait donc respecter
toutes les croyances du polythéisme parce qu'elles étaient généra-
lement et unanimement établies dans la société païenne. Il était donc
justement interdit de propager, au mépris de ces croyances, les
lumières de la révélation intérieure et extérieure, et la ciguë de
Socrate et la croix de Jésus-Christ pouvaient donc être justifiées !
Malheureux ceux qui naissent dans les sociétés où règnent encore
les ténèbres, où les premières vérités de la religion et de la morale
se trouvent obscurcies ou altérées par un mélange de superstitions
ridicules ! Leur raison doit pour toujours s'enchaîner aux croyan-
ces de la société, elle n'a aucun moyen, aucun droit de se relever
et l'examen de ce qu'il faut croire leur est interdit.

375 | « Gardienne fidèle et perpétuelle du dépôt des vérités fondamen-
tales de l'ordre social, la société, considérée en général, en donne
communication à tous ses enfants, à mesure qu'ils entrent dans la
grande famille. Elle leur en dévoile le secret par la langue qu'elle
leur enseigne. » (73)

Mais le langage ne consacre-t-il pas les erreurs comme les véri-
tés ? Comment les distinguer ? La nourrice qui apprend à l'enfant
à bégayer le saint nom de Dieu berce en même temps sa faible ima-
gination des contes de fées, de revenants et de mille impressions
fausses dont l'influence dégradante va s'étendre peut-être sur toute
sa vie. L'examen de toutes les croyances de l'enfant sera-t-il égale-
ment interdit à l'homme ? Où sera la ligne de démarcation entre
le mensonge et la vérité ? Au point de vue où nous en sommes
aujourd'hui, il est presque ridicule de combattre sérieusement une
376 telle doctrine. | Jetons pourtant un coup d'œil sérieux sur un sujet
si grave.

M. de Bonald distingue des croyances ou des vérités générales, *morales* ou sociales, et des croyances ou des vérités particulières, *individuelles*, *physiques* :

a) « La cause première et ses attributs, l'existence des esprits, la distinction du bien et du mal », du juste et de l'injuste, forment la première classe de croyances ou de vérités universelles, éternelles, « parce que (remarquez le parce que) notre esprit ne peut s'en figurer l'objet directement et en lui-même sous aucune image ; qu'il n'en peut recevoir aucune sensation ; que ces vérités ne sont bornées ni par les lieux ni par le temps, qu'elles sont le fondement de tout ordre et la raison de toute société. »

b) « La matière et toutes ses propriétés, et tous ses accidents » composent la seconde classe de vérités ou de croyances « locales, individuelles, parce que la matière ne nous est connue que par nos sensations *individuelles.* » (74)

A l'appui d'une distinction si obscure et exprimée si vaguement,
on cite un principe non moins obscur et vague de Gassendi qui dit
377 dans un sens tout logique, et en | ayant égard aux classes artificiel-
les du langage qui seules constituent dans son système ce qu'on
appelle idées générales : « Toute idée transmise par les sens (exter-
nes) est singulière et ne nous fait connaître d'abord que des indivi-
dus. » C'est là une proposition obscure, insignifiante et même con-
378 tradictoire ; | car si l'on distinguait, comme il faut, les images ou
les impressions confuses qui appartiennent aux sens, des percep-
tions ou des idées qui sont du propre de l'esprit, on dirait avec bien
plus de vérité que les produits des sens, les sensations et les images,
loin d'avoir un caractère proprement individuel, singulier ou un,
sont composées ou multiples par leur nature. Certainement nous
ne recevons pas du dehors l'idée de l'un, du singulier, elle ne vient
pas des objets sensibles, mais elle leur est ajoutée d'une source tout
intérieure ; et il n'y a pour nous, ou pour notre esprit, des choses
unes ou des idées individuelles, que parce que notre *moi* est un,
individuel.

379 | « Les vérités générales ou notions intellectuelles sont proprement
l'objet de nos idées et les vérités *particulières* ou faits *physiques*
sont l'objet de nos *images.* » (75) Qu'est-ce qu'une notion intel-
lectuelle ? Peut-elle être prise comme objet d'une idée différente
d'elle-même ? S'il y a en effet immédiation entre l'esprit et la notion
intellectuelle qu'il conçoit ou saisit, celle-ci ne peut avoir d'autre
objet qu'elle-même. Que s'il y a un moyen ou un milieu entre la
notion et la chose qu'elle représente, cette notion n'est donc pas
380 différente de l'idée même, elle n'en est donc pas l'objet. | Dans des
recherches philosophiques, et quand on prétend énoncer des véri-
tés premières, la première condition devrait être, ce semble, d'atta-
cher quelques idées aux mots employés et, avant tout, de bien
s'entendre avec soi-même.

Comment entendre de plus que les vérités *particulières*, individuelles, soient connues par des faits physiques, *objets* de nos *images* ? Toute vérité particulière est un *fait*, à la bonne heure ; mais que ce fait soit nécessairement un fait physique ou extérieur, je le nie absolument. Car, à partir du fait de conscience ou du sens intime qui est le vrai primitif, il y a une classe entière de vérités particulières et éminemment individuelles puisées à la même source et qui sont entièrement séparées du monde physique.

Au contraire, ce monde physique a ses faits généraux qui ne peuvent être conçus que comme *tels* ; ses lois générales, constantes, universelles, qui, au regard de notre esprit, n'étant bornées ni par les temps ni par les lieux, *sont le fondement et la raison de l'ordre de l'univers.*

Ainsi, tandis que, d'une part, la physique, la mécanique ont leurs
381 lois générales auxquelles correspondent nécessairement des | vérités ou des croyances générales universelles, la science morale ou sociale se compose presque tout entière de vérités ou de croyances essentiellement individuelles, propres à chaque être intelligent et inhérentes à sa nature. Tels sont les faits de sens intime qui attestent immédiatement à chaque homme son existence individuelle, sa libre activité constitutive, sa causalité dans les actions volontaires, sa dépendance d'une cause dans les impressions passives, le bien et le mal, le juste et l'injuste, la loi du devoir, le mérite et l'existence réelle d'une cause suprême intelligente, celle des substances, de la matière.

Ainsi, loin que toute vérité morale ou sociale se distingue par un caractère propre et inhérent de généralité qui la constitue en dépendance des causes étrangères d'impressions reçues et d'enseignements transmis par la société à l'aide du langage, tout au contraire cet ordre de vérités se distingue par son caractère singulier d'appropriation à chaque nature individuelle, caractère en vertu duquel toute personne morale, intelligente, trouve en elle et en elle seule, ces premières vérités identifiées presque avec l'instinct ; et
382 elle ne les choisit | que par sa propre lumière, sur l'autorité seule de la conscience, et non sur aucune autre. Ainsi, je ne dirai pas que « la connaissance des premières vérités intellectuelles, morales ou sociales, objet des idées générales, nous est donnée par la société », tandis que les connaissances particulières individuelles, objets des images comme les faits physiques, « se trouvent dans nous-mêmes, individus, et nous sont transmises par le rapport de nos sens », (76) ce qui est vraiment inintelligible ; mais je dirai tout au contraire que la connaissance des premières vérités intellectuelles et morales, identique dans sa source avec le sentiment primitif de l'existence de notre activité individuelle, en reçoit un caractère individuel et simple, et se trouve d'abord en nous-mêmes individus, ou est inhérente au sens intime ; tandis que la connaissance des vérités physiques ou relatives au monde extérieur ayant comme étrangère un caractère de généralité objective, ne peut nous être donnée que du dehors par l'expérience répétée ou l'enseignement de la société. Je crois à la réalité d'une analogie prise ailleurs que dans les mots, entre les vérités morales intérieures qui tiennent par essence au sentiment individuel de l'âme, et l'individu ou la personne qui
383 | ne peut éprouver ce sentiment qu'en elle-même puisque c'est elle-même et non pas un autre qui l'éprouve ; comme je reconnais une

pareille analogie entre les vérités extérieures générales de la physique, et la société qui conserve le dépôt des faits et des observations, produits de l'expérience et du travail des siècles, pour les livrer aux individus curieux de connaître, et jaloux de grossir ce riche trésor. Une preuve de cette double analogie se trouverait peut-être dans les progrès toujours croissants des sciences physiques et l'état stationnaire de la science qui a pour objet l'homme même intellectuel et moral.

Ce n'est pas qu'on exprimât une vérité bien lumineuse et bien neuve en disant que les vérités générales des sciences physiques sont données par le moyen de la société, tandis que les vérités morales ne peuvent être étudiées que dans l'individu qui s'applique à se connaître ou à se chercher lui-même dans ce qu'il a de plus intime ; du moins on n'aurait pas avancé une erreur manifeste, et l'on ne tomberait pas dans le plus grossier paralogisme, en prétendant dériver de la société aux individus le système entier des notions ou croyances intellectuelles et morales, par cette seule raison tout à
384 fait puérile qu'il doit y avoir analogie entre | les vérités *sociales* et la *société* ; comme si la *société* était un être mystérieux, existant par lui-même indépendamment des individus, et différent de leur réunion ; comme si la société, sans les individus, possédait un système de vérités qui lui auraient été données primitivement, et que les individus recevraient passivement sans avoir même le droit d'examiner, ni par suite les moyens d'entendre ces vérités extérieures ; comme si l'enseignement quelconque donné par la *société* à chacun de ses membres n'était pas toujours et nécessairement une transmission orale d'individus à d'autres individus ; comme si les notions ou les sentiments communs à toute l'espèce pouvaient avoir leur cause et leur raison ailleurs que dans la nature même des individus, ou dans les facultés également données à chacun par l'auteur de leur existence ; enfin comme si ce n'était pas rouler dans un cercle ridicule que d'expliquer la nature humaine et les lois primor-
385 diales de son intelligence par la *société* ; | qui a elle-même évidemment besoin d'être expliquée par l'homme doué, soit primitivement, à l'époque de sa création, soit postérieurement par une sorte de transcréation miraculeuse, doué, dis-je, de facultés, de notions, de sentiments ou d'instincts relatifs à l'état social où il devait vivre.

Parmi les philosophes, les uns distinguant les vérités ou les notions générales, universelles, nécessaires, immuables, des sensations ou des images accidentelles, variables, contingentes, les considèrent comme inhérentes à l'âme, nées avec elle, et étrangères ou supérieures aux sens qui ne donnent que des impressions ou des images accidentelles, contingentes, variables. Mais ils avaient cru jusqu'à présent que les premières n'étaient point adventices à l'âme ou ne

lui venaient pas du dehors ; qu'il ne fallait en chercher la source que dans l'essence même ou dans l'intimité de cette âme à laquelle elles sont inhérentes ; tandis que d'autres philosophes, niant la distinction, entendaient que tout vient à l'entendement par le canal des sens, sans excepter l'entendement lui-même. D'autres enfin plaçaient avec Platon ces notions universelles dans l'entendement divin où notre esprit les voit, les contemple comme objets extérieurs à lui.
85 | M. de Bonald, qui semble vouloir adopter la distinction, l'obscurcit et l'efface presque par la manière ambiguë dont il la pose, pour la plier à ses vues systématiques. Il nie que les notions universelles aient leur foyer dans l'âme ou qu'elles soient l'objet d'une révélation intérieure par laquelle le *moi* humain aperçoit son existence individuelle, connaît Dieu et lui-même, et tout en accordant aux empiriques que ces notions doivent venir du dehors à l'âme, il nie qu'elles viennent par la sensation. Resterait, ce semble, la vision mystique et immédiate des idées universelles dans l'entendement divin, où elles seraient. Mais ce n'est pas cela encore, et voici bien un autre mystère. Ce n'est point l'esprit humain, ce n'est aucun entendement individuel qui est le siège, le véritable sujet d'inhérence des notions ou des vérités dont il s'agit ; mais c'est la société qui, douée d'une sorte d'entendement collectif différent de celui des individus, en a été imbue dès l'origine par le don du langage et en vertu d'une influence miraculeuse exercée sur la masse seule indépendamment des parties : l'individu, l'homme n'est rien ; la
388 société seule existe, c'est l'âme du monde moral, | elle seule reste, tandis que les personnes individuelles ne sont que des phénomènes.

Entende qui pourra cette métaphysique sociale. Si l'auteur la comprend lui-même nettement, c'est que nous avons tort. Il faut alors ne plus parler de philosophie, et reconnaître le néant de la science de l'homme intellectuel et moral, il faut avouer que toute psychologie qui prend sa base dans le fait primitif de la conscience n'est que mensonge, et considère la science elle-même comme une illusion qui nous trompe et nous égare sans cesse, en nous présentant tout, jusqu'à notre propre existence, sous une image fausse et fantastique.

Ne nous laissons pas encore décourager, et poursuivons notre examen comme si nous étions quelque chose d'existant et de dis-
389 tinct de la société. | Écartons d'abord toute discussion oiseuse sur un état de nature de l'homme individuel, hors de toute société. Quand on considère l'homme intellectuel et moral, on suppose tacitement que les conditions premières de la vie extérieure sont satisfaites. Il ne s'agit ici que des conditions ou des lois universelles et nécessaires de la pensée ou de l'intelligence humaine. Or, ces lois absolues ne sont des vérités primordiales et nécessaires qu'autant que l'homme les constate à leur titre, par la réflexion dont il est

doué ; cette faculté distingue éminemment la nature humaine de la nature animale, qui a bien aussi ses lois primitives et nécessaires, mais qui les suit sans les connaître, sans pouvoir s'en rendre compte. Il y a donc bien lieu à examiner les lois universelles et nécessaires de la nature humaine, puisque c'est par cet examen réflexif seul qu'elles sont des vérités pour nous, puisque c'est l'emploi de la plus belle et de la plus noble des facultés que Dieu ait donnée à l'homme, pour le connaître et se connaître soi-même. Il faut *examiner* les premières vérités ou croyances individuelles relatives à
390 l'existence du *moi*, de la personne individuelle, de sa | libre activité, de sa dépendance d'une cause suprême ; car c'est ainsi seulement que nous pourrons trouver les éléments et les vrais principes de la science spéculative ou de la connaissance de l'homme et des choses, du sujet et de l'objet, du monde des réalités et de celui des phénomènes ou apparences. Il faut examiner ces principes et les scruter dans toute leur profondeur interne pour s'assurer qu'ils ont la valeur réelle de principes, qu'ils sont les bases, les conditions premières et les données nécessaires de la raison, et par suite, qu'ils ne sauraient être ni établis, ni constatés, ni prouvés par aucune forme de raisonnement ; il faut les mettre ainsi hors de toute discussion métaphysique, et à l'abri des arguments sceptiques.

Les notions individuelles dont nous parlons n'en sont pas moins universelles et nécessaires, ou n'en sont que plus aptes à prendre ce caractère par le premier exercice de la raison ; et il faut bien remarquer ici que toutes les vérités qui ont leur source médiate ou immédiate dans la conscience du *moi*, ne sont ou ne deviennent universelles et nécessaires qu'autant qu'elles sont individuelles et personnelles. Écartez ce caractère personnel et simple des notions, et confondez-les avec les idées générales collectives, et vous ne trouverez que des abstractions, des collections artificielles ou leurs signes. A la place des êtres réels exprimés sous leur vrai nom, vous aurez par exemple le grand tout collectif, Dieu, cause suprême et une de tout ce qui est ; l'âme sera la collection des sensations ou des parties vivantes et sentantes. Il n'y aura plus de personne, de *moi*.

Outre les notions ou croyances individuelles qui reposent sur le fait primitif du *moi* ou sont collatérales avec lui, il faut encore reconnaître des vérités ou notions également primitives et sociales, sociales en tant qu'elles sont relatives à la société ou qu'elles se fondent sur le sentiment des rapports d'espèce, et néanmoins encore individuelles en tant qu'elles sont propres à chaque individu et nées avec lui ou créées avec le sentiment de la personnalité. Que si par notions, vérités ou croyances universelles sociales, on entendait non plus les croyances qui sont relatives à la société, mais les notions transmi-

ses aux individus par la société seulement, avec le langage donné
91 par Dieu, et qu'elle livre successivement, comme elle | l'a reçu, aux individus capables de l'entendre et impuissants à le créer, nous reconnaîtrons qu'il y a de telles croyances ou vérités sociales ; mais elles ne sont pas universelles, communes à tout individu, comme faisant partie de la grande société du genre humain, mais générales ou spécifiques, et relatives seulement à telle position, telle circonstance des sociétés particulières. Sous ce rapport nous nous croyons fondé à affirmer précisément une proposition contraire à celle de l'auteur. Les croyances, dirons-nous, ou vérités générales et sociales qui ont besoin d'être successivement transmises par la société au moyen de traditions orales ou écrites, parce que l'individu ne pourrait jamais entrer en possession de ces vérités par lui-même et sans des secours ou moyens extérieurs ; ces vérités, dis-je, générales pour la société où elles sont établies ne sont point universelles, éternelles, communes à tout ce qui est homme, et bien loin que l'examen doive en être interdit, ce sont celles-là précisément qui ont besoin de passer au creuset de la raison individuelle pour être adoptées comme croyances légitimes et principes d'actions vraiment morales.

Je dis d'abord que les vérités générales dont il s'agit, en tant qu'elles sont transmises par la société seulement et apprises par chaque individu, soit au moyen de l'enseignement direct ou langage artificiel, soit par l'influence de l'exemple et de l'autorité, ne peuvent avoir un caractère universel, commun à tout ce qui est
92 homme, | quelle que soit la société où il est né ; et réciproquement je dis que toute notion ou croyance qui a ce caractère d'universalité n'a point été transmise par la société ni apprise au moyen du langage ou par la force de l'exemple, mais qu'au contraire elle est portée dans la société comme une lumière propre inhérente à l'âme, qui éclaire tout homme venant au monde « *lux quae illuminat omnem hominem veniemtem in hunc mundum.* » (77) Cette vérité me semble si évidente que je me bornerais à l'énoncer si M. de Bonald n'avait pas insisté si dogmatiquement sur la proposition contraire dont il fait la base de toute sa doctrine.

93 | Ainsi par cela seul que certaines croyances générales ne sont que les produits des leçons transmises avec le langage artificiel par la société aux individus, et n'ont leur raison d'être que dans des habitudes sociales, dans l'influence de l'exemple ou le principe d'imitation, ne pourrait-on pas affirmer hardiment que ces notions ne sont pas universelles et nécessaires ? Et ici nous ne pouvons nous empêcher de remarquer une analogie frappante entre la nature intellectuelle ou morale et la nature organique ou animale, lesquelles entrent l'une et l'autre dans la composition de l'être mixte appelé homme. Quand on voit tous les individus d'une même espèce ani-

male manifester les mêmes appétits, les mêmes désirs, les mêmes
aversions ou les mêmes craintes à la présence de certains objets ;
quand on les voit exécuter constamment et en tous lieux les mêmes
ouvrages parfaitement semblables, tracés sur un plan absolument
uniforme, combiner leurs forces et leurs mouvements de manière
à atteindre le but général auquel ils parviennent toujours infailli-
blement, dira-t-on que ces animaux reçoivent de l'association seule
le principe de leurs appétits, de leurs affections sympathiques et
394 de leurs actes instinctifs ? Ne faut-il pas au contraire qu'il y ait |
dans l'instinct sensitif propre à chaque individu et commun à tous
ceux de l'espèce, le principe de la société même, véritable raison
de cette sorte de sociabilité, et de l'uniformité de leurs actes ? S'ils
sentent et se meuvent de la même manière ; s'ils exécutent partout
les mêmes ouvrages, peut-on dire raisonnablement que c'est en vertu
de l'instruction transmise par les mères aux petits, au moyen d'une
sorte de langage, ou enfin par l'influence de l'exemple ou d'un prin-
cipe d'imitation ? Non sans doute ; si les animaux font tous la même
chose, c'est qu'ils agissent d'après une sorte de modèle intérieur
primitif donné à tous également et uni à chacun d'eux, ou indivisi-
blement lié au principe de sa vie propre ; et par suite c'est qu'ils
ne se copient pas ou ne s'imitent pas les uns les autres. Car s'ils
se copiaient ou s'ils agissaient d'après un modèle extérieur, en vertu
de premières habitudes acquises ou d'un enseignement donné, ils
feraient tous des choses différentes plus ou moins analogues, et
jamais les mêmes, parce qu'ils mêleraient toujours plus ou moins
de leur propre à ce qui leur vient du dehors.

S'il est permis d'appliquer ces exemples, ces lois de la nature ani-
male, à une nature supérieure intellectuelle et morale, nous som-
395 mes autorisé à | affirmer de même que si l'universalité du genre
humain a certaines notions ou croyances identiques et communes,
c'est que nul homme ne les a reçues d'un autre homme ou de la
société ; mais il les a apportées avec lui en naissant, du moins à
l'état de germes, et pour les apercevoir avec évidence, à leur titre
de vérités universelles, nécessaires, éternelles, il lui suffit de con-
sulter à l'aide de la réflexion le modèle intérieur qu'il ne peut tenir
que de Dieu seul, cette vraie lumière qui luit sur tous les esprits,
même alors qu'ils en ignorent ou méconnaissent la source.

Nous voyons maintenant jusqu'à quel point il est nécessaire, utile
et permis, ou nuisible et défendu d'*examiner* l'un ou l'autre ordre
de vérités premières, soit individuelles ou relatives à l'individu
comme à l'espèce, soit générales et sociales, c'est-à-dire reçues de
la *société* et transmises à chaque homme avec le langage. Et d'abord
les notions ou croyances premières individuelles et nécessaires sont
comme l'instinct des êtres intelligents ou moraux. Que cet instinct

devienne l'objet propre de la réflexion de l'homme appliqué à se
396 connaître dans ce qu'il a de plus intime, | ou qu'il échappe par lui-même à tout acte d'aperception, il n'en sera pas moins le principe de déterminations morales, autant qu'un être passif qui suit les lois de sa nature sans les connaître ou s'en rendre compte, peut être considéré comme un agent moral. Interdire à l'homme la recherche des lois premières de sa nature, ce serait lui interdire précisément ce qui constitue la faculté morale la plus éminente. Mais quand cet examen réfléchi amènerait des discussions ou des doutes spéculatifs sur des faits primitifs qu'il s'agit uniquement de constater et non point d'expliquer, ces abus ou ces écarts de spéculation n'influeraient en rien sur les croyances ou les vérités pratiques, et l'homme n'en serait pas moins nécessité à conformer ses croyances ou ses déterminations pratiques aux lois de sa nature ; l'ordre essentiel et naturel de la société ou de la grande famille humaine ne saurait en être altéré ni dévié de ses lois, car la raison pratique est, par sa nature même, hors de toutes les atteintes de la spéculation dont elle se rit, et du scepticisme, contre lequel elle livrerait toujours combat dans le secret de la conscience du pyrrhonien même le plus décidé. Il n'est donc pas vrai que tout périsse dans la société, lois et mœurs, pendant que l'homme examine ou se rend compte en lui-même des lois premières de sa nature, de son activité libre, du *devoir* qui lui commande la justice et la bonté envers ses sembla-
397 bles, et par suite de la cause de son existence, etc. ; | car pendant qu'il fait cet examen, ou qu'il délibère spéculativement sur ces croyances premières, universelles, établies dans la généralité des sociétés, la raison pratique ne doute pas et les actes extérieurs suivent ses décisions ; à moins qu'il n'y ait dans les *passions* aveugles des obstacles d'une autre nature, ou des principes d'action opposés qui n'en auraient pas moins, ou plutôt qui n'en auraient que plus sûrement leur effet lorsqu'on mettrait à l'écart toute raison spéculative et que l'on interdirait tout examen des croyances nécessaires. Certainement un philosophe s'égare et *s'évanouit dans ses pensées*, lorsque, cherchant les preuves des principes ou des faits primitifs, il essaie d'appliquer les formes du raisonnement aux lois premières fondamentales, et aux conditions mêmes de toute raison ; mais si c'est là véritablement un écueil dangereux pour l'esprit humain, une source trop déplorable d'arguties et de subtilités qui déshonorent la philosophie, il est une autre source d'erreurs bien plus communes et plus funestes, surtout aux progrès de la raison,
398 de la morale et de la vraie religion ; | c'est d'adopter sans examen toutes les croyances reçues et transmises par la société comme des vérités générales dont l'examen même est interdit.

Examiner les croyances données par la société où l'on vit, c'est

réfléchir l'habitude dans ce qu'elle a de plus intime ; et c'est assurément pour les hommes une recommandation assez inutile que de leur dire qu'ils ne doivent pas réfléchir l'habitude, car il n'y a rien au monde à quoi ils soient moins disposés. Craignez les fausses croyances ou la foi aveugle de l'habitude ; craignez l'ignorance, les préjugés et les passions qui obscurcissent les *lumières naturelles.* Vous n'avez d'autre contrepoids à leur opposer que l'examen approfondi de la raison, et cette voix intérieure qui ramène l'homme aux premières vérités de la morale et de la religion, et, par suite, à celle de la révélation divine qu'elles confirment et qui les con-
399 firme par l'accord | le plus parfait et le plus heureux avec elles.

« Il est raisonnable, dit M. de Bonald, de ne recevoir qu'après examen et correction entière les vérités spéculatives de la physique telles que le mouvement de la terre, la cause des marées ; cet examen préalable (à la croyance) ne change rien au cours de la nature, la terre marche en attendant la décision. [...] Dans des choses non usuelles où nous ne sommes pas instruits par l'exemple des autres, il est aussi sage de ne se décider qu'après un examen [...] mais l'usage des choses nécessaires à l'existence physique n'a pas du tout été laissé à la députation de notre raison particulière puisqu'il précède nécessairement pour nous la faculté d'examen et le choix. C'est sur la foi d'autrui que nous usons exclusivement des substances propres à nous nourrir, à nous vêtir.

« Nous mettons souvent la raison des autres à la place de la nôtre pour des choses non nécessaires [...] et dans celles mêmes dont dépend la continuation d'une vie qui nous est si chère, nous nous
400 réglons | sur les habitudes établies dans la société. L'exemple des autres est une image de la raison.

« Pourquoi donc avons-nous des poids et des mesures, pourquoi les mêmes hommes, qui croient et agissent dans le monde extérieur sur la foi d'autrui et l'autorité de l'exemple, ne veulent-ils pas recevoir de confiance des vérités qu'ils trouvent établies dans la société ? » (78)

L'auteur oublie qu'il a donné lui-même auparavant réponse à cette question et touché la vraie cause de la différence contre laquelle il réclame ici entre les « croyances », les coutumes, les vérités morales et celles d'instinct, d'habitude, d'exemple ou d'autorité, et les vérités physiques du monde.

C'est que dans les choses morales, l'esprit de l'homme est *naturellement* et nécessairement *indépendant de toute autorité humaine, ne peut obéir qu'à lui-même*, ou à sa propre conscience, à cette voix intérieure qui lui crie que cette chose est vraie et *bonne*, telle autre fausse ou mauvaise quand tout l'univers se dresserait pour affirmer le contraire.

1 | C'est que dans cet ordre de vérités, nous ne pouvons adhérer aux pensées ou aux croyances d'autrui qu'autant que nous les retrouvons en nous-mêmes, ou plutôt qu'elles sont nôtres aussi bien qu'à ceux qui nous en communiquent l'expression, ou les signes qui étaient les nôtres, ou en nous-mêmes, avant cette communication.

Pourquoi donc se plaindre que nous refusons de croire les vérités premières et universelles de la morale sur la foi d'autrui ou l'autorité de l'exemple, en mettant la raison des vérités à la place de la nôtre. Cette foi aveugle, cette foi sur parole est contraire à la nature de notre esprit ou à l'essence même des vérités *morales* qui ne sont telles qu'en tant que la croyance est « spontanée », libre ou inspirée et suggérée au-dedans, au lieu d'être dictée ou *inculquée* au-dehors.

02 | Certainement, l'ordre de la société n'est pas plus dérangé dans sa marche par l'examen des vertus morales et sociales que l'ordre du monde physique n'est dérangé par les systèmes des astronomes ou des physiciens ; et les spéculations influent si peu sur les pratiques ou les croyances vraiment nécessaires au maintien de toute société, et sont même sans influence sur la conduite pratique de l'individu dont les actions démentent fréquemment les principes spéculatifs, ainsi qu'on le voit des pyrrhoniens, des sceptiques les plus décidés qui peuvent mettre en doute la réalité des choses ou des êtres hors d'eux, pour contester ou nier la liberté de l'homme, la loi du devoir, la distinction du bien et du mal, ne conservant pas même tous leurs actes extérieurs, leur croyance pratique en ces êtres qui les entourent et tous les rapports ou les sentiments communs à tout ce qui est homme. Ainsi le monde moral n'est pas plus troublé que le monde physique par nos disputes, et si le premier est quelquefois troublé et bouleversé, c'est certainement par d'autres causes, un peu plus actives que la spéculation, ou étrangères à elle ; et l'examen froid spéculatif tendrait plutôt à empêcher qu'à seconder l'action.

03 | Le monde moral a été tellement livré à nos facultés d'examen et de choix que c'est l'action même de ces facultés qui le *constitue*, et que là où elles cessent de l'exercer, là sont les bornes où ce monde cesse et s'évanouit.

Pourquoi l'indépendance ou la libre activité auraient-elles été données à l'esprit humain, si le monde moral, le plus propre domaine de l'homme, devait nécessairement lui être soustrait. De telles facultés actives seraient-elles bornées à la connaissance et à l'examen des vérités générales ou particulières de la physique, qui sont si loin des lois, qui contribuent si peu à son bonheur, même présent ?

Dans les choses physiques, nous l'avons dit, les individus reçoivent leur enseignement de la société, et cet enseignement croît nécessairement avec l'état des sociétés et les progrès des lumières.

Dans les choses qui tiennent aux besoins de la vie physique, il
y en a qui ne sont pas apprises, mais que chaque individu porte en
404 naissant et sur lesquelles l'habitude même ne peut rien, | comme
l'action de têter, par exemple ; plusieurs appétits ou [? répugnances]
pour certains aliments, certain déplaisir à faire tel mouvement, etc.

Ce n'est pas sur la *foi d'autrui*, d'après l'exemple ou par imitation que nous trouvons certains aliments bons ou agréables, mais parce que nous les goûtons et qu'ils sont analogues aux dispositions naturelles de nos organes ; en cela, il y a analogie entre les organes et les sentiments, et les tendances animales ou physiques[32].

[32] *La suite du ms. que Naville, sans doute, a intitulé « autorité et droit d'examen » reprend pour l'essentiel ce qui a été développé dans les folios 310-319 ainsi que 399-406.*

Source : BI, ms. 2123.

[FRAGMENTS RELATIFS AUX FONDEMENTS DE LA MORALE ET DE LA RELIGION]

| Veut-on confondre dans une unité systématique le principe des facultés intellectuelles et morales, la sensation étant prise pour l'origine de toutes les idées, le besoin, l'intérêt personnel, pour le principe de toutes les déterminations, de tous les actes de l'individu qui ont indistinctement pour objet les personnes et les choses ? Il faudra dire que les sentiments les plus expansifs, les plus désintéressés, les penchants les plus nobles et les plus généreux de notre nature ont le même fondement que la sensualité la plus grossière, l'égoïsme le plus abject : on dira que vivre en soi, ou pour soi, c'est la même chose que vivre dans les autres, ou pour eux ; qu'il n'y a pas plus de mérite à se sacrifier au bonheur de ses semblables, à tout immoler au devoir, qu'à prendre ses semblables pour les instruments de ses plaisirs et de ses caprices, et à s'arroger le droit de porter atteinte aux droits sacrés des personnes libres ; on confondra tout cela sans
2 songer que la distinction subsiste | nécessairement entre les choses ou les principes d'actions, qui sont et seront éternellement séparés comme deux natures différentes.

Certainement, il y a là deux principes d'actions, ou du moins deux éléments aussi distincts l'un de l'autre dans la conscience morale, que l'est le sujet de l'objet dans la conscience simple d'individualité personnelle, et toutes les vues systématiques ne peuvent pas plus détruire cette distinction du sentiment intime, qu'elles ne peuvent ramener à l'unité absolue la dualité relative du fait primitif.

Mais, à la preuve du sentiment qui s'élève avec force contre *l'unité* de principe qui déterminerait également les actes intéressés ou *sensitifs* et les autres actes désintéressés ou moraux, joignons des preu-
3 ves d'un autre ordre et tirées de plus haut, | et faisons l'analyse de la conscience morale, comme nous avons fait celle de la conscience psychologique.

11 | Le mot conscience (*conscium*) est un terme composé qui doit exprimer un rapport entre deux éléments : *scire*, *cum* (savoir, avec). Le sujet peut seul savoir avec lui-même ou en lui-même ; seul il

peut sentir ou savoir avec un être semblable à lui, seul enfin il peut
avoir une sorte de science extérieure ou supérieure à tout point de
vue humain. La sensation passive n'est pas la conscience ; l'être
sensitif ne se sait pas, ne se sent pas lui-même ; l'être actif seul per-
çoit la sensation, il *sait avec* l'être sensitif ; il y a conscience indivi-
duelle, personnelle, complète.

L'homme est en rapport avec son semblable par une sympathie
naturelle très bien nommée *consensus*. Ce consensus n'est pas encore
12 la conscience ; il tient immédiatement à | la vie organique animale,
et en effet les animaux, surtout ceux d'espèce sociable, sympathi-
sent ou consentent entre eux par une sorte d'instinct expansif plus
fort et plus marqué encore que dans l'homme. Joignez l'activité
du *moi* au *consensus* ou à la sympathie, et vous aurez la conscience
dans l'acception que lui donnent les moralistes, et ceux surtout qui
admettent un sens moral interne, parmi lesquels se range émi-
nemment l'auteur d'*Émile*, quand il caractérise énergiquement
« cette force d'une âme expansive qui m'identifie avec mon sem-
blable, par laquelle je me sens pour ainsi dire en lui, car c'est pour
ne pas souffrir que je ne veux pas qu'il souffre ». (79)

L'homme, non seulement consent avec son semblable par un ins-
tinct sympathique, mais de plus, en sa qualité d'homme ou d'agent
moral, il lui transporte avec son *moi* une activité libre, une pro-
13 priété personnelle, et par suite des droits pareils aux siens, | en même
temps qu'il consent ou sympathise aux affections d'un autre par
une sensibilité expansive. Comme par le *consensus* sympathique,
l'homme sent avec un autre les affections qu'il éprouve, en vertu
du *consensus* de personne, d'activité, il sait avec lui ses propres sen-
sations, et, placé pour ainsi dire au centre d'une intelligence, d'une
volonté qui sont en même temps à lui et à un autre, il juge de ce
point de vue élevé ses sentiments, ses vouloirs les plus intimes, ses
opérations les plus secrètes ; il les approuve et les condamne comme
un témoin impartial, et croit entendre une voix qui retentit au fond
de son âme, comme celle de l'écho réfléchit et redit à l'individu
14 ses propres paroles ; | l'individu sait avec un autre ce qui se passe
en lui, et sait par lui ce qui se passe dans un autre.

Enfin dans un troisième progrès intellectuel et proprement moral,
la conscience relative cesse d'être, se perd entièrement, n'a plus un
caractère relatif et s'identifie avec la science, avec la vérité absolue
(car il n'y a de science proprement dite que de l'absolu, de ce qui
reste le même quand les phénomènes changent), et pourtant on peut
dire encore qu'il y a une conscience comme une science de réalités
absolues. L'âme en effet, élevée par le sentiment ou par la raison
jusqu'à la cause des existences, voit avec Dieu et conçoit le réel,
l'absolu, le nécessaire, ce qui est. Cette conscience de la vérité se

distingue de toute conscience du relatif par un caractère bien frap-
5 pant, c'est qu'à l'instant où l'esprit | a cette conscience de la vérité, il l'aperçoit comme existant indépendamment de toute conception passée, présente et future, c'est-à-dire comme éternelle, nécessaire, ou dont la non-existence est impossible.

Ceci demande à être expliqué.

7 | S'il est donné à l'homme d'entrer en partage de la science, s'il y a pour ainsi dire une face de notre âme tournée vers l'absolue réalité, ou la vérité absolue des choses telles qu'elles sont en elles-mêmes, ou abstraction faite de tous les rapports avec notre sensibilité ou notre manière de les concevoir, ce n'est qu'en s'élevant jusqu'au point de vue de l'intelligence suprême que l'esprit de l'homme peut atteindre cette réalité absolue, indépendante ou nécessaire, et c'est aussi dans ce sens unique que nous pouvons être dits avoir *conscience* de quelque chose d'absolu, conscience bien supérieure à tout ce qu'il y a de sensible, puisqu'elle indique une sorte de participation à la science de Dieu, avec qui, ou en qui nous savons toute vérité absolue, en tant que nous pouvons la concevoir comme attribut de Dieu et non pas autrement. C'est ainsi que nous avons la conscience de notre âme, ou de sa nature, entièrement distincte
8 | et séparée du sentiment actuel de l'individualité, ou, comme on dit psychologiquement, de la *conscience* personnelle de l'existence du *moi* ; c'est ainsi que par suite nous pouvons nous attribuer intellectuellement les conséquences de tout ce que notre esprit peut concevoir comme réel, nécessaire, *absolu* : l'être, la substance, la cause, et aussi le *devoir* et le droit absolu, ainsi que nous l'exprimerons ultérieurement.

Rentrant maintenant dans le langage et le point de vue de la psychologie et avant de la rallier à la morale, nous ferons remarquer d'abord qu'en s'arrêtant à ce point de vue de l'homme individuel, et abstraction faite de tous les rapports qu'il soutient avec d'autres êtres intelligents et sensibles comme lui, le sujet dont on cherche ainsi les *facultés* ou puissances pourrait bien ne pas être l'*homme*, pas plus que ne l'est la statue de Condillac réduite successivement à un seul de nos sens externes, isolé de tous les autres,
9 et abstrait même | de celui de l'individualité, sans lequel on peut bien supposer qu'il y a sensation ou affection simple, agréable ou douloureuse, mais non pas *idée* ou *conscience* de sensation. En admettant même qu'il y ait dans la nature de l'être intelligent et sensible, isolément considéré, un fondement vrai au point de vue psychologique, on ne trouverait l'application, la valeur véritable ou étymologique du mot conscience qu'en déterminant une fois pour toutes le rapport fondamental du *moi* individuel, permanent, avec les modes actifs qu'il produit, comme avec toutes les affections de

la sensibilité et les idées ou les notions intellectuelles qui lui sont données et qu'il ne fait pas. En effet, le *moi* sera dit avoir conscience des sensations en tant, non pas qu'il sentira, mais en tant qu'il *saura*, avec l'être sensitif ou en lui, les modifications de cet
20 être, localisées dans les parties du corps qu'il anime ; | en tant aussi que le *moi* saura les idées ou les notions qui sont en lui, sans se manifester ou représenter par aucun symbole, et qu'il sait bien aussi ne pas créer, en les apercevant.

21 | Fondés sur la sympathie primitive, ou contemporaine à l'existence individuelle, les rapports de l'homme avec l'homme ont un caractère particulier qui les distingue bien éminemment de ceux qu'il soutient avec tous les autres agents visibles ou invisibles de la nature extérieure. Il y a en effet une activité et aussi une sensibilité, vraiment morales, qui diffèrent également et de la simple activité déployée contre les résistances étrangères et mortes, et de la sensibilité physique excitée par des impressions dont les causes sont connues de l'esprit comme réalisées dans l'espace ou le temps.

Pour que l'être sensible et intelligent soit de plus agent *moral*, il faut qu'il transporte pour ainsi dire son *moi* au sein de chaque
22 forme | semblable à la sienne, en lui attribuant un *moi*, une volonté, un pouvoir d'agir, des sentiments, des affections et des droits pareils aux siens. Dès lors, il ne sent plus seulement en lui, il n'agit plus uniquement en lui et pour lui, ou comme s'il était le centre unique
23 du monde sensible, | mais il se sent encore dans tous les êtres semblables à lui. En leur attribuant des sensations de plaisir ou de peine, il partage en partie ces affections ou il y consent ; et lorsqu'il agit pour soulager la douleur ou secourir la faiblesse, c'est comme s'il se délivrait lui-même d'un mal qu'il éprouverait.

25 | Ainsi naît la conscience morale proprement dite, qui n'est autre que la conscience même du *moi* qui se redouble et se voit pour ainsi dire dans un autre comme dans un miroir animé qui lui réfléchit son image.

Par la conscience morale, ou dans elle, les pures sensations ou affections personnelles relatives à l'individu se transforment en sentiments expansifs relatifs à l'espèce. Le plaisir et la douleur physiques sentis ou perçus du point de vue d'un autre *moi* deviennent joie, tristesse ou mélancolie. L'âme, pendant qu'elle s'afflige sensiblement des peines d'autrui, peut se réjouir intellectuellement des souffrances du corps : *caro ejus dum vivet dolebit, et anima illius super semelipso lugebit**. Ainsi naissent et se développent dans la société qu'elles ont formée et qu'elles conservent, ces vertus célestes, la pitié, l'humanité (*caritas generis humani*), la bienfaisance, la générosité ; nobles besoins d'une nature élevée, principes d'ac-

* *Livre de Job*, chap. XIV, verset 22.

tions morales qui, loin de s'identifier avec les besoins physiques, avec les passions et les intérêts personnels, sont essentiellement opposés, au contraire, à tous ces mobiles d'une activité animale subordonnée aux sensations.

8 | En vertu de ces principes d'actions, ou déterminations relatives, non plus seulement à l'individu, mais à l'espèce, chaque personne morale pourra se mouvoir dans une sphère d'activité qui n'aura plus l'individu ou ses droits personnels pour rayon, ou dont le rayon ne sera pas déterminé par l'intensité d'une seule force impulsive aveugle, telle que l'activité subordonnée à des besoins, des appétits ou des passions entraînantes.

9 | Il y a là évidemment deux forces ou deux principes d'actions opposés : on peut bien les exprimer par un même nom tel que besoin, intérêt, sensation, mais cette sorte d'identité logique ne détruit pas la *dualité* réelle ou de conscience. Nulle convention de langage ne peut faire qu'un sentiment expansif s'identifie avec une affection personnelle, qu'il y ait intérêt de même ordre, ou plaisir de même nature à se sacrifier pour autrui et à sacrifier les autres à soi, à se faire l'instrument volontaire du bonheur des autres, et à les considérer comme instruments passifs de son bonheur, de ses jouissances personnelles, à vivre pour le devoir envers son pays, son roi, sa religion, et à immoler la morale aux passions et aux intérêts, ou des devoirs sacrés à des droits personnels.

S'il n'y avait là qu'un seul intérêt, qu'un même principe d'action, la recommandation d'aimer les hommes comme soi-même, d'être pour eux ce que nous voulons qu'ils soient pour nous, ne serait pas
0 un précepte divin, | et l'effort sublime de la vertu aux prises avec les affections et les intérêts de cette vie sensible et passagère ne devrait plus être l'objet de notre admiration. Pour l'individu qui n'obéit qu'à ses sensations ou à la voix de son intérêt propre, la lumière d'activité dans laquelle il se meut tend naturellement à s'agrandir en raison de ses besoins, de ses moyens d'agir ou de sa force, qu'il peut regarder alors comme son droit. Mais dès que le précepte divin s'accomplit, dès que la loi morale a parlé à l'âme et s'explique par le lien de la sympathie qui unit l'homme à l'homme, alors aussi la sphère individuelle se limite d'elle-même au point où elle pourrait blesser un droit, offenser une sensibilité si elle s'étendait davantage. Elle s'arrête d'elle-même, elle n'est pas limitée, arrêtée comme par le choc d'une force contraire, ou par une pression égale et opposée, pareille à celle qui fait que les abeilles se coordonnent entre elles dans leur ruche et circonscrivent leur action commune. En effet, chaque force morale doit se coordonner ou se mettre en équilibre avec les forces semblables,
31 et l'ordre, | inséparable de la liberté, naît de l'exercice de cette liberté même.

Ici se présente nettement la ligne de démarcation qui sépare la force de la justice, le droit personnel du devoir relatif. Le sentiment de la force qui est arrêtée ou subjuguée par une autre force égale ou supérieure ne donne lieu à aucune relation *morale*. L'être fort mesure son droit à sa force ; l'être faible subit la loi de la
34 nécessité. | Mais donnez à l'être fort un sentiment de sympathie et d'amour, et sa force relative ne s'étendra plus sur le faible que pour le soutenir au lieu de l'opprimer, parce que l'oppression et le malheur de son semblable faible sont pour lui un sujet de souffrance, parce que l'abus de sa propre force, jugée du point de vue de son semblable, l'irrite et le blesse, parce que, secourant la faiblesse et le malheur, il satisfait à un premier besoin de sa sensibilité expansive, il obéit au premier cri de la conscience, à une première loi de sa nature morale et à un devoir impérieux dont l'infraction porte avec elle sa peine.

35 | En vertu du rapport anthropologique, nul agent ne peut être réduit à son individualité ; ce qu'il sait ou sent en lui, il le sait avec un autre ou par un autre. Ses droits sont des attributs communs à tous les êtres actifs et intelligents, à tout ce qui s'appelle *personne*. Le droit d'agir ou d'exercer sa liberté et ses facultés est inséparable du sentiment même de cette liberté. Il ne sait son activité qu'avec celle d'un autre être, et ne l'entend précisément en lui qu'en l'entendant comme un autre, ou dans un autre que lui.

Mais il y a ici une observation bien essentielle à noter et qui a échappé à tous les philosophes, quoique la théorie des *droits* et des *devoirs* en dépende. Ce qui est *droit* dans la conscience de l'individu, qui se l'attribue en propre, devient *devoir* dans la conscience de la personne morale qui attribue le même droit à d'autres personnes.

36 | D'où il suit que si, comme nous l'avons dit, il n'existe pas d'*individu* qui ne soit en même temps *personne morale*, si le rapport anthropologique entre comme élément nécessaire dans la conscience du *moi* humain, il est évident que nul droit purement individuel n'a jamais et ne saurait jamais exister à ce titre, ou hors de sa corrélation essentielle à un devoir qui est aussi indivisible du droit que le sujet l'est de son objet, la cause de son effet.

D'où il suit encore que le prétendu droit du plus fort n'est qu'une abstraction illusoire, une odieuse chimère ; car si l'être fort n'est pas une *personne*, il n'y a en lui ou dans son individualité propre aucun droit réel.

39 | Le principe de toute action *vertueuse* est tout entier dans ce besoin qu'a tout homme d'être *estimé* ou approuvé par d'autres âmes, c'est-à-dire par la *raison* même à qui toutes participent également.

Un tel principe, qu'on appelle devoir, n'a certainement rien de commun avec aucune modification ni aucun attribut de la sensibilité ni individuelle ni excentrique. Il est également opposé aux uns et aux autres, puisqu'il a sans cesse à en triompher. Lui seul, il constitue la liberté morale qui se manifeste à elle-même par le sentiment d'un devoir accompli contre la résistance des passions opposées, de même que la liberté individuelle se manifeste par le sentiment d'un effort qui surmonte une résistance étrangère ou organique.

0 | Nous venons de dire que le principe du devoir, ou la conscience morale, n'a rien de commun avec la conscience sensitive, j'ajoute avec la conscience de relation.

En effet, si le précepte de ne pas faire à un autre ce que je ne voudrais pas qu'il me fût fait n'avait d'autre fondement que la conscience relative, je pourrais croire accomplir ce précepte lorsqu'en substituant ma sensibilité à celle du coupable, je le délivre de la peine que la justice lui impose, puisque je ferais pour lui ce que je désirerais qui me fût fait, si j'étais à sa place ; et pourtant je violerais la justice. De même si je ne fais du bien à autrui qu'en comptant sur la réciprocité en pareil cas, ou sur l'espoir d'une récompense, je ne suivrai que mon intérêt sans accomplir les prescriptions de la conscience morale.

1 | Ce n'est donc pas dans ce sens qu'il faut entendre ce précepte de la loi et des prophètes. Comment donc doit-il être entendu ? Dans un sens unique, savoir celui du verbe *je veux*, à titre d'être intelligent et libre, participant à la loi du devoir, à cette raison suprême qui éclaire toutes les intelligences qui veulent la consulter, comme la lumière physique éclaire tous les yeux qui s'ouvrent à ses rayons. Je dois à mon semblable ce que je voudrais qui me fût fait à ce
2 seul titre | de personne libre et non à celui d'être sentant, puisqu'ainsi je n'aurais que des désirs et non pas des volontés, je serais déterminé et ne me déterminerais pas moi-même, je serais un être passif et non un agent moral, une personne. C'est à ce dernier titre, ou dans le point de vue de la conscience, qui n'a rien de commun avec ce qui est affectif, qui se distingue de tout ce qui tient à une sensibilité et à une passion, que, le crime étant avéré, je condamne le coupable, comme je voudrais être condamné si j'étais à sa place pour que la justice fût satisfaite, pour que la loi du devoir fût accomplie. C'est là le premier besoin, l'unique voie de la conscience morale, et c'est ce qui est exprimé dans ces belles paroles de l'orai-
43 son dominicale, où l'âme élevée | à Dieu lui dit : « Que votre volonté soit faite. » C'est dire : que je ne veuille que ce qui est conforme à la raison, à la loi du devoir.

C'est là qu'est toute vérité, toute réalité morale absolue. Hors de là la conscience du bien relatif à nos passions, à nos goûts, à nos sentiments même les meilleurs, ne saisit que des phénomènes et comme des ombres qui lui échappent quand elle croit les fixer, qui, dans leur fuite, ne laissent qu'inquiétude, trouble, regrets, agitation et remords.

Qui l'a mieux su que Pascal ? Quel homme possède à un plus haut degré cette conscience supérieure dont nous parlons ? Et combien le vicaire savoyard, dans toute sa sublimité, est loin de ces conceptions, si hautes et si simplement exprimées.

« Nous avons une si grande idée de l'âme de l'homme, que nous ne pouvons souffrir d'en être méprisés, de n'être pas dans l'*estime* d'une âme ; et toute la félicité humaine consiste dans cette estime.
44 | Si d'un côté cette fausse gloire que les hommes cherchent est une grande marque de leur misère et de leur bassesse, c'en est une aussi de leur excellence. » (80)

Ce qui est une preuve de l'excellence de la raison, c'est de juger cette fausse gloire et d'avoir une idée, une prénotion de la véritable. Or, la distinction se fait d'elle-même, quand on se place dans le vrai point de vue de la raison. L'illusion, c'est que nous confondons sans cesse les opinions acquises et répétées en nous par imitation ou par conscience relative, avec les idées absolues de la *raison* ; les lois des institutions humaines, avec les lois du devoir qui
45 les sanctionnent et font seules leur force ; | et par suite de cette même illusion, nous mettons nos passions ou celles de ceux à qui nous voulons plaire avant la conscience et la raison hors de laquelle il n'y a que fumée. Nous cherchons ce qui plaît aux hommes, ce qui est conforme à l'opinion et à l'habitude, et non ce qui mérite l'estime, ce qui est conforme à la raison, à la justice, à la vérité absolue.

46 | Au surplus, si une foule d'actions de détail considérées comme moralement bonnes par certains peuples sont jugées autrement par d'autres, s'il y a une grande variété dans les jugements portés sur la moralité ou sur l'immoralité de certaines actions, chez les divers peuples et dans les états de civilisation plus ou moins avancés, il n'y en a pas moins un accord très général dans la manière de juger les qualités vraiment dignes d'estime (celles qui tendent au perfectionnement de l'individu ou de l'espèce), dès que ces qualités viennent à se manifester par des actes, ou fixent l'attention, souvent remplie par des qualités superficielles.

On peut bien en effet ne point remarquer le bon moral, ou ne pas être frappé de ses signes par préoccupation ou distraction de l'esprit, ce qui donne l'air de l'indifférence ; mais dès qu'on vient à le remarquer, on ne peut s'empêcher de lui donner son approbation. Rousseau a pu défier de citer quelque pays sur la terre où ce fût un crime de garder sa foi, d'être clément, bienfaisant, généreux, où le perfide fût honoré, l'homme de bien méprisé. Mais les modes

de bienfaisance, de générosité peuvent varier ; et l'on peut applaudir aussi aux résultats de la perfidie en méprisant le motif ; enfin on peut ne pas honorer la vertu parce qu'on ne la sent pas, mais on
6 ne peut la | sentir dans les autres sans l'honorer, sans juger qu'elle est bonne, et il est aussi impossible de la mépriser, ou de la juger mauvaise, que de trouver laid l'Apollon du Belvédère, quoiqu'on puisse lui préférer par habitude des formes irrégulières. Il faut un effort pour sentir le beau, le bon : la perception qui les manifeste à l'âme et excite le sentiment qui s'y rattache n'est que la suite de cet effort.

7 | S'il y a une grande variété dans les actions jugées, ou nommées bonnes moralement dans les diverses sociétés, et même chez les différents individus, au point que ces actions semblent souvent opposées les unes aux autres par leurs caractères extérieurs, il est vrai du moins qu'il y a un principe commun aux actions diverses qui reçoivent l'approbation générale de tous les hommes. Ce principe est toujours une tendance au perfectionnement dont les moyens, considérés comme vrais dans le point de vue où il s'applique, sont ou peuvent être faux dans un autre but.

Des actions bonnes dans les résultats, ou par le bien public ou particulier qu'elles procurent, peuvent être immorales en principe ou dans les motifs intéressés qui les déterminent. Au contraire, des actions mauvaises en résultat peuvent être morales en principe, ou déterminées par une volonté qui tend au bien, mais par des moyens contraires au but, dont les opinions fausses, les préjugés et les habitudes de la société cachent le vice. Et comme les actions seules où les résultats se montrent, tandis que les motifs se cachent, on peut calomnier quelquefois la nature humaine en la supposant plus per-
8 vertie qu'elle ne l'est ou s'exagérer sa rectitude, | ou se faire illusion sur sa bonté en la jugeant sur des apparences.

L'exposition des enfants, dans des pays qui ne peuvent suffire à la nourriture de la population, l'abandon des vieillards chez des peuples barbares où tout homme est réduit à se suffire à lui-même, révoltent toute notre nature sensible ; et cependant, ces actions, condamnables aux yeux de la morale, peuvent avoir leurs motifs dans les mêmes sentiments d'amour pour la patrie et les aïeux qui, dans d'autres circonstances, avec d'autres habitudes sociales, détermineront les actes les plus généreux.

Les usages qui nous paraissent les plus bizarres, qui nous semblent les plus contraires à tout principe, à toute idée de moralité, ont pu, dans l'origine, être déterminés par quelque sentiment vrai de la nature morale, par quelque motif bon en lui-même. Ce premier motif déterminant se perd ou s'efface avec le temps, et l'habitude de l'action reste et devient si familière qu'elle finit par paraître naturelle : on la voit avec indifférence, et celui qui s'en abstiendrait dans l'occasion serait condamné comme violant l'usage ou la règle. Cela prouve bien toute la force de l'habitude qui peut aller jusqu'à changer la direction des penchants ou les sentiments naturels, mais ne prouve rien contre ceux-ci. Les hommes de tous les pays qui méritent de porter ce titre approuvent les motifs moraux, et la conscience de chaque individu s'accorde avec celle du genre humain ; mais l'habitude de voir les actions efface ce qu'elles ont d'odieux et les fait approuver en vue du motif. On n'est donc pas fondé à juger par ces actions rapportées par les voyageurs, que la morale est arbitraire, car la morale est dans les principes et non dans les résultats des actions.

49 | On s'accoutume à la bizarrerie d'usages ou d'actions comme à certaines formes contraires à toutes les règles du mot. Lorsqu'on a entendu dès l'enfance appliquer ces dénominations de *beau* et de *bon* à certains actes externes, à certaines qualités morales, avec tous les signes d'une approbation générale et constante, en répétant ou imitant ces signes, on finit par imiter le sentiment. De là une seconde conscience artificielle qui se substitue à la conscience réelle, et sans l'étouffer entièrement, la masque et la déguise au point qu'il est très difficile d'en reconnaître les traits. Il faut voir l'homme hors de ses habitudes et dans ces occasions graves où le sentiment naturel peut éclater, pour s'assurer que ce sentiment n'était qu'endormi au fond de l'âme.

Les voyageurs qui se sont arrêtés un moment chez quelques peu-
50 ples sauvages où ils disent n'avoir pas | remarqué la moindre trace de morale ou de religion, ont-ils eu le temps, les moyens et les occasions d'observer assez profondément cette nature encore brute dans ses divers états, de la soumettre à des épreuves nécessaires pour pouvoir motiver quelques assertions raisonnables sur un sujet aussi difficile ? Les sauvages semblent se complaire à rendre les traits de leur figure difformes, et chez le peuple le plus anciennement civilisé, les femmes se donnent la torture pour avoir le pied si petit qu'il en est disproportionné. Cette difformité, aux yeux de ce peuple, est le premier caractère de ce qu'ils appellent la beauté. Mais qu'est-ce que cela fait à l'idée, au sentiment du beau qui consiste dans des proportions exactes, et qui s'applique naturellement, hors des habitudes, à tous les autres objets ?

51 | Les personnes qui cherchent à plaire par les formes extérieures ont aussi de bonne heure gravé dans leur imagination un type idéal de beauté artificielle formé de tout ce qui attire l'attention des yeux, et reçoit les applaudissements du grand nombre. C'est à ce modèle de l'imagination qu'on s'attache, c'est celui auquel on désire uniquement de ressembler, et plus cette habitude est invétérée, plus

les traits du beau véritable s'effacent, au point qu'on ne le reconnaît pas et qu'il échappe entièrement aux regards distraits ou à l'esprit préoccupé.

Il en est absolument de même pour les caractères moraux ou la réunion des qualités qui constituent le bon moral. On se forme de bonne heure un modèle en réunissant non pas les qualités vertueuses en elles-mêmes, mais celles qui plaisent, qui se concilient l'approbation générale et obtiennent le crédit de la société où l'on vit. C'est à ce modèle | imaginaire qu'on cherche à ressembler, ou dont on se donne les apparences, de même qu'une personne âgée ou contrefaite cherche à se donner les apparences de la jeunesse, et à cacher ses difformités, aussi contente si elle parvient à paraître droite aux yeux des autres que si elle l'était réellement, comptant pour rien les défauts dont les autres ne s'aperçoivent pas, et pour tout les qualités qui se montrent.

Il en est absolument de même pour les qualités morales, quand l'homme qui a placé toute son existence hors de lui, ne s'occupe plus de ce qu'il est en soi, ou dans sa propre conscience, mais de la manière dont il apparaît à la conscience des autres. Car il sait qu'il plaira non par ce qu'il est individuellement, mais par sa ressemblance au modèle en honneur dans la société qui l'entoure.

| En réunissant le système total des êtres sous une seule idée ou sous une notion en partie artificielle, d'où l'esprit peut ensuite tout déduire, puisqu'il y a tout mis, ou par le procédé logique de Spinoza, on arrive au pur panthéisme, c'est-à-dire à la négation de toute personnalité, de toute volonté individuelle. Les deux termes, ou les deux pôles de la science humaine, Dieu et le *moi*, disparaissent en même temps. C'est sur le principe de la causalité, identique avec le fait primitif de l'existence, que repose l'idée religieuse. Lorsqu'on met la substance à la place de la cause, dans l'ordre des idées naturelles ou acquises, nécessaires ou conditionnelles, on ne peut plus trouver de base naturelle à cette idée, et l'on est conduit à en nier la réalité. C'est ainsi que l'esprit humain peut passer brusquement du polythéisme, qui tient à l'enfance de la raison, à l'athéisme qui est le dernier écart et le plus grand abus de cette raison même.

| Tant que le polythéisme se fonde sur des affections ou des sentiments d'un étroit égoïsme, comme la crainte, il n'a encore rien de *moral* dans son principe, rien d'approprié aux facultés les plus élevées de notre nature. Mais l'instinct de la sensibilité distingue d'abord le plaisir de la douleur ; l'instinct de l'intelligence distingue en même temps les causes modifiantes favorables ou contraires, amies ou ennemies : il y a des génies bons et mauvais, des dieux bienfaisants comme des dieux terribles, et, si le vice a des autels, la vertu a aussi son sanctuaire. Au culte des passions, à la supersti-

tion de la crainte, s'allie le culte du cœur, la religion de l'amour et de la reconnaissance. C'est ainsi qu'on peut reconnaître, jusque
55 dans la grossièreté et au milieu des écarts du polythéisme, | le véritable sentiment religieux qui se fait jour, pour ainsi dire, et perce au travers des ténèbres qui enveloppent et couvrent encore l'idée d'un Dieu unique. Un être isolé, dont l'activité et l'intelligence se seraient développées par miracle ou par une inspiration, sans le concours et l'appui de ses semblables, s'élèvera peut-être par la raison jusqu'à la sublime idée ou notion de l'existence du vrai Dieu ; mais la raison seule pourrait-elle lui inspirer le sentiment religieux ou le culte du cœur, celui de la reconnaissance, du respect, de l'amour ? Non ; celui qui n'aurait pas connu son père ne connaîtrait pas Dieu comme le père des hommes ; celui qui n'aurait pas aimé les hommes ne commencerait pas par aimer Dieu. Entre la conception d'une puissance, d'une force infinie, et celle d'une bonté parfaite, d'une miséricorde inépuisable, il n'y a pas une analogie assez immédiate pour que la pensée saisisse ces attributs comme inséparables ; mais, pendant que l'esprit conçoit les uns, le cœur a pressenti les autres.
56 | C'est dans la société et d'abord dans la famille que naissent et se développent ces premiers sentiments de bienveillance, de protection et de sympathie. C'est de là que les affections s'élèvent jusqu'au père de tous les hommes, en s'associant à l'idée de cause suprême et unique des existences.

Le sentiment moral, fondé sur les rapports nécessaires entre des êtres de nature semblable, pourrait naître et se développer dans la famille ou la société que ces rapports auront formée, indépendamment du sentiment religieux ; mais la religion, en tant qu'elle est le culte du cœur, présuppose un sentiment moral ou un rapport de sympathie et d'amour entre des êtres sensibles et faibles, et la cause suprême dont ils dépendent quant à leurs modifications et à leur existence même. Le sentiment moral associé à la notion ou à l'idée d'une puissance, d'une bonté infinie, s'agrandit et s'élève dans la même proportion que la tendre, la soigneuse prévoyance du plus sage et du meilleur des pères dépasse le pouvoir et l'intelligence de l'homme. La bonté de la providence divine est une bonté surhumaine.
57 | Si toute idée religieuse est réduite par l'imagination qui commence à s'en emparer, à un véritable anthropomorphisme vague, corporel, comme l'a très bien dit l'auteur d'*Émile*, il est encore plus vrai que, même avec tous les progrès de la raison, le sentiment religieux constitue toujours un véritable anthropomorphisme spirituel, dans ce sens que l'homme ne peut aimer ni honorer, dans l'auteur des existences, que la perfection des mêmes qualités et des mêmes vertus par lesquelles il sympathise, de toutes les forces de son âme, avec des êtres d'une nature semblable à la sienne.

Lorsque notre faible intelligence entreprend de s'élever immédiatement jusqu'à la cause des existences, et cherche à saisir Dieu sous son idée propre, elle retombe sur elle-même, saisie d'effroi et comme dans cet état de vertige qui s'empare de nous à la vue des plus profonds abîmes. « Parlez-nous vous-même », disaient les enfants d'Israël à Moïse, « mais que le Seigneur ne nous parle pas de peur que nous ne mourions ». (81)

Dieu ne peut se manifester à l'esprit que par l'intermédiaire du cœur et du sentiment, qui est le *Médiateur* entre la pensée humaine et l'infini, l'absolu qu'elle a pour objet ; et, dans l'ordre naturel des sentiments et des idées, l'âme saisit Dieu dans ceux de ses attributs qui sont en rapport avec son bonheur et son existence, longtemps avant que l'esprit ou la raison ait complété et purifié cette sublime idée.

2 Sans doute « il faut avoir un haut degré de culture intellectuelle pour que l'esprit puisse concevoir le système total des êtres comme réunis sous une seule idée ou notion et donner un sens au mot substance, lequel est au fond la plus grande des abstractions ». (82) Mais après avoir formé cette notion universelle et infiniment complexe, l'esprit qui la prend pour point de départ, et s'y appuie comme sur une base réelle et naturelle, n'élève qu'un édifice logique parfaitement régulier, en qui la raison se complaît comme dans son propre ouvrage, et où il ne manque en effet rien que la vérité des choses.

3 En tant qu'il multiplie les causes ou puissances visibles, objet de crainte comme d'espérance et d'amour, le polythéisme peut s'unir au sentiment moral ou en être séparé ; mais il ne tend pas à le détruire : c'est la religion de l'imagination ou de la raison dans l'enfance. Le panthéisme, qui méconnaît ou nie la causalité pour tout réduire à l'unité collective et abstraite de substance, exclut les deux unités par excellence : Dieu et le *moi*, c'est-à-dire la personne et la liberté. C'est la nullité absolue de religion comme de morale, c'est le produit monstrueux de la raison dans toute sa force, qui, d'un faux point de départ, arrive par une route longue et laborieuse au dernier terme de l'absurdité. Le sentiment moral et religieux disparaît du cœur de l'homme ; c'est la mort complète ; et après avoir enlevé du cœur de l'homme tout ce qui donne du prix à l'existence, le panthéisme fait très bien de nous enlever l'existence elle-même, et de nier que nous soyons de véritables personnes.

4 Le polythéisme est le relatif de la religion : il admet à leur vrai titre phénoménique les causes productives de modifications. S'il ne s'est pas encore élevé jusqu'à la cause une de toutes les existences passagères, il en laisse du moins subsister la possibilité, et l'imagination, qui l'embellit de ses plus riches couleurs, n'empiète pas sur le domaine de la raison, qui vient plus tard purifier, en quelque

sorte, l'idée de cause de tous les prestiges ou images qui l'environnent. Le panthéisme, au contraire, se fonde sur l'absolu logique pour détruire à la fois l'absolu réel, celui de la cause une, et le sentiment religieux et moral.

La religion poétique des Anciens, en admettant des dieux supé-
rieurs et des inférieurs, et un seul Dieu père et maître de tous les
autres, et se rapprochant en apparence du théisme, en était pour-
tant éloignée de toute la distance qui sépare l'idée relative de causes
modifiantes, de la notion absolue d'une seule cause productive des
existences : et la preuve évidente, c'est qu'au-dessus de ces puis-
sances ou causes relatives, les Anciens admettaient une force aveu-
65 gle, le *Destin*, | auquel les dieux mêmes étaient soumis. C'est ainsi
qu'ils tombaient dans l'athéisme par le même abus de la raison,
et par ce même besoin de l'unité absolue qui a produit le spino-
zisme moderne. Il ne serait pas difficile en effet de montrer l'ana-
logie qui existe entre le *fatum* supérieur aux dieux et la substance
universelle, unique. Dans les deux cas, c'est la négation de causes
premières, c'est le néant substitué à la réalité. La question entre
la substance et la cause est celle de la vie ou de la mort, et cela quel
que soit l'ordre de choses ou d'idées auxquelles on applique cette
question, dans le physique comme dans l'intellectuel, dans le reli-
gieux comme dans le moral, dans le moral comme dans le politique.

Les hommes se sont toujours trompés de la même manière en allant chercher au loin ce qui est près d'eux, ce qui leur est intime. Le principe de causalité est en nous ; il ne s'agit que de le constater dans sa source, et de l'appliquer suivant les lois d'une saine raison, en s'élevant de la personnalité du *moi*, cause relative, particulière, efficiente des mouvements du corps, à la personnalité de Dieu, cause absolue, universelle de l'ordre du monde et de son existence.

66 | Dans le premier et le plus simple exercice de la volonté, l'âme commence le mouvement du corps et crée ce mouvement par un acte de volonté, et dès lors aussi le *moi* commence à exister pour lui-même, c'est-à-dire à s'apercevoir ou à avoir conscience. Mais puisque le sens intime du *moi*, ou d'existence individuelle, commence, s'interrompt et renaît encore toujours le même, il y a donc une cause permanente, identique qui le fait commencer ; nous appelons âme cette cause ainsi prise dans l'absolu et hors de la conscience. Ce que le *moi* est à la sensation du mouvement dans l'ordre relatif de la conscience, l'âme l'est dans l'ordre absolu au corps qu'elle vivifie.

En prenant cet absolu des existences pour le point de départ, nous
sommes nécessités à croire que l'âme, dans son union avec le corps,
67 a commencé | à exister, comme à agir sur le terme organique auquel
elle s'applique. Il y a donc une cause absolue de l'existence de l'âme,

et cette cause est Dieu : Dieu est à l'âme ce que l'âme est au corps dans l'ordre absolu, ce que le *moi*, cause, est à la sensation du mouvement, effet, dans l'ordre relatif.

C'est ainsi que la raison explique ce qui était donné avant elle, et dans le sentiment même de notre existence. La raison trouve une cause vivante dans l'intimité de la conscience, et s'applique à cette idée première pour en déduire tout ce qui y est ; elle ne crée pas l'idée, ou le principe de la causalité, comme elle crée la notion de *substance*, en réunissant *sous* une seule idée abstraite le système total des êtres. L'existence relative, et, par un progrès nécessaire, l'existence absolue de la cause, est un *fait*, et non pas une *abstraction*.

Aussitôt que Dieu est *pensé*, le monde est expliqué. Comme on n'a pas besoin de concevoir le comment de l'action de l'âme sur le corps pour avoir le sentiment de cette action, ou la conscience de liberté et d'individualité, on n'a pas plus besoin de concevoir le *comment* de la création, ou de l'action de la cause suprême des existences sur le monde et sur l'âme, pour en avoir le sentiment et y croire nécessairement comme au fait de l'existence, | quand on y pense comme il faut, ou qu'on y applique le sens approprié, la face de notre âme, qui est naturellement et primitivement tournée vers la cause des existences. C'est par ce sens immédiat qui lui permet de s'élever jusqu'à Dieu, que l'âme s'élève au-dessus d'elle-même, cherche l'être réel comme le bonheur suprême et la vie propre hors du *moi* et le trouve en se perdant de vue elle-même, pour s'abîmer dans l'infini des existences. C'est par ce sens immédiat aussi, joint à une imagination riche et élevée, autant qu'à une raison active, mais peu sévère, que les génies de l'Antiquité se sont élevés au-dessus des prestiges d'une religion poétique, ont pressenti la véritable religion, et l'ont trouvée dans les profondeurs de l'âme, dans les secrets de ses opérations et dans une analyse exacte de notre intelligence, analyse que la philosophie de notre âge a peut-être obscurcie et rétrécie plutôt que perfectionnée et agrandie.

| Dieu, la cause unique des *existences*, étant conçu, toutes les causes particulières et modifiantes s'y subordonnent et viennent d'elles-mêmes s'y coordonner ; là commence un nouvel ordre d'*absolu*, une religion, comme une *morale*, absolue. La religion n'ayant rien à démêler avec l'imagination, ce n'est plus un anthropomorphisme corporel, mais c'est encore l'anthropomorphisme de l'âme ou du *sentiment*. A la notion de cause absolue et infinie des existences, se joignent en effet les sentiments de sympathie, de confiance et de respect qui fondent les rapports de famille et de société. Tout grand, tout infini qu'il est, Dieu conserve encore avec l'homme la relation de père, de monarque de cette grande cité dont tous les hommes sont à la fois *enfants* et *sujets*. Dieu remplit tout, voit tout,

il lit jusqu'au fond des âmes. C'est en cherchant, autant que le per-
met la faiblesse humaine, à se placer dans le point de vue de cette
70 intelligence supérieure à toutes | les autres, qu'on conçoit le vrai,
le beau, le bon absolu dont l'âme a une soif qui ne peut être rassa-
siée dans son mode actuel d'existence, mais qui peut l'être dans un
avenir d'immortalité dont elle trouve le pressentiment en elle, et
la garantie dans cette justice absolue, l'un des premiers attributs
de ce Dieu qu'elle croit.

C'est de ce point de vue élevé au-dessus de tous les jugements
et préjugés, de tous les intérêts, de toutes les passions humaines,
que l'âme connaît son prix et peut savoir ce qu'elle vaut. C'est là
qu'est cette idée de l'âme de l'homme dont parle Pascal, « idée si
grande que nous ne pouvons souffrir d'en être méprisés et que toute
la félicité de l'homme consiste dans cette estime » (83), qui est
comme celle de Dieu même qui a fait cette âme à son image. Là,
la vertu se juge et s'approuve elle-même quand tout l'univers se
lèverait pour la proscrire. Là, l'homme trouve encore une sorte de
douceur à sentir sa faiblesse et à compatir aux misères insépara-
bles de cette vie passagère qui attend son couronnement et son but.
72 | Dans ce point de vue absolu, comme au foyer d'un miroir concen-
trique, tous les objets épars s'assemblent et se redressent pour for-
mer un ensemble, un tout régulier, avec un ordre invariable. Là,
la grande chaîne des êtres a son commencement, son milieu et sa
fin, et un point fixe où vient se rattacher l'ordre parfait, invaria-
ble, établi entre toutes les existences offrant à la pensée un sujet
de contemplation, d'admiration et d'amour.

75 | C'est là que, dans la pensée de l'être absolu, infini, un génie,
tel que celui de Platon, rêve le type réel et le modèle exemplaire
de toute perfection intellectuelle, morale et physique, qui, ayant
son foyer, son centre unique dans l'être universel, se réfléchit dans
toutes les existences relatives, particulières ou individuelles, emprein-
tes du sceau de la création. C'est à cette source qu'ont puisé les
philosophes de tous les temps qui ont conçu le grand problème des
existences, qui ont cherché à entendre les choses au lieu de les ima-
giner, qui ont senti le besoin d'expliquer les choses humaines par
76 les divines, le sensible par l'intellectuel, | le relatif par l'absolu. C'est
à cette source que le prince des orateurs et des philosophes a puisé
ses idées d'une morale céleste, dont il fut le si digne organe : de
cette *loi* animée, répandue dans tous les esprits ; loi absolue, cons-
tante, éternelle, qui n'a pas besoin d'être écrite ni interprétée pour
servir de règle ; qui n'est établie ni par les décrets des princes ni
par la volonté ou l'opinion mobile des peuples ; qui dicte impé-
rieusement le *devoir*, et ne commande jamais en vain, soit qu'elle
parle à l'homme de bien, soit qu'elle agisse sur l'âme du méchant ;

loi unique, immortelle, qui remplit tous les temps et tous les lieux,
7 | et qui a une tout autre mesure que l'intérêt ou l'utilité, puisqu'un intérêt contrarie et détruit ce qu'un autre intérêt veut ou détermine ; qui n'admet qu'un seul maître, un roi ou empereur universel, véritable législateur et arbitre suprême de la loi. *Si natura confirmatum jus non erit, virtutes omnes tollentur* (84).

Écoutons Leibniz, élève de la même école : « C'est donc dans l'absolu qu'il faut chercher cette règle qui ne change point et qui doit être le modèle, le foyer de toutes les autres ; cet ordre éternel, immuable, règle de toutes les intelligences, fondement de tous les devoirs, principe de toute morale, supérieur à toutes les institutions humaines qui n'ont de force et de durée que par elle, inaccessible aux attentats des méchants et aux fureurs des révolutions. » (85)

Les philosophes qui émettent des réserves contre cet ordre élevé, et prétendent subordonner les choses divines aux humaines, et les institutions religieuses et morales aux institutions politiques, c'est-à-dire l'intellectuel au sensible, l'absolu au relatif, ont beau faire les entendus, ils n'entendent rien en effet, mais il imaginent et font de mauvais rêves ; ils croient avoir des idées et ils n'ont ou ne produisent que de vains fantômes ou des signes morts et vides ; ils
8 croient avoir une philosophie et n'ont qu'une | logique artificielle ; ils croient ou espèrent former des institutions politiques où la religion et la morale viendront puiser comme à leur foyer, et ils n'ont que de vaines doctrines, des opinions incertaines et mobiles, qui passent comme l'ombre, un code d'intérêts et de droits pour toute morale, des superstitions d'un côté et le fatalisme de l'autre pour toute religion.

4 | Résumons. Avec des sensations sans activité libre, point de personne individuelle, point d'intelligence ni de morale d'aucune espèce.

Avec une activité subordonnée à des sensations, ou à des passions relatives à l'individu, et séparée de tout sentiment expansif, il y a intelligence et volonté, mais point de sociabilité, partant point de morale, mais seulement l'amour propre, ou le désir constant de se rendre heureux par la satisfaction des intérêts, des besoins et des appétits, et aussi point de religion, quoiqu'il y ait crainte des puissances invisibles.

79 | Avec une activité virtuellement libre, sans aucun sentiment expansif, et jointe aux sensations physiques, à qui elle est de fait subordonnée, l'intelligence est possible, si toutefois la vie intellectuelle peut commencer à se développer isolément, et en dehors de la société ; mais point de vie morale, point de devoir même relatif ; le droit, c'est la force qui le mesure ; la religion, c'est d'abord la crainte des puissances invisibles ou un fatalisme superstitieux ; plus

tard, et dans les progrès ou l'abus d'une raison logique, c'est le panthéisme qui renie la personnalité de Dieu et du *moi*, et, par suite, de toute liberté morale.

Avec une activité libre de fait, qui se sépare des sensations, et se met au-dessus d'elles pour s'unir et se subordonner aux sentiments expansifs de l'âme, qui la règlent ou la déterminent : vie intellectuelle et vie morale, identifiées ou confondues dans la même
80 source. Le *moi* sort de lui-même pour se juger | du point de vue
81 de l'être semblable avec qui il sympathise ; l'homme | s'aime dans
son semblable ; il sent, souffre ou jouit en lui. La justice relative
naît de cette sympathie même, qui garantit le droit du faible et place
80 le devoir dans la force ; | et tant que sa liberté n'est pas opprimée, ou
que les passions personnelles n'étouffent pas le cri de la conscience, un sentiment impérieux avertit l'homme qu'il doit faire à son semblable comme il voudrait qu'il lui fût fait. Ce que la conscience inspire, la raison, encore bornée au relatif, le légitime et le consacre. Associé avec l'idée relative d'une ou plusieurs causes libres, et surtout d'une cause créatrice des existences, d'une providence bienfaisante amie de l'homme, le sentiment moral s'élève jusqu'à la religion ; le culte de l'amour remplace celui de la crainte, la reconnaissance et le respect passent du chef de la famille au père com-
81 mun des hommes, et de la société à la cité de Dieu. | La politique
vient puiser dans la morale et la religion comme au foyer de toutes les institutions grandes, fortes et durables ; dès lors l'amour de la patrie devient un culte, tous les sentiments expansifs remplissent les âmes, toutes les passions sont grandes et généreuses, l'égoïsme et l'intérêt personnel sont en opprobre.

83 | L'ordre relatif a atteint son plus haut degré de perfection. Il en
peut descendre, mais non remonter plus haut sans changer de nature ou entrer dans l'absolu. Le sentiment moral ou religieux peut bien remplir toute l'âme, mais la raison n'est pas encore satisfaite. Il reste encore un vide qui demande à être rempli. Les rapports les plus intimes peuvent s'altérer ou changer avec les temps et les lieux ; leur généralité, leur constance relative comporte encore plusieurs exceptions. De plus, si le *bonheur* sensible fait l'intérêt et tout le but de l'existence, en quoi le méchant se trompe-t-il, s'il vit heureux dans le désordre, s'il trouve sa satisfaction et son intérêt dans
84 le mal d'autrui ? | Mais s'il y a une vraie, une droite raison qui évo-
que à son tribunal la raison d'intérêt, qui prononce en dernier ressort sur le bien et le mal, le vrai ou le faux, le beau ou le laid en soi, et prescrit ainsi une règle constante, universelle aux actions humaines, malgré toute la variété des penchants, des appétits, des habitudes, qui approuve ou condamne les sentiments humains, de quelque nature qu'ils soient, il faut bien qu'elle ait sa source ail-

leurs que dans le sentiment, et que son autorité immuable, absolue, vienne de plus haut.

5 | La cause des existences, objet propre de la raison, ne peut être conçue par elle-même que comme nécessaire, une, absolue, éternelle et immuable, car c'est cela même qui constitue l'objet de la *raison* ; toutes les vérités nécessaires que notre esprit *trouve* telles, et qu'il ne fait pas, ont ce caractère essentiel d'*éternité* et d'immuabilité ; elles étaient avant que l'esprit les conçût, elles sont les mêmes alors qu'il cesse de les apercevoir, elles seraient encore quand aucune intelligence finie, faite comme la nôtre ne les comprendrait. Comment et où pourraient-elles subsister s'il n'y avait pas un être éternel, infini, immuable, dont ces vérités sont les attributs dans leur sujet, et en qui seul elles peuvent toujours et parfaitement être entendues ? « C'est ainsi, dit supérieurement Bossuet, que nous
36 voyons toutes les vérités nécessaires dans une lumière | supérieure à nous. » (86) C'est dans la même lumière supérieure que nous voyons si nous faisons bien ou mal, c'est-à-dire si nous agissons ou non selon les principes constitutifs de notre être.

Quand l'homme voit, entend ainsi la vérité absolue intellectuelle, il voit et entend, de la même manière et de la même source, la vérité morale, l'absolu du devoir, la règle invariable des mœurs : dès lors c'est par cette vérité seule, immuable, qu'il se juge lui-même, s'approuve ou se condamne, selon qu'il suit la loi éternelle ou qu'il s'en écarte ; ce n'est que du point de vue de l'éternelle et immuable
37 raison et non pas d'un point de vue | humain ou en suivant des opinions variables qu'il peut juger ainsi ses propres actions comme elles sont ; ou plutôt c'est la loi même absolue qui le juge, et comme dit encore supérieurement Bossuet[33], « ce n'est pas la vérité qui s'accommode au jugement de l'homme » (87), mais tout jugement humain, pour être vraiment *moral*, devra s'accommoder à la vérité, à l'absolu de la loi divine. Le jugement de l'homme ne sera droit et sain qu'autant que sachant combien ses propres opinions, ou les jugements qu'il porte d'après lui-même, sont incertains et variables de leur nature, il leur donnera toujours pour règle une de ces vérités nécessaires et que nous appelons en ce sens l'autorité de la raison dans les choses morales, qui n'est pas autre que l'autorité
38 même de Dieu, en qui seul est la raison du | bien et du mal absolu de nos actions*. Ôtez la cause suprême des existences, l'éternel

37 | * Quand les philosophes de l'école de Reid parlent de l'autorité de nos facultés et les mettent sur la même ligne, ils abaissent la raison qui est une faculté vraiment supérieure qui juge ou contrôle toutes les autres, mais

[33] *Tout ce passage est une paraphrase du texte cité de Bossuet.*

auteur de ces rapports immuables que nous appelons loi de la nature, ordre moral comme physique, et vous ôtez toute base réelle, solide, à la morale comme à la législation ; car point d'obligation certaine sans loi, et point de loi sans législateur.

A mesure que la raison s'élève vers l'absolu en le séparant de tout ce qui n'est pas lui, le sentiment religieux, moral, s'élève avec elle et s'unit dans l'absolu à la véritable cause des existences, comme il s'unissait dans le relatif à chaque cause modifiante. Les attributs de force, de bonté, de sagesse, prennent un tout autre caractère de grandeur et de majesté, et deviennent absolus comme leur sujet.
89 Pendant que la raison les contemple | et y cherche toutes ses lumières, tous ses mobiles d'activité, l'âme, absorbée dans cette sublime contemplation, se perd de vue elle-même et tout ce qui constitue sa personnalité, son individualité propre disparaît comme un point dans l'immensité, et va se confondre et comme s'abîmer dans le sentiment de l'infini. Absorbée d'abord par les premières impressions affectives de l'instinct, et lors même que la liberté est en exercice, se laissant absorber par les passions entraînantes, l'âme perd bien aussi sa personnalité avec la liberté même et se perd ou s'identifie avec la sensation. Mais dans l'exaltation du sentiment divin, qui suit ou accompagne le plus haut degré de l'activité intellectuelle, le plus digne emploi de la raison, l'homme s'élève et se perfectionne, tandis que dans l'exaltation d'une sensibilité physique ou animale exclusive de toute activité, l'homme s'abaisse ou se dégrade jusqu'à
90 la brute. | Dans l'un et l'autre cas, l'homme qui participe à deux natures paraît se réduire à une seule ; mais, ici, c'est la simplicité d'une nature toute spirituelle et comme divine. Au milieu des deux extrêmes se trouve le point de départ commun des deux tendances opposées : l'une, du sensible à l'intellectuel, du relatif à l'absolu, d'une morale et d'une religion humaines à une morale et une religion vraiment divines ; l'autre, au contraire, d'une sensibilité expansive, relative à l'espèce, à une sensibilité concentrée, toute relative à l'individu ; d'une morale fondée sur des *sentiments* et des devoirs relatifs à l'espèce, à une législation fondée sur des droits relatifs à des besoins et à des intérêts personnels.

Ici, en effet, les institutions morales et religieuses pourront être
91 | dénaturées, perverties ou séparées de leur source pour n'être plus que des institutions politiques et des conventions humaines relatives à la civilisation de la société, à la nature du gouvernement, au sol, au climat, etc. : variables sous ces rapports dans la forme comme dans le fond. Là ou dans la tendance opposée, les institu-

88 cette supériorité même ne tient qu'à ce | que c'est la faculté de l'absolu, celle qui connaît Dieu et se légitime à lui.

tions politiques de tous les lieux, de tous les temps, iront toujours en se rapprochant de l'absolu, d'une morale ou d'une religion toute divine ; et la destination des sociétés comme des individus ne sera parfaitement remplie qu'alors que ces lois de l'absolu, planant sur tout le monde politique, lui imprimeront toutes les directions, en régleront tous les mouvements et détermineront la forme constante et désormais invariable de son orbite.

La direction de cette marche des institutions sociales vers l'absolu n'est sans doute qu'un idéal, mais c'est certainement l'idéal de la
2 perfection. | Sans doute les sociétés ne se perfectionnent pas comme les individus, et nous pourrons ailleurs en dire les causes qu'on peut déjà pressentir. Mais en admettant une perfectibilité sociale indéfinie, il serait évidemment absurde de croire qu'elle fût opposée, dans ses moyens comme dans son but, à ce qui constitue le véritable perfectionnement des individus. Or, qu'est-ce qui constitue la perfection relative et l'idéal même d'une perfection absolue de l'homme ? Nous le saurons certainement en nous interrogeant nous-mêmes. Toutes les fois que des sensations ou des passions enchaînent notre liberté et absorbent la conscience de notre personnalité même, nous nous éloignons de notre nature vraiment supérieure
3 et nous entendons au fond de notre âme une voix secrète | qui réclame, et nous avertit, par le sentiment immédiat et pénible de notre imperfection. Au contraire, quand nous suivons la loi du devoir, quand nous tendons de toute notre force vers la source même de tout ordre, de toute vérité, quand notre âme s'est absorbée en elle, et que, nous jugeant comme du point de vue de cette raison éternelle, nous voyons clairement que nous avons mérité son approbation, accompli sa volonté et suivi la loi absolue, éternelle, du devoir qu'elle nous dicte, lors même qu'il ne résulterait de nos actions aucun avantage sensible, mais plutôt qu'elles nous exposeraient à la haine, à la condamnation, au mépris des hommes, à toutes les peines, et à la privation même de la vie, nous avons la conscience ou le sentiment de perfection qui nous dédommage de tous les plaisirs sensibles et suffit en récompense à la vertu, quand même nous n'en espérerions pas une autre, puisque l'âme ne peut espérer rien de plus que d'être comme elle ou d'accomplir la loi, quoi qu'il arrive.

Maintenant, comment une société tellement constituée que chaque individu ne soit occupé que de ses intérêts ou de ses droits, soit
94 sans cesse en garde pour les défendre, | voit dans chaque homme un rival, et ne se nourrisse que de sentiments irascibles, pourrait-elle être dite se perfectionner, lorsque chaque individu s'y trouve en opposition avec les lois de la nature intellectuelle ou morale, s'éloigne de la perfection et la perd de vue, lorsque la société elle-

même marche en sens inverse de son véritable but, qui est le repos, la sécurité, le loisir, nécessaires à chaque individu pour développer librement les facultés de sa nature et consulter cette raison suprême qui lui trace sa véritable destination en apprenant à connaître Dieu et à aimer Dieu et les hommes ?

Toutes les nations ont été et seront toujours dans le relatif, quels que soient les progrès des individus ; mais les principes des gouvernements qui dirigent ces sociétés peuvent tendre plus ou moins vers le but d'un perfectionnement absolu. Je n'ai pas besoin d'examiner ici jusqu'à quel point la tendance actuelle de notre gouvernement et de la société s'approche ou s'éloigne de ce but. Je me
95 bornerai à observer que la philosophie du XVIIIe siècle | lui a été et lui est encore plus contraire que l'ignorance toute barbare, les préjugés et les superstitions des premiers âges de la civilisation. L'auteur de l'*Esprit des Lois* a élevé un monument éternel à l'esprit de son siècle ; il a porté la science du gouvernement, la politique relative, au plus haut degré où puisse l'élever une théorie qui part du relatif et s'y termine. En effet, la conséquence rigoureuse qu'on peut tirer naturellement après avoir lu ce grand livre, c'est qu'il n'y a rien d'absolu ni dans la religion, ni dans la morale, ni, à plus forte raison, dans la politique ; que les lois étant toutes des rapports, et cela sans aucune exception, il faut consulter le climat, le sol, le degré de latitude, puis les principes du gouvernement qui ne sont que des résultats de ces rapports, pour savoir si une institution ou une loi est bonne ou mauvaise, favorable ou nuisible à la société ou aux individus.

Source : BI, ms. 2135. Copie : BUG, ms. 2167d.

| MOT DE SOCRATE[34]

Dans quel sens Socrate dit-il *qu'il ne sait rien*, que son unique science consiste à reconnaître cette ignorance ?...

Il faut bien remarquer que pour savoir qu'on ne sait rien, il faut avoir une idée de la science dont on se reconnaît privé. Or c'est justement en cela que l'aveu de l'ignorance socratique montre une sagesse et une science même bien élevée au-dessus de tout ce que les philosophes, mathématiciens, dialecticiens appelaient *sciences*... car se complaire dans ces prétendues sciences, s'y arrêter et croire qu'avec elles on sait tout parfaitement, c'est montrer par le fait l'ignorance la plus déplorable sur ce qui manque à l'esprit humain pour avoir une véritable science des choses ; c'est montrer qu'on ne s'est jamais élevé par la pensée au-dessus de cette petite sphère
2 humaine, et qu'on ne conçoit rien de meilleur ; ce qui suppose | réellement qu'on ne sait, qu'on n'entend rien.

Au contraire, c'est en remontant jusqu'au point de vue de Dieu et faisant en sorte de s'y placer, que Socrate reconnaît la nullité de la science humaine qui se borne aux phénomènes et aux apparences sensibles...

Le sentiment de ce qui nous manque, bien plus que la conscience de ce que nous avons dans notre état actuel est le signe caractéristique d'une nature plus parfaite, plus élevée, vers laquelle nous tendons ou d'où nous sommes *déchus*.

Proclus interprétant les paroles de Socrate divise toutes nos connaissances en deux ordres ; l'un, inférieur auquel l'âme peut participer dès à présent, l'autre supérieur que Socrate avait en vue, et comprenant des connaissances auxquelles l'âme ne peut arriver qu'autant qu'elle est affranchie des liens du corps. C'est le terme
3 de nobles espérances, | fondées sur la comparaison des divers états de l'âme, et d'objets de connaissance dont nous avons des notions ou des pressentiments confus sans les concevoir nettement ; plus

[34] *Dans la copie figure en marge :* Ceci est une traduction libre ou paraphrase de Proclus (*de Providentia et Fato*) tome I page 59.

la vie de l'âme s'épure par les spéculations, plus elle semble se rapprocher de ces objets sublimes.

Mais la vie *spéculative*, telle que l'entend Platon, est presque impossible dans le mode actuel de notre existence ; ni l'astronome qui cherche les lois des mouvements célestes (dans le *Théétète*), ni le naturaliste qui tend à découvrir la nature de tous les êtres physiques, ni le politique ou le moraliste qui aspire à remonter par la dialectique jusqu'à la connaissance du souverain bien, ne pratiquent la vie spéculative toujours empêchée ou distraite dans l'homme par les soins du corps, les occupations, les soucis relatifs à la vie sociale ; la spéculation est l'opération de l'âme attachée et fixée sur un objet propre et parfaitement *un*.

Lorsque Platon[35] ne permet pas d'appeler les *mathématiques* du
4 nom de *sciences*, ce n'est pas qu'il n'y reconnaisse des vérités | nécessaires et parfaitement démontrées, mais c'est qu'elles s'écartent[36] de la première condition de la science. La même chose a lieu pour la *dialectique* qui ne remonte pas encore jusqu'à l'unité parfaite, quoiqu'elle pose le souverain bien comme principe et qu'elle considère les principes de toutes choses.

Platon assigne en conséquence la seconde place aux mathématiques, en tant qu'elles ont pour objet les choses matérielles et leurs abstractions, et il place avant elles dans un ordre supérieur ou avant la science qui se fonde sur des suppositions, celle qui ne relève[37] d'aucune chose présupposée ou *préconnue*.

En quoi consiste donc la profondeur[38] du mot de Socrate élevé jusqu'au point de vue de Dieu ? Et que signifie cette nullité du savoir qu'il s'attribue ? Il veut dire seulement qu'[39]il existe un bien absolument parfait ; mais que lui, Socrate, ne *connaît* pas cet absolu ; mais qu'il *sait* seulement qu'il ne le connaît pas ; et c'est en cela
5 qu'il paraît en avant de tous les sages futurs... | Car selon la vérité, celui-là tend au même but de la sagesse, ou est également sage qui se connaît lui-même comme être qui ne sait pas et sachant[40] qu'il ne sait pas. N'est-ce pas être doué en effet d'une connaissance réelle que de connaître[41] qu'on ne sait pas ? Celui qui a cette connaissance se connaît du moins lui-même comme ignorant ; tandis que celui qui ne se sait pas ne se connaîtra pas non plus savant, c'est-à-

[35] *Variante :* Socrate

[36] *Variante :* manquent

[37] *Rayé :* n'a besoin

[38] *Rayé :* vérité

[39] *Rayé :* à la vérité il existe

[40] *Variante :* qui sait

[41] *Variantes :* Car n'est-ce pas qu'à un être capable/Car il n'appartient pas

dire qu'il ne saura pas distinguer les cas où il jouit d'une science parfaite de ceux où cette science lui manque.

Nul ne peut savoir en effet qu'il connaît parfaitement des choses quelconques sans se connaître lui-même comme sujet *connaissant*. Alors seulement il saura distinguer ce qu'il connaît en lui et ce qu'il ne connaît pas dans les choses ; c'est-à-dire qu'il possédera une[42] connaissance *moyenne*, la science appartenant en partie à l'*entendement*[43] et en partie au *sens*, celui-ci ne pouvant jamais connaître la vérité pleinement, parce qu'il ne connaît pas | la substance, pas même celle des choses visibles dont on suppose facilement qu'il a la connaissance ; — tandis que celui-là (l'entendement) saisit immédiatement la substance de l'être, ou ce qui constitue la vérité, la réalité absolue.

Mais l'âme, substance *moyenne* entre l'entendement et le sens, connaît d'une part les substances des êtres comme étant elle-même un être supérieur au sens, et ne connaît pas ces substances comme étant un être inférieur à l'entendement. C'est ainsi que celui qui sera[44] vraiment sage saura ce qu'il connaît sachant qu'il le connaît, et ce qu'il ne connaît pas, sachant qu'il ne le connaît pas... Tel est le vrai sens de Socrate et de la réponse de l'oracle qui s'y rapporte.

Proclus (*interpres* Moerbeke (88)).

Quand on se pénètre du sens profond de ces philosophes anciens, si bien appréciés | dans le Moyen Age, et qu'on fait revivre heureusement d'illustres modernes, tels que Descartes, Malebranche, Leibniz, Kant, etc.[45], on ne peut se défendre d'un sentiment d'irritation en voyant ces spéculations sublimes tournées en ridicule ou attaquées par de prétendus philosophes qui n'en entendent pas le premier mot et qui semblent totalement privés du sens nécessaire pour les saisir.

Le Traité des systèmes (89) de Condillac est à cet égard un modèle d'ignorance, d'aveuglement, de présomption et de légèreté qui caractérise trop bien l'esprit de cette école et celui du siècle où elle a exclusivement prédominé.

Toutes les connaissances[46] viennent des sens, voilà la supposition qui sert de point de départ et qu'on cherche à éclaircir, à vérifier par une méthode singulière, également éloignée[47] de la réflexion et de l'observation extérieure. | Cependant à force de retourner cette

[42] *Variante :* cette
[43] *Rayé :* le savoir propre de l'homme
[44] *Rayé :* devient
[45] *Rayé :* on souffre avec impatience en voyant ces grands
[46] *Rayé :* idées
[47] *Rayé :* des faits

hypothèse, on finit par l'adopter comme un principe évident, et dès lors, toutes les notions qui ne tombent point sous le sens ou l'imagination ou ne peuvent être ramenées à des idées sensibles ne seront point des idées. Il faudra rayer du nombre des connaissances les notions exprimées par ces mots : *être*, *substance*, *causes* ; tout ce qui emporte avec soi dans l'entendement la notion ou croyance de *réalité*, y compris le *moi* ou l'*âme*, qui ne sera rien par l'hypothèse qu'un vain mot, un pur signe abstrait si elle n'est *modifiée* en couleur, odeur, saveur, son, etc., toutes qualités phénoméniques dont elle tire sa réalité d'existence, etc.

Ce sont bien les conséquences de l'hypothèse sur l'origine des *idées* exclusivement dérivées des sens. Mais avant de rien supposer sur l'origine, si l'on s'attachait à *distinguer* les différentes sortes d'idées ou de notions en consultant les faits de conscience on aurait sûrement une autre philosophie moins systématique, mais plus rapprochée de la véritable.

9 | Dans le système que toutes nos connaissances *viennent* des *sens*, dit Condillac, rien n'est plus aisé que de se faire une notion exacte des idées ; car elles ne sont que des *sensations*, ou des *portions* extraites de *quelques sensations* pour être considérées à part, ce qui produit deux sortes d'*idées*, les *sensibles* et les *abstraites* (page 101) (90).

Rien n'est plus aisé, sans doute, que de se faire des notions sur ce qu'on appelle idée dans l'hypothèse actuelle ; mais c'est en confondant tout, en dissimulant les *faits* primitifs de l'esprit humain et tout ce qui constitue proprement la pensée...

Supposé qu'au lieu de commencer par faire une *hypothèse* sur l'origine des idées, c'est-à-dire des faits que nous apercevons en nous-mêmes, de quelque part qu'ils puissent venir, on s'attache à constater ces faits tels qu'ils sont, à les distinguer les uns des autres,
10 suivant une méthode | vraiment philosophique, assurément on pourrait presque compléter la science avant de s'informer d'où viennent ces idées, et si l'observateur venait à s'occuper de cette question si abstraite et qui ne peut être certainement résolue que par hypothèse, jamais par les faits, il ne lui viendrait jamais en pensée que toutes les modifications diverses de son existence actuelle, de son *activité morale* ne sont autre chose que des sensations ou des extraits de sensations, c'est-à-dire des saveurs, des odeurs, des sons, des couleurs ; car ces qualités qu'il perçoit hors de lui ou de son moi constituent ce qu'il appelle les objets, mais ne constituent certainement pas son *moi*, et n'en font nullement partie.

Or quand il s'agit des idées et de leur origine, il faut bien nécessairement distinguer celles qui se rapportent au sujet *moi*, et celles
11 qui se | rapportent à l'objet ou qui se représentent essentiellement

hors du moi. Or quand il serait vrai que toutes les idées que nous pouvons avoir de ce que nous appelons les objets nous viennent par les sens, et ne sont que des sensations dont nous extrayons des parties pour former diverses idées — abstraites et objectives — il n'en serait pas moins évidemment faux et inintelligible que les idées que nous avons de nous-mêmes et des opérations, des produits ou des modes de notre propre activité vinssent uniquement des *sensations*, c'est-à-dire des impressions adventices faites du dehors sur les organes sensitifs... Et ici remarquez bien que l'origine se confond avec la *cause* ; dire que nos idées viennent des sens, c'est dire que les *sens* sont mis en jeu par les objets, ou ces objets mêmes sont les *causes* productrices de toutes nos idées. Or cette proposi-
2 tion est | inintelligible, même en n'ayant égard qu'aux idées appelées sensibles, qui bien sûrement ne sont pas de simples effets du mouvement ou du choc des corps, comme on suppose qu'un mouvement est l'effet d'un autre mouvement ; que sera-ce donc si nous réfléchissons aux modes ou aux produits intérieurs de notre activité volontaire dont nous avons les idées réflexives les plus nettes, et que nous savons n'avoir d'autres causes que le moi lui-même qui ne se sent exister qu'autant qu'il agit[48]... Dira-t-on que ces idées que nous avons de *nous-mêmes* comme *moi*[49] opposé aux objets (*non moi*), ne sont que des sensations ou des parties de sensations ? On peut bien faire des catégories ou des définitions comme on l'entend, toutefois à condition de ne pas confondre sous les mêmes signes des choses de nature opposée. Si donc l'on a une fois appelé *sensation* les impressions rapportées au non moi ou ayant leur cause hors
3 du moi, ce sera par un abus de mot intolérable | qu'on donnera le même nom aux produits de l'activité du moi, ou aux modes qui ne se rapportent qu'à lui-même. En faisant une hypothèse sur l'origine des *idées*, avant d'avoir suffisamment éclairci par la réflexion la nature même des idées ou modes de l'âme, et leurs différences essentielles, on tombe nécessairement ou dans le matérialisme en attribuant aux *objets* sensibles la causalité productive des idées, ou dans le mysticisme en n'admettant que des causes *spirituelles* de même nature que l'âme en faisant abstraction de son activité ou de la causalité du *moi*.

L'assurance avec laquelle Condillac tranche[50] les questions les plus difficiles de la philosophie, en donnant comme vérité démontrée son hypothèse sur les idées[51] originaires des sens... annonce

[48] *Variante :* qu'il est cause

[49] *Rayé :* sujet

[50] *Rayé :* toutes

[51] *Rayé :* l'origine

qu'il n'a jamais rien entendu en philosophie, et que tout son talent
14 consistait[52] dans les tours de force logiques | qui lui faisaient illusion et le détournaient toujours davantage de la réflexion ou de l'observation des faits intérieurs.

A l'école de Condillac, on *désapprend* la philosophie, et c'est bien à lui qu'on pourrait appliquer ce que le célèbre Lichtenberg disait peut-être trop sévèrement des métaphysiciens les plus élevés ; que Platon, Locke, Kant, etc., demandent à Dieu de créer un homme sur le modèle de leur psychologie, et que si Dieu exauce l'un quelconque d'entre eux, il faudra conduire cette pauvre créature aux petites maisons (91).

La créature toute sensible de Condillac serait au-dessous même de l'animal[53], elle ressemblerait plutôt à l'huître qu'à l'homme.

Essayez de dériver les lois morales, l'idée du *devoir*, l'autonomie de la volonté, de la philosophie des *sensations*, vous ne trou-
15 verez d'autre *principe* d'action que des besoins physiques, | des intérêts. On peut juger par cela seul du mérite de cette philosophie et de sa vérité. La vraie philosophie doit nécessairement comprendre les bases de la morale humaine ; si elle les contrarie, elle est fausse.

[Rerum plurimarum *obscuras* nec *satis enudatas* intelligentias quasi fundamenta quaedam scientiae... Ciceron, *De legibus* (92)].

[*Nullo docente*, projecta ab iis quorum *ex prima* et *inchoata* intelligentia genera cognovit confirmat ipsa per se ratio et *perficit*. (*idem*)] (93).

Les Anciens pensaient autrement que nos modernes philosophes tout ce qu'il y a de vraiment supérieur, d'excellent et de divin dans la nature intelligente ou dans cette *raison* qui est comme le lien entre l'homme et la divinité. Combien ces grands auraient repoussé loin d'eux l'abjecte et ridicule doctrine qui prétend faire l'intelligence
16 avec de pures sensations animales, | en tâchant d'effacer ainsi toute distinction entre l'homme et la bête...

Quoi de plus ridicule et de plus absurde en effet que de vouloir faire de toutes pièces des idées intellectuelles, une pensée, une personne morale, avec de pures sensations qui n'ont rien d'intellectuel et de moral ?

Avec des éléments de matière morte, on convient (et on est bien forcé d'avouer) qu'on ne saurait jamais faire un corps organisé vivant. Si ce corps organisé transforme la matière de sa propre substance, c'est qu'il a la *vie* en lui, et qu'il la communique à ce qui ne l'a pas, au lieu de la recevoir.

Pourquoi voudrait-on que l'être intelligent reçût la vie intellec-

[52] *Variante :* se bornerait

[53] *Variante :* ne différerait pas

tuelle des sensations qui sont par elles-mêmes aussi dénuées de cette vie supérieure que la matière brute l'est de la vie physique ? Quand on dit que les idées intellectuelles *viennent* de la sensation, c'est comme si l'on disait que la vie organique est organisée dans les mouvements de la matière brute ou en dérive... Les objections sont les mêmes de part et d'autre. Quels sont les mouvements qui produisent la vie organique ? Pourquoi toute matière n'est-elle pas vivante et sentante ? Pourquoi de même toute organisation vivante et sentante n'est-elle pas intelligente ?

7 | On ne saurait assez s'étonner que tant de grands esprits aient été dupes des sophismes ou des artifices logiques par lesquels on a cherché à dériver de la pure sensation les idées et les opérations intellectuelles.

Les sensations (odeurs, saveurs, sons, couleurs, qualités tactiles) sont reçues et complétées par une force vivante. Nos sensations sont ce qu'elles sont dans l'animal, à part toute opération intellectuelle, comme juger, comparer, choisir, préférer, etc., et c'est en les considérant ainsi en elles-mêmes qu'on leur donne le nom de *sensations*. L'homme et l'animal sont égaux dans ce rapport ; mais une force intelligente, éclairée, s'empare de ces sensations, elle les juge, les met à distance, les coordonne, les compare, préfère l'une à l'autre ; et la sensation jugée, perçue dans un sens, coordonnée,
8 préférée... c'est la sensation animale, plus l'acte intellectuel, | l'idée, la pensée. Il y a là deux éléments et un composé auquel on ne peut attribuer le nom du simple sans abus grossier. On dit que la sensation se transforme... on devrait dire tout au moins[54] qu'elle est transformée, et il y aurait lieu de reconnaître ainsi une force transformatrice aussi différente de la chose transformée que la force vitale des organes sécrétoires est différente de la matière transformée en chile, en bile, en sang[55].

9 | Les hommes qui ont à la fois beaucoup de profondeur et d'étendue d'esprit, et qui ont saisi toutes les branches, tous les points de vue de la philosophie de l'esprit humain, peuvent s'entendre avec les partisans de divers systèmes même les plus opposés en apparence ; car il y a toujours un côté vrai dans chacun de ces systèmes, chacun fournit sa part contributive à l'analyse ou à l'histoire complète des idées et des facultés de l'esprit humain. Celui qui est vraiment savant et qui juge d'en haut tous les systèmes partiels sai-

[54] *Variante :* plus

[55] *Le texte n'occupant que la moitié de la page, on peut supposer qu'il y ait là une solution de continuité ; néanmoins, le commentaire de Proclus continue sur les pages suivantes et l'unité thématique semble conservée.*

sit le bon côté des choses ; il donne raison par là tour à tour aux divers sectaires, et paraît abonder dans leur sens. Mais ceux-ci se tromperaient beaucoup s'ils voulaient s'en prévaloir, car le vrai savant qui approuve ce qu'ils pensent de juste et de vrai dans leur point de vue, ne le considère que comme *partie* d'un[56] tout dont eux-mêmes ne se doutent pas lorsqu'ils prennent chacun leur petit
20 | système partiel pour le tout. En cela ils deviennent objets de la pitié et du mépris du sage.

Si l'homme était *un*, ou s'il y avait en lui unité de *substance* corporelle comme le soutiennent les matérialistes ou ceux qui veulent expliquer tout l'homme par l'organisme, qu'on nous dise d'où peut venir ce sentiment intime d'une opposition entre les lois du corps et celles de l'esprit, ou entre les passions et la libre activité de l'esprit ; car ce ne sont pas là comme le dit Condillac [au sujet des termes abstraits (94)] des parties, ou de simples modifications d'un seul tout que le langage réalise, mais c'est la conscience ou le sens intime même d'une distinction nécessaire ou d'une séparation telle que si elle n'avait pas réellement lieu, comme nous la sentons, rien au monde ne serait certain pour nous ; et la même chose s'appli-
21 que à | ces modes transitoires appelés *sensations* par Condillac. Considérés par rapport à l'activité du moi qui s'en sépare, les juge, les combat, etc., ces faits de sens intime étant évidemment inconciliables avec l'hypothèse des auteurs matérialistes, ou avec celle d'unité sentante, exclusive de l'homme ; il faut ou nier ces faits ou rejeter l'hypothèse.

Les anciens philosophes platoniciens et les alexandrins leurs successeurs ont mis cette distinction et ces vérités de sens intime dans un si beau jour qu'il faut s'étonner de l'ignorance ou de la mauvaise foi des prétendus philosophes modernes qui se sont plu à obscurcir et à confondre de nouveau des vérités si bien établies.

On trouve plusieurs belles et grandes choses sur ce sujet dans le
22 morceau de | Proclus sur la *providence* et le *destin* dont Leibniz paraît avoir beaucoup profité (95).

Proclus distingue supérieurement ce que l'âme opère avec le corps à qui elle est unie, ou par son intermédiaire essentiel et ce qu'elle fait par sa propre force en vertu de sa nature sans intermédiaire.

Corporibus pro organis utitur omnis virtus sensitiva et cum hiis operatur circa propria sensibilia, oculis, auribus... (96)

Passiones omnes aut sensus sunt, aut non sine sensu... (97)

Si igitur, quando que in nobis ratio ut ratio movetur, umbrosam impressionem delectationum concupiscientie cohercet, punit furoris precipitem motum, reprehendit sensum tamquam deceptione ple-

[56] *Rayé :* grand

num, dicens quod neque audimus certum nihil neque videmus... (98)

Elongat se ipsam evidenter a sensibus, contra quos sententiat, et a delectationibus illis et tristitiis sequestratur (99).

| Conserva est ad se ipsam et *videt sui* ipsius substantiam et virtutes que in ipsa et *harmonicas* rationes ex quibus consistit et *multas vitas* quarum est complementum... (100)

Le matérialisme ne peut que dissimuler ces faits de sens intime si évidents pour la conscience ; ils sont inconciliables avec lui et lui avec eux.

Si l'on trouve plusieurs géomètres *matérialistes* ou soi-disant tels, c'est qu'ils s'égarent eux-mêmes, et qu'ils contredisent sans le savoir les premiers principes de leur *science*.

arithmeticam et geometriam multam habere partem que a sensibus ipsam elongant, *purgant* autem intellectum a circumfusis speciebus vite irrationalibus... (101)

anima non erit eorum que ducuntur a fato (102).

Valere igitur dicentes hiis ad que alligamur, et virtutis valorem
4 speculabimur et fatum non | in nos aliquid operans, sed in ea que circa nos (103).

Le fatum exerce son empire sur tous les mouvements organiques qui ne dépendent pas de nous, ou qui se trouvent naturellement soustraits à l'empire de la volonté... tout ce qui dépend de nous échappe par là même aux lois du *fatum* ou de la nécessité de la nature. Donc le moi ou la libre volonté, et le *fatum* ou la nature forment une antithèse et sont deux termes non seulement distincts, mais même opposés. Comment donc ou par quelle hypothèse *forcée, contre* nature, peut-on réduire les deux termes en un seul ? ou mettre l'unité absolue à la place de l'*antithèse*, etc.

autem fato agere in ea que post ipsam, quorum est dominans, coordinatam autem hiis que ante ipsam, a quibus melioribus entibus non abscisa est (104).

non enim ab hiis que sensus est judicare sensum, sed ab intellectualibus rationibus (105).

5 | Media enim rationalis anima *intellectus* et *sensus* ens, fertur quidem ad ambo, manifestat autem ipsius medium et que ab intellectu *perfectio* et que a sensu *deceptio* (106).

Melius autem erat que quidem in nobis enter entia et querere semper et acquirere sibi ipsis, que autem extra et non in nobis relinquere facientibus tanquam dominis et scientibus que faciunt (107).

La grande difficulté consiste à savoir bien distinguer par l'intime réflexion ce qui est en nous ou nôtre, de ce qui est au-dehors ou autour de nous, et qui nous touche sensiblement, sans être nous-mêmes ; car le *nous-mêmes* est uniquement l'être qui veut et *choi-*

sit ; ce qui est à nous proprement n'est autre que ce qui dépend
26 du vouloir. | Les sensations, les passions, et tout ce qui tient à la vie organique n'est donc pas le *nous-mêmes*, et ne peut être appelé nôtre, pas plus que les objets de nature étrangère qui font *subir* leurs impressions. C'est là ce qu'il faut laisser au fatum, ou plutôt au *maître* qui sait ce qu'il faut.

Au moyen de ce qui est *en nous*, nous devons nous tenir préparés à ce qui est hors de nous « ad omnia autem que non in nobis preparatos esse per ea que in nobis » (108). Au moyen des facultés ou des parties de l'organisation qui sont immédiatement au pouvoir du *moi* et sous l'empire de la volonté, nous pouvons nous diriger et maîtriser jusqu'à un certain point l'exercice des fonctions organiques ou des facultés sensitives qui ne sont pas sous la dépendance de l'*âme*. Dans tous les cas, l'âme en se recueillant en elle-
27 même ou en | s'élevant vers la source de tous ses pouvoirs, peut au moins se résigner à la volonté suprême, d'où tout dépend, subir volontairement ce qui lui arrive et qu'elle ne fait pas.

relinquere *facienti* tanquam *domino scienti* que *facit* (109).

necesse igitur animam aut apud illos aut apud istos factam, aut necessitatem subintrare deteriorum aut libertatem premitti meliorum, et *servire* quidem aut *desuper* principatam aut desubtus. Servientem autem, aut *conprincipari* principantibus sibi aut *conservire servientibus solum*. Hic ataque ascendens anima et resumens ipsius potentiam, scilicet virtutem, nihil *dirum* estimabit, et si quodcumque fiat circa corpus et que *extra* corpus... (110)

Dans tout ce qui ne dépend pas d'elle, il faut que l'âme obéisse, soit à la providence suprême, en participant en quelque sorte au pouvoir suprême en tant qu'elle s'identifie avec sa volonté ; soit aux passions de l'organisme, en participant à leur aveuglement et
28 leur bassesse en | tant qu'elle se fait leur esclave ou devient *esclave* comme *elles*.

ɔurce : Appendice aux *Nouvelles considérations...*, éd. Victor Cousin, 1834.

[NOTE SUR LES DEUX RÉVÉLATIONS]

Au-dehors de la sphère d'activité de l'âme humaine et de toutes les facultés d'entendement ou de raison qu'elle embrasse, s'élève une faculté créatrice, dont les caractères et les produits attestent une origine plus haute, et portent avec eux le gage et comme le pressentiment d'une nature immortelle.

Cette faculté supérieure n'a rien de proprement actif : on pourrait donc, sous ce rapport, la comparer aux facultés sensitives, si la sublimité de sa forme, de son objet et de son produit, ne mettait entre elle et cette nature inférieure toute la distance qui sépare le ciel de la terre, l'infini du fini.

Tous les philosophes, qui ont pénétré un peu avant dans les profondeurs de l'âme humaine, ont signalé, sous divers titres, ce côté pour ainsi dire de notre nature.

On trouve des notions relatives à cet ordre supérieur de facultés, établies, dès le premier âge de la philosophie, dans les écoles de Pythagore et de Platon.

Les métaphysiciens de l'école d'Alexandrie fondaient sur la même base leurs doctrines mystiques des émanations ou des communications surnaturelles des âmes entre elles et avec Dieu d'où elles sortent.

Parmi divers passages, extrêmement remarquables sur ce sujet de haute philosophie qu'on trouve dans les livres de cette école, parvenus jusqu'à nous, j'en citerai un seul, extrait des œuvres de Proclus, dont nous devons la publication et le commentaire précieux aux recherches profondes d'un jeune et savant professeur.

Dans le livre *De providentia et fato*, Proclus parlant des platoniciens s'exprime ainsi :

Unam autem eam que ut vere scientiam, et intellectum scientia meliorem, et intellectu deificam intelligentiam ; et hanc esse cognitionem quam anima fantasians et in hac vita accipere non potens desiderat eum qui a corpore exitum, tanquam ibi sortitura supernaturali hac et divinali entium comprehensione. (111)

Dans ses excursions mystiques, van Helmont a peint d'une

manière très remarquable cet état de l'âme qui, cessant de se connaître ou de s'appartenir, passe tout entière sous l'influence d'un esprit supérieur de vie et de vérité.

Comperi sane, dit-il au chapitre si curieux intitulé *Venatio scientiarum, non esse de plena atque libera nostrae voluntatis potestate suo sic intellectu non frui. Et quod ad istud, requiratur plus, quam putare, anniti, optare, velle, etc. [...] Alias namque quam cito quis cogitat de anima sua, aut de re quapiam, tanquam de tertio, cum alteritate separata, extra intellectum, eo ipso, nondum est cogitatio, aut operatio puri, ac solius intellectus. Ast cum anima cogitat seipsam, aut aliud quidquam, tamquam se ipsum, sine alteritate cogitantis et rei cogitatae sine appendentia, extraversione, vel relatione ad durationem, locum et circumstantias. Tum scilicet ejusmodi cogitatio, est intellectualis. [...] Utpote anima, in illo luminis statu, sic apprehendit interiorem et anteriorem rei intellectae essentiam, quod ipse intellectus, transmigrendo esse transformet, in rem intellectam [...] non fit ejusmodi intellectualis cogitatio, cum discretione verborum, aut idiomatum : neque cum sensum, aut rationis precinctu ; neque cum celeriori quodam totius logismi conceptu affatim hausto [...]. Nec etiam prout potest per rationem, aut imaginationem concipi, aut per imaginationes, ideasque cogitari. Verum in illo statu, nunc, hic, sensus, ratio, imaginatio, memoria et velle, sunt simul in merum intellectum liquata, stantque sub tenebris, lumine intellectus obfuscata [...]. Quamobrem sive intellectus transformetur, vel sive se ipsum transformet in simulacrum rei intellectae [...] saltem tunc anima intuetur suum intellectum, sub forma arrepta, in dicto lumine : atque in isto sui speculo speculatur se ipsam intellectualiter abique reflexione alteritatis, sicque concipit rem scibilem, una cum omni suo esse et proprietatibus.* (112)

Van Helmont me semble s'être annoncé comme le précurseur des nouveaux systèmes de métaphysique allemande basés sur l'intuition intellectuelle.

Revenant au point de vue platonicien, relativement au sujet de ces inspirations d'origine céleste, les passages frappants, qu'on trouve à cet égard dans les dialogues de Platon, ont dû porter à croire que les philosophes grecs et plus particulièrement les disciples de Socrate avaient reconnu et exprimé la nécessité d'une révélation.

Sur ce dernier point, savoir : si Pythagore, Socrate ou Platon avaient emprunté quelques parties de leur doctrine des livres hébreux, les recherches d'érudition les plus approfondies n'ont pu rien découvrir de certain ni même de probable à cet égard.

Utrum ab Habreis aliquia didicerint Pythagoras et Plato hactenus, quod id credi suadeat nihil comperi, dit Leibniz lui-même, après de grandes recherches sur ce sujet important. (113)

Quant au point de doctrine, savoir : si les anciens philosophes ont senti le besoin ou reconnu la nécessité d'une révélation divine, il faut bien s'entendre sur la nature, le caractère et l'objet de cette révélation, telle que pouvaient la concevoir ou l'entendre des philosophes éclairés par les seules lumières de la raison.

J'ai eu occasion de traiter cette question qui m'avait été proposée par un savant ami (114) aussi distingué par ses hautes connaissances philosophiques que par son amour éclairé de la religion et de la morale.

Je donnerai ici un extrait assez long de ma réponse à cette grande et belle question.

Je demande d'abord qu'on distingue les idées ou les notions pures de l'entendement, de quelque manière que lui viennent ces idées, soit qu'on prétende les dériver des sens (et de quels sens ?) soit qu'on les suppose comme innées, soit qu'on les admette primitivement révélées par la parole ou avec la parole même (logos), d'avec le sentiment qui s'attache à ces notions, les transmet de l'esprit au cœur, et les approprie ainsi véritablement à notre nature morale. Quelle que soit, en effet, la croyance sur l'innéité ou la révélation ou le mode quelconque de manifestation et de réceptivité des idées ou notions de l'esprit, toujours faut-il reconnaître que ce sentiment ne peut être que suggéré ou inspiré à l'âme qui se sent incapable de se modifier elle-même par un exercice quelconque de son activité.

Cette distinction, qui tient au fait même de conscience, se trouve marquée dans les livres de Platon et dans ces divins Évangiles.

Commençons par ceux-ci :

Dans l'Évangile de saint Jean, Jésus-Christ dit à ses apôtres : « Cet esprit de vérité que le monde ne peut recevoir et ne conçoit pas parce qu'il ne le voit pas, vous le connaîtrez parce qu'il viendra et restera en vous. »

Spiritum veritatis quem mundus non potest accipere quiam non videt eum nec scit eum, vos autem cognoscetis eum quia apud vos manebit. (115)

Et plus bas : « Telles sont les paroles que je vous ai fait entendre : mais l'Esprit-Saint (le Paraclet), que vous enverra mon Père, vous les enseignera véritablement ; seul, il pourra suggérer à vos âmes le vrai sens des paroles que vous aurez reçues par ma bouche. »

Haec locutus sum vobis : Paraclitus autem spiritus sanctus quem mittat pater ille vos docebit et suggeret vobis omnia quaecumque dixero vobis. (116)

Tels sont les traits frappants de cette révélation intérieure, qui consiste dans le sentiment ineffable, suggéré à l'âme, et non pas seulement dans l'idée ou la parole qui s'adresse uniquement à l'entendement. Ici est la lettre, là est l'esprit qui vivifie.

Quel que soit cet ordre de vérités, notions ou idées intellectuelles, il y a toujours lieu de demander si elles ne sont pas des produits de la raison ou de l'activité propre et naturelle de l'esprit humain. Mais l'homme sait par conscience qu'il ne se donne pas ou que son âme ne se suggère pas à elle-même ces sentiments ineffables du bon, de la vertu, de l'infini, de la Divinité : la cause, la source de ces hautes suggestions, ne peut être subjective ; elle tient à une nature plus élevée que les sensations et les idées de l'esprit, plus hautes que tout ce qui est fini.

Les sages, qui puisèrent au fond de la conscience les premières vérités religieuses et morales, durent y trouver aussi cette distinction évidente entre les données et les produits de la raison humaine et les sentiments ou les inspirations de l'âme.

On trouve dans les dialogues de Platon une foule de passages qui font allusion à cette sorte de suggestion ou de révélation antérieure ; mais le disciple de Socrate, non plus que son maître, ne pouvaient entendre cette révélation que dans le sens de l'esprit, et non point selon la lettre positive que la religion nous enseigne.

C'est en effet par la lumière naturelle ou par la meilleure ou la plus haute direction des facultés intellectuelles et morales de notre nature que Socrate paraît s'être élevé aux notions du vrai Dieu, de l'âme immortelle et libre, du bien et du mal moraux.

Ceux qui croient que ces premières vérités ne purent qu'être tirées des livres des Hébreux, ou transmises par l'Égypte aux philosophes grecs, me semblent restreindre singulièrement les bornes de ces puissances intellectuelles que Dieu a données à l'homme, en le livrant au concours des moyens internes et externes préordonnés dans le but d'étendre et d'assurer le développement progressif de ses facultés naturelles.

Sans doute, ces sages qui purent s'élever jusqu'au dogme de l'unité de Dieu et de l'immortalité de l'âme, par les seules formes de la méditation, avaient, comme nous l'avons tous, la conscience de l'imperfection et des limites naturelles et nécessaires des facultés humaines. Plus ils étaient élevés, plus ils devaient sentir le besoin d'un infini, qu'il n'est pas donné à l'homme d'atteindre..., plus ils devaient désirer aussi une communication plus immédiate, plus intime avec cette raison suprême, dont ils avaient conçu l'existence et reconnu la nécessité. Aussi voit-on les premiers philosophes, qui désiraient faire participer leurs semblables à la vraie lumière dont ils étaient éclairés, invoquer le secours d'une autorité supérieure à celle de leurs paroles ou de leur nom, pour confirmer et répandre cet enseignement sublime dont les dialogues de Platon offrent le type.

C'est dans ce but sublime que Socrate réclame l'intervention divine pour que ses leçons profitent à ses disciples en s'insinuant dans leur âme. Telle est aussi la révélation tout intérieure, dont il sent et exprime la nécessité dans les dialogues du Théagès et des deux Alcibiade au même sens que Jésus-Christ annonce à ses disciples la révélation intérieure du Paraclet dans l'Évangile de saint Jean.

C'est dans cet esprit qu'il faut chercher le vrai sens de plusieurs passages de ces dialogues.

La comparaison faite, dans la *République*, du souverain bien, Dieu, avec le Soleil, est aussi très frappante et remarquablement belle dans ses développements et son application aux vérités intellectuelle et morale et à la manière dont notre esprit les perçoit. On y trouve presque le sublime de ces paroles divines de l'Évangile de saint Jean : *Erat lux vera quae illuminat omnem hominem venientem in hunc mundum, et lux lucet in tenebris, et tenebrae eam non comprehenderunt.* (117)

Ce que la lumière du soleil est dans le lieu sensible par rapport à la vue du corps et aux objets perçus, le souverain bien ou l'esprit de Dieu l'est par rapport à l'entendement et aux êtres intelligibles.

L'impression sensible de la lumière sur l'œil qui s'ouvre pour la première fois à ses rayons est passive pour l'être sentant qui la reçoit et qui en est affecté, soit qu'il veuille ou ne veuille pas. Il y a de même une impression passive du souverain bien ou de la lumière divine sur l'esprit de tout homme qui vient au monde ; c'est par cette lumière seule que tout esprit crée vit et existe, ou se conçoit ; le principe, la cause, la raison suffisante de cette vie intellectuelle n'est pas plus, en effet, dans l'homme même ou dans le *moi*, que le principe ou la raison de la vie sensitive n'est dans l'animal.

Mais comme la perception distincte des objets visibles exige en même temps et l'activité du regard et la présence de la lumière intérieure, ainsi l'aperception claire des êtres intelligibles exige le concours de l'activité libre de l'esprit avec la lumière supérieure divine qui en est la source, la condition, ou le moyen nécessaire, mais non pas la cause absolument efficiente.

Que si cela était, ou si l'âme pensante était réduite à une variété complète d'intuitions, dès lors absorbée en Dieu, elle n'aurait plus la propriété d'elle-même : en perdant l'action propre qui la constitue personne, moi, elle ne pourrait être considérée comme substance*. Tel est ce concours divin, comme le dit encore Leibniz

* Leibniz dit supérieurement : *Beatitudo animae consistit utique in unione cum Deo ; modo non putemus absorberi animam in Deum, proprietate, et quae substantiam propriam sola facit, actione, amissa, qui malus fuerit* enthousiasmos *neque expectenda Deificatio*. (118) Il ne s'agit pas

(en entrant profondément dans la vue de Platon), qui fait qu'en un certain sens Dieu seul peut être considéré comme l'objet extérieur de l'âme, ou comme étant à chaque esprit créé ce que la lumière est à l'œil.

La comparaison de Platon étant ainsi entendue, on saisit mieux le vrai sens des paroles attribuées à Socrate dans le passage suivant qui résume admirablement la doctrine de Platon sur les idées intellectuelles.

« Comme de tous les organes de nos sens, l'œil est celui qui a le plus de rapports avec la lumière du soleil (quoiqu'il ne soit pas, ou qu'il ne porte pas en lui cette lumière) ; ainsi de toutes les facultés de nòtre esprit, la raison est celle qui a le plus de rapports avec le souverain bien ou la lumière divine, quoiqu'elle ne soit pas cette lumière, ou qu'elle ne la porte pas en elle-même. » (119)

Et c'est là ce qui éloigne l'idée d'un caractère purement subjectif, attribué par des auteurs systématiques aux êtres intelligibles de Platon, ou aux notions universelles et nécessaires des modernes, manifestées à l'âme par une lumière divine que l'âme ne fait pas, ou qu'elle ne porte pas en elle-même, mais vers laquelle elle se tourne et se dirige par son activité propre.

Je prie qu'on relise un admirable passage de l'*Alcibiade* (120), qui revient parfaitement à ce que nous venons de dire de la condition et du moyen qui sert à l'homme à se connaître en connaissant Dieu, et en se voyant se mirant dans l'esprit divin qui lui renvoie sa lumière de même que l'œil se voit ou se mire dans un autre œil hors de lui, qui lui réfléchit son image comme étant d'une nature analogue à la sienne. Je ne connais rien de plus beau en philosophie que ce dialogue.

Revenons à notre sujet :

Si les objets intelligibles (l'être, l'âme, la substance, la cause, etc.) sont en nous, en tant que nous sommes conscients de nous-mêmes ;

de la substance, mais du sentiment du *moi* ou de la personnalité humaine, qui peut être absorbée ou remplacée par l'esprit divin, leur substance restant la même.

Le Fils qui est la manifestation du Père (de l'être) se retire vers lui ; toute manifestation sensible cesse avec le Fils (le *moi*), mort, enseveli, et c'est alors que commence la véritable vie. De son Père, où il est rentré, le Fils envoie à sa place l'Esprit-Saint, l'amour vivifiant. C'est lui qui dirige ceux qui s'abandonnent à lui en faisant abnégation de leur propre esprit, de leur *moi*, etc.

Le fait psychologique, sur lequel peut se fonder le point de vue mystique, semble s'accorder parfaitement avec la Révélation et les propres paroles du Sauveur où l'on trouve, presque toujours au figuré, quelques vérités intérieures.

si la lumière appropriée à ces objets, où Dieu lui-même est présent à l'âme alors même qu'elle ne le voit pas ou ne le cherche pas ; s'il est vrai, dans le sens platonique, que l'idée du souverain bien, et par elle celle de tous les êtres intelligibles, les vérités absolues, universelles, nécessaires soient innées ou infuses à notre âme, de telle sorte qu'en entendant, pour la première fois, les paroles ou les signes qu'elles expriment, l'âme ne fasse que s'en ressouvenir, ou en avoir la réminiscence, loin d'en recevoir la science du dehors, il n'est donc pas besoin d'une révélation directe, extérieure et temporaire, qui ait en vue, relativement à cet objet, quelqu'une de ces vérités premières, apanage de notre nature. Au contraire, toute la doctrine de Platon sur les idées, et particulièrement la comparaison du soleil avec le souverain bien (qui est comme le symbole de cette doctrine) serviraient plutôt à prouver que les premiers sages n'ont eu aucune idée de la nécessité d'une révélation, ou d'un enseignement direct, accordé aux hommes, par la Divinité, qui n'aurait pu à cet égard que leur révéler ce qu'ils savent d'eux-mêmes par les lumières naturelles et comme par réminiscence d'un état antérieur.

Mais il n'en est pas de l'inspiration ou de la suggestion du sentiment qui approprie les vérités à l'âme, comme de la lumière pure qui les montre à l'esprit lorsqu'il se tourne vers elle, en écartant les obstacles, les images, les sensations, les passions, etc.

La lumière est constamment présente à nos âmes, il ne faut qu'un certain degré d'activité qui dépend de nous pour apercevoir nettement les objets qu'elle éclaire. Mais « l'esprit souffle où il veut » ; nous ne pouvons nous inspirer à nous-mêmes le sentiment ou l'amour du souverain bien, comme nous pouvons concevoir ou remémorer son idée, pour l'exercice de notre libre activité. Nous ignorons complètement les moyens dont Dieu se sert pour cette inspiration ou cette révélation tout intérieure par laquelle il se communique à nous et nous unit à lui plus intimement. Cette suggestion divine n'est pas donnée à toutes les âmes, ni à la même âme constamment et en tout temps. Quelquefois, elle nous saisit subitement et nous ravit au troisième ciel, et l'instant après, elle nous abandonne et laisse l'homme retomber de tout son poids vers la terre. C'est là, et là uniquement, qu'éclate l'action immédiate de la divinité sur l'âme humaine. C'est à cette source que tous les philosophes religieux en ont puisé l'idée et l'intime conviction. On la reconnaît surtout dans les pages d'inspiration que Fénelon a écrites sur l'amour divin, qui le réfèrent parfaitement aux passages cités des dialogues de Platon.

Quand Socrate dit à Théagès que, s'il veut faire des progrès dans le bien ou la sagesse, il doit s'adresser à Dieu, c'est moins sans doute, pour qu'il lui donne la science ou l'intelligence que l'amour de la sagesse ou l'attrait pour les choses divines* (121).

Dans le deuxième *Alcibiade*, à la fin, Socrate réprime avec autant d'énergie que de raison ces prières insensées que les hommes, étrangers à l'esprit de sagesse, esclaves des passions, adressent aux dieux. Le sage, le juste, sait seul ce qu'il faut demander à Dieu (122). Socrate engage Alcibiade à attendre, pour prier comme il faut, qu'il lui ait été enseigné comment il convient de se conduire envers Dieu et envers les hommes ; et quand Alcibiade demande qui le lui enseigne, Socrate répond : Celui qui veille sur toi, savoir (en consultant ce qui précède) le génie même de Socrate, ou l'esprit de sagesse, le démon qui l'inspire ; mais, auparavant, il faut que cet esprit sorte des nuages ou dissipe ces vains fantômes qui obscurcissent l'entendement d'Alcibiade, de même que, dans Homère, Minerve sort de la nue qui la cachait aux yeux de Diomède (123).

N'est-ce pas là le complément de ce que Socrate disait à Alcibiade à la fin du premier dialogue : « Savez-vous par quels moyens vous pourrez parvenir à chasser tout ce qui occupe et trouble aujourd'hui votre esprit ? Car je ne veux pas même qualifier ou nommer des choses si basses eu égard à un esprit aussi élevé que le vôtre ?

ALCIBIADE. — Je le sais.

SOCRATE. — Comment donc ?

ALCIBIADE. — Ce sera, si vous le voulez, ô Socrate.

SOCRATE. — Vous ne dites pas bien, ô Alcibiade.

ALCIBIADE. — Comment donc faut-il dire ?

SOCRATE. — Si Dieu le veut, etc. » (124)

Cette dépendance où est l'âme, à l'égard de certains sentiments qu'elle ne se donne pas, et qui pourtant font sa perfection et sa vie, les stoïciens ne l'ont pas reconnue, et c'est aussi ce qui rend leur morale si incomplète, si inférieure à celle des premiers platoniciens, et surtout à celle du christianisme.

« La principale merveille que Dieu fait en nous, dit Fénelon, c'est de remuer notre cœur comme il lui plaît, après avoir éclairé notre esprit : il ne se contente pas de se montrer infiniment aimable, mais il se fait aimer en produisant par sa grâce son amour dans nos cœurs. » (125)

« Ce n'est pas seulement (ajoute ce philosophe du cœur) la loi extérieure de l'Évangile que Dieu nous montre par la lumière de

* Ceci revient à un passage de Bossuet intitulé *Mystici in tuto* où on lit : *Beatus Joannes in cruce qui de contemplatione sive oratione simplicis intuitus scripsit quem amatorium sive amorosum appellant*, etc.

la raison ou de la foi. C'est son esprit qui parle, qui nous touche, qui opère en nous, et qui nous anime ; en sorte que c'est cet esprit qui fait en nous et avec nous tout le bien que nous faisons comme c'est notre âme qui anime notre corps et en règle les mouvements. » (126)

Voilà le démon ou l'esprit de Socrate, la révélation intérieure, dont les anciens philosophes ont senti et exprimé le besoin.

urce : BI, ms. 2123.

[NOTE SUR L'ÉVANGILE DE SAINT JEAN]

Commentaire de Charles Loyson (127)

28 | Prenons d'abord ce que l'Apôtre dit de Dieu comme une pure description psychologique, et cherchons en nous-mêmes les faits qu'il décrit.

1° *Au commencement était le Verbe.* — Dans le premier comme dans le plus profond exercice que l'homme puisse faire de ses facultés, lorsqu'il se retire du dehors et se renferme en lui-même, se met vis-à-vis de lui-même et s'interroge ou s'écoute lui-même, il trouve le sentiment de son existence ou plutôt de son activité, car pour lui *être*, c'est agir. Ce sentiment double ou plutôt un, qui semble commencer dans un autre monde pour finir dans celui-ci, est une sorte de parole, un battement de la vie, signe de l'intelligence, c'est le verbe, le mot par excellence : *j'agis*, plutôt que je suis, ou l'un enveloppé dans l'autre. (Origine du langage. — Rapport du signe à la chose signifiée — Verbe en grammaire, — pronom de la première personne.) Voilà donc la première chose que nous éprou-
31 vions : | ce qui était au *commencement*, le *Verbe*.

2° *Et le Verbe était avec Dieu.* — En même temps que nous sentons cette manifestation de notre vie, de notre activité, nous concevons quelque chose de substantiel et de permanent, dont cette manifestation n'est qu'une production ou une image, limitée par la durée. Cette substance, c'est Dieu le Père, dans le mystère de l'Apôtre ; ce sera l'âme dans la description de l'homme ; le Verbe, le *moi* est avec, chez l'âme, *apud Deum*.

3° *Et le Verbe était Dieu.* — Le *moi* n'est pas seulement une action de l'âme, il en est une action, une production, son image, comme je l'ai dit, et sous ce point de vue, le *moi* est rigoureusement l'âme : *et le Verbe était Dieu*.

4° *Il était au commencement avec Dieu.* — Nous ne pouvons pas concevoir une âme dont la nature ne soit pas de se sentir, de s'exprimer en elle-même par un *moi*. Ce *moi* est donc au commencement avec l'âme, son contemporain, quoique son fils et

132 | 5° *Toutes choses ont été faites par lui et rien de ce qui a été fait n'a été fait sans lui*. — Ces paroles, dans un sens théologique, contiennent le mystère sublime de la création ; dans un sens naturel, elles s'appliquent parfaitement à l'homme. Que faisons-nous ? Prenons-y bien garde ! rien autre chose que des arrangements, des dispositions ; cela est vrai au sens intellectuel, moral et physique ; les choses préexistent et nous sont données. Mais qu'est-ce donc que ces arrangements ? L'œuvre de l'intelligence qui n'a conscience d'elle-même que dans le *moi*. Le manœuvre qui exécute machinalement agit d'après les plans d'un autre *moi*. Tout se fait par le *moi* et rien ne se fait sans lui. L'évangéliste a ajouté : « *de ce qui se fait* »· aussi admirable par la précision que par sublimité.

6° *En lui était la vie*. — Ceci n'a pas besoin d'explication. Nous sentons que la vie et le *moi* se confondent. Admirons cependant l'exactitude du philosophe : la vie est dans le *moi* et non le *moi* dans la vie. Le *moi* est plus ample : nous nous sentons vivants, mais nous sentons autre chose, l'évangéliste ajoute donc :

135 | 7° *Et la vie était la lumière des hommes*. — Un moment d'attention sur notre conduite habituelle ! Lorsque nous agissons, soit d'après des besoins aveugles, des instincts irréfléchis, des préjugés reçus sans examen, lorsque nous abandonnons la partie de notre vie à la matière, au temps, à l'habitude, lorsque nous prononçons les paroles que nous avons été accoutumés à répéter dès notre enfance, et qui, avec leur vague et leur indétermination, font tout le commerce de la vie, nous agissons à la lettre et nous parlons sans lumière, sans savoir ce que nous faisons, ce que nous disons. Ce n'est pas nous qui agissons, qui parlons ; le *moi* n'est pas là : nous nous prêtons à un autre *moi* passé, étranger. Mais lorsque nous ramenons chaque action, chaque parole en nous-mêmes, elles puisent leur force, leur vertu, leur fécondité à cette source ; elles s'éclairent à ce flambeau ; le *moi* est le premier mot dont tous les autres ne sont que des dérivés ; il en est la clef et on ne peut les entendre que par lui, et *la vie était la lumière des hommes*.

136 | 8° *Et la lumière luit dans les ténèbres et les ténèbres ne l'ont point comprise* . — Notre vie, la plupart du temps, et la vie tout entière d'une grande partie des hommes est telle que je viens de le dire, livrée aux circonstances, aux besoins, aux sensations, aux préjugés, c'est-à-dire *aux ténèbres* (ceci n'est point une métaphore). Cependant les hommes ont le *moi*, et le *moi* luit en eux, car il ne peut être sans luire ; mais il luit enveloppé, caché ; il luit dans les ténèbres. Ce n'est que par un effort que quelques hommes pénètrent jusqu'à cette lueur qui est en eux-mêmes, et aucun ne peut

la contempler constamment, et il ne peut la contempler qu'en dissipant tout le reste, car tout le reste est ténèbres et par conséquent
37 obstacles, et les *ténèbres ne comprennent point* la lumière. | D'où vient [cela] ? Sont-ce deux natures ? Mais pourquoi ne vivons-nous pas sans effort dans la principale, la plus parfaite, la plus nôtre ? Quelle a été dans l'origine la cause de ce désordre évident ? Comment les ténèbres ont-elles prévalu sur la lumière ? Naturellement nous l'ignorons, mais nous le voyons ; c'est un fait indubitable ; Dieu a voulu y remédier d'abord.

9° *Il y eut un homme, envoyé de Dieu, qui s'appelait Jean ; il vint pour servir de témoin, pour rendre témoignage à la lumière.* — Voici le but du christianisme, rappeler les hommes à la vie intérieure, à la vie de lumière, à la vie du *moi*, bien entendu.

10° *Afin que tous crussent par lui.* — Le *moi* ne nous donne pas toute et pleine évidence sur toutes choses, mais nous y trouvons la nécessité de croire.

11° *Il n'était pas la lumière, mais il vint rendre témoignage à celui qui était la vraie lumière.* — Jean n'était qu'un sage envoyé de Dieu, qui savait vivre dans la partie la plus parfaite de sa nature ; mais enfin, il n'était comme les autres qu'un composé de lumière et de
38 ténèbres, et tout | ce qu'il avait de plus qu'eux, c'était de trouver dans la partie lumineuse de quoi rendre témoignage à celui qui était la lumière.

12° *Celui-là était la vraie lumière qui éclaire tout homme venant en ce monde.* — C'est ici le mystère. L'homme n'est qu'une faible image de la Divinité, image à la lettre, c'est-à-dire que ce qui se trouve imparfaitement dans l'homme, se retrouve pleinement, substantiellement en Dieu. Le Verbe, le *moi* humain est l'image d'un verbe, d'un *moi* divin qui est la manifestation de la vie ou de l'activité divine, en qui Dieu se sent et se conçoit comme essence ; *moi* engendré, fils coéternel qui est Dieu dès le commencement, par qui Dieu a tout fait ; parole intérieure par laquelle Dieu se dit éternellement : je suis et je produis ; et le disant, le fait, et se substantialise et se personnifie en cette émanation de lui-même, vie de Dieu dans cette parole substantielle et lumière dans cette vie, c'est-à-dire
39 intelligence suprême. Tel est celui à qui Jean | rendait témoignage et qui était la vraie lumière (attention à ce mot *vraie*), la lumière dont la nôtre n'est qu'une image, même dans sa perfection, lumière qui doit rallumer la nôtre ou plutôt la faire luire de manière à dissiper les ténèbres qui l'enveloppaient. Chaque homme qui vient dans le monde apporte sa lumière, mais elle n'est que l'image et la production de la lumière vraie, éternelle et créatrice.

13° *Il était dans le monde.* — Par sa toute-présence, par la lumière naturelle du Verbe humain.

14° *Et le monde a été fait par lui.* — Platon dit aussi que c'est par son intelligence que Dieu produit ἐποίησίν. Au reste il est évident que c'est l'action de Dieu qui a tout produit, et le Verbe est, comme nous l'avons vu, cette action substantielle, éternelle, et le manifestant lui-même à lui-même comme étant, et comme cause.

15° *Et le monde ne l'a point connu.* — Parce que les hommes vivant dans leurs ténèbres ne sont point descendus en eux-mêmes dans ce sanctuaire où luit leur lumière, qui seule pouvait les rendre capables d'envisager la lumière vraie.

140 | 16° *Il est venu chez soi et les siens ne l'ont point reçu.* — *Il*, le Verbe, fils de Dieu, l'intelligence essentielle, première et unique, est venu, s'est manifesté en personne dans le monde des formes et des phénomènes. Qu'y a-t-il là de surprenant ? *chez soi*, au milieu des hommes qui ont aussi leur verbe, image et émanation du verbe divin ; et *les siens*, ces mêmes hommes ne l'ont point reçu parce qu'ils sont restés dans la vie extérieure et ne l'ont point cherché en eux.

17° *Mais il a donné à tous ceux qui l'ont reçu le pouvoir d'être faits enfants de Dieu.* — Ce n'est point ici une métaphore. Ceux qui ont reçu le verbe divin et par lui retrouvé la possession et la vie du verbe humain, sont véritablement enfants de Dieu, non avec la même plénitude, mais de la même manière que le vrai verbe.

18° *A ceux qui croient en son nom.* — Mais pour cela il ne suffit
143 | pas de le retrouver à demi dans son intelligence, il faut le retrouver aussi dans la foi.

19° *Qui ne sont point nés du sang ni de la volonté de la chair, ni de la volonté de l'homme, mais de Dieu même.* — Celui qui vit de la vie extérieure vit en tant que né du sang, de la volonté de la chair, suivant l'expression admirable de l'Apôtre, en un mot, de la volonté de l'homme, parce que toutes ses actions sont le résultat de facultés dont c'est là l'origine ; ils sont donc à la lettre nés du *sang*, etc. Mais dès le moment où un homme se retrouve et qu'il commence à vivre dans la vie du *moi*, il vit en tant que né de la volonté de Dieu. Je ne sais si je parle clairement, mais il me semble qu'il y a à peine ici le moindre mystère.

20° *Et le verbe a été fait chair.* — Qu'est-ce que la chair ? qu'en savons-nous ? Nous savons notre *moi*, mais la chair n'est pas le *moi* ; nous concevons seulement qu'il y a entre eux des rapports.
144 Eh bien ! le *moi* divin a consenti à se mettre | dans le même rapport, à affecter la même forme, à unir sa nature à une autre nature, et à venir parmi nous dans les conditions de temps, d'espace, de sensibilité qui forment ce monde réel ou phénoménique.

21° *Et il a habité parmi nous.* — Sa nature corporelle et sensible a été comme la nôtre soumise aux mêmes lois. Sa nature divine, intellectuelle et morale a communiqué avec la nôtre. C'est en ce sens que l'Évangile ajoute :

22° *Et nous avons vu sa gloire, sa gloire telle que le Fils unique devait la recevoir du Père.* — Quelle est cette gloire ? C'est la manifestation de l'intelligence suprême ; l'Apôtre l'explique lui-même.

23° *Plein de grâce et de vérité. — Plein de vérité*, puisqu'il est la manifestation de l'être. *Plein de grâce*, ce mot paraît ici pour la première fois. La grâce, c'est l'amour, l'affection, le principe de
47 l'action. L'intelligence ne suffit | pas[57].

24° *Et nous avons tout reçu de sa plénitude.* — Cette expression n'a plus besoin d'explication ; aussi ne la citai-je que pour en faire remarquer l'exactitude. J'aime à montrer la précision philosophique des mots qui pourraient être pris comme des figures ou termes vagues.

Grâce pour grâce. — Notre *amour*, notre *grâce humaine* a attiré ce don surnaturel, cette grâce divine qui éclaire et vivifie, féconde tout.

25° *Car la loi a été donnée par Moïse.* — Moïse a en effet donné la loi, l'expression de l'intelligence et de la volonté éternelle, mais comme loi ; il parlait aux hommes extérieurs. Que fait Jésus qui vient apporter le règne de Dieu, c'est-à-dire la vie intérieure ? Il donne la *grâce*, principe de la volonté, et l'intelligence, la manifestation de ce qui est, c'est-à-dire la vérité ; c'est l'âme de la loi.

48 26° *Nul n'a jamais vu Dieu* | ; *le Fils unique qui est dans le sein du Père est celui qui en a donné la connaissance.* — Ceci s'applique aussi mot pour mot à l'homme. Nul n'a jamais vu l'âme, le Verbe, le *moi* ; le Fils unique qui est dans le sein de l'âme en donne la connaissance.

27° *Qu'y a-t-il de commun entre vous et moi ?* — (128) Vous me demandez un miracle pour des motifs humains, parce que vous êtes femme. Sous ce rapport, nous n'avons rien de commun. *Mon heure n'est pas arrivée.* Les motifs qui vous décident à me prier ne sont pas les miens pour arriver. Je ferai ce que vous désirez, mais dans une autre vue. *Ce fut là le premier des miracles de Jésus-Christ et par là il fit connaître sa gloire et ses disciples crurent en lui.*

Commentaire de Maine de Biran (129)

48 | Ce Verbe qui demeure en Dieu, qui est Dieu, est *une personne sortie de Dieu même et y demeurant**. N'est-il pas bien représenté

* Bossuet, *Discours sur l'histoire universelle* [p. 179, cf. note 130].

[57] *En marge du verset 15 :* Assez clair

par la manière dont nous percevons intérieurement que le *moi* (la
149 pensée) est et demeure dans l'âme toujours subsistant et | toujours
produit. — Le moi fils de l'âme puisqu'il est produit —.

Une lumière nous apparaît partout ; elle se lève sous les Patriarches ; sous Moïse et sous les Prophètes elle s'accroît ; Jésus-Christ plus grand que les Patriarches, plus autorisé que Moïse, plus éclairé que tous les prophètes nous la montre dans sa plénitude*.

« Celui qui a révélé les deux principaux mystères de la Trinité et de l'Incarnation nous en fait trouver l'image en nous-mêmes afin qu'ils nous soient toujours présents, et que nous reconnaissions la dignité de notre nature. En effet, si nous imposons silence à nos sens, et que nous nous renfermions pour un peu de temps *au fond de notre âme*, c'est-à-dire dans cette *partie où la vérité* se fait entendre, nous y verrons quelque image de la Trinité que nous adorons.
La pensée que nous sentons naître comme le germe de notre esprit,
150 comme le fils de notre intelligence, nous donne | quelque idée du
Fils de Dieu conçu éternellement dans l'intelligence du Père Céleste. C'est pourquoi ce fils de Dieu prend le nom de *Verbe*, afin que nous entendions qu'il naît dans le sein du Père, non comme naissent les corps, mais comme naît dans notre âme cette parole intérieure quand nous contemplons la vérité. » (130)

Tout ceci est conforme à la vraie psychologie (et rentre parfaitement dans le point de vue de mon jeune et à jamais regrettable ami Charles Loyson) (131).

Comme l'âme se manifeste par la libre action, la parole intérieure,
le *Verbe*, auquel le sentiment de *moi* est inhérent, le *Père* se mani-
153 feste par son Fils dont la parole vivifiante a produit et sauvé le |
monde. La vérité psychologique intérieure correspond pleinement à la vérité religieuse *absolue* ou extérieure. Cela prouve que ceux qui veulent tout faire venir du dehors à l'homme en proscrivant toute spéculation ou recherche psychologique, entendent aussi mal les intérêts de la religion que ceux de la philosophie ou de la raison.

« L'homme isolé, dit M. de Lamennais (132), ne pouvant ni recevoir ni transmettre, et cependant voulant vivre, essaye de se multiplier ou de créer en lui les personnes sociales, nécessaires pour conserver et perpétuer la vie. Vain travail, stérile effort d'un esprit qui cherchant à se féconder lui-même, veut enfanter sans avoir conçu. Ce genre de dépravation, ce vice honteux de l'intelligence l'affaiblit, l'épuise et conduit à une espèce particulière d'idiotisme qu'on
154 appelle l'idéologie. » Misérable, honteuse | comparaison emprun-
tée à M. de Bonald qui devrait faire rougir jusqu'à ses admirateurs (133) ! L'homme qui *pense* s'isole actuellement de tout ce qui

* Bossuet, *Ibidem*.

n'est pas son *moi* ; c'est en s'isolant ainsi, en se renfermant *au fond de son âme*, comme dit Bossuet, dans cette partie où la vérité se fait entendre, que l'homme trouve en lui-même quelque image de cette Trinité qu'il doit adorer et dont tout ce qui est extérieur ou étranger à la pensée, au *moi*, ne peut lui offrir la moindre conception ou n'est propre qu'à le distraire. Chez les Anciens, dit M. de Lamennais (134), l'idéologie, la psychologie ou l'étude de l'homme intérieur étaient méconnues. Lisez donc les dialogues de Platon et dites-moi si ce grand esprit avait allumé ce flambeau qui a éclairé les siècles !

157 | « Mais, continue Bossuet, la fécondité de notre esprit ne se termine pas à cette parole intérieure, à cette pensée intellectuelle, à cette image de la vérité qui se forme en nous. Nous aimons cette parole intérieure et l'esprit où elle naît, et en l'aimant nous sentons en nous quelque chose qui ne nous est pas moins précieux que notre esprit et notre pensée, qui est le fruit de l'un et de l'autre (tout sentiment de l'âme est le produit de son activité), qui les unit et s'unit à eux pour ne former avec eux qu'une même vie... Toute incompréhensible que soit en elle-même cette trinité (des trois personnes divines), notre âme, si nous l'écoutons, nous en dira quelque chose. Elle est, et quand elle sait parfaitement ce qu'elle est, son intelligence répond à la vérité de son être, et quand elle aime son être
158 |avec son intelligence autant qu'ils méritent d'être aimés, son amour égale la perfection de l'un et de l'autre. Ces trois choses ne se séparent jamais et s'enferment l'une l'autre. Nous *entendons* que nous *sommes* et que nous aimons et nous *aimons* à *être* et à entendre ; qui le peut nier, s'il entend lui-même ? » (*id.*, bien dit) (135).

Mais comment s'entendre soi-même si l'on se porte tout entier au-dehors et qu'on nie l'autorité de toutes nos facultés, y compris la réflexion ou le sentiment intime, pour ne croire que l'autorité du témoignage ou d'une révélation toute extérieure ? Comme si la révélation qui s'adresse à l'homme ne s'adressait pas nécessaire-
159 ment à quelqu'une des facultés de l'homme dont | l'autorité même, antérieure à toute autre, sert de fondement à celle du témoignage ou de la parole révélée ! Ainsi, on a beau faire, la psychologie, science de l'homme intérieur, se présentera toujours comme la première science, celle qui donne à la croyance ses fondements nécessaires, et sans laquelle cette croyance même n'est qu'un rêve de malade, une superstition aveugle et grossière. La foi elle-même n'est qu'un fait psychologique distinct de tout autre fait primitif de conscience, comme de tout produit de la raison qui reçoit ses données de la foi. Si c'est là ce que M. de Lamennais a voulu dire en s'élevant contre l'abus du raisonnement ou de la raison appliquée aux croyances, tous les vrais philosophes seront de cet avis ; mais il ne

fallait pas pour cela déclamer contre la raison et tomber dans des
160 exagérations ridicules, | renouvelées des pyrrhoniens ou des sophistes grecs, pour tomber dans une grossière inconséquence en ramenant toutes les certitudes à une seule source, l'autorité du témoignage, qui est elle-même subordonnée à l'autorité de ces mêmes facultés qu'on renie.

Chapitre VI. Verset 46. *Ce n'est pas qu'aucun homme ait vu le Père, si ce n'est celui qui est né de Dieu.* Tous les discours de Jésus-Christ doivent être entendus dans le sens de cette vie supérieure où l'homme sent qu'il est animé, dirigé, inspiré par un esprit plus haut que lui, où il croit à cet esprit, s'y soumet tout entier et est d'autant plus fort, d'autant plus intelligent qu'il croit en celui qui fait sa vie et en reçoit tout sans rien faire. L'esprit de l'homme ne voit
161 que ce qui est de l'homme ; l'esprit de Dieu voit | seul ce qui est Dieu.

Chapitre VII. Versets 16 et 18. *Ma doctrine n'est pas ma doctrine, c'est celle de celui qui m'a envoyé... Celui qui parle de son propre mouvement cherche sa propre gloire ; mais celui qui cherche la gloire de celui qui l'a envoyé est seul véritable.* La parole de Dieu se faisant entendre par une bouche humaine, Dieu lui-même se revêtant d'une forme sensible pour agir sur des hommes grossiers qui avaient besoin de voir, d'entendre, de toucher pour croire à la vérité : voilà l'objet de la mission du Christ, et c'est ce qu'il exprime dans tous ses discours.

Chapitre VIII. Versets 23 et 24. *Vous êtes de ce monde et moi je ne suis pas de ce monde... Si vous ne me croyez pas ce que je suis, vous mourrez dans votre péché.* Si vous ne voyez pas en moi
162 la manifestation de la vérité ; si vous ne recevez | pas l'*esprit* que je cherche à vous transmettre par mes paroles ; si vous ne mangez ce pain de vie que je vous offre, vous demeurerez esclaves de vos sens, de vos passions, ne voyant, ne goûtant que ce qui est de la chair, et vous mourrez en la chair, avec elle et comme elle. L'âme a ses aliments appropriés comme le corps a les siens : les aliments de l'âme sont la vérité et la justice ; c'est le pain quotidien que nous demandons.

Chapitre VI. Verset 32. *Moïse ne vous a point donné le pain du ciel ; mon père seul peut vous donner ce véritable pain du ciel* (l'esprit de vérité, la vie de l'âme). Les Juifs n'entendaient jamais les paroles de J.-C. les plus spirituelles que dans un sens matériel
165 et grossier. Il leur parlait | le langage d'une vie supérieure à celle des sens et ils le traduisaient dans celui d'une vie charnelle, dans la langue des sensations et des images grossières. Ils ne pouvaient entendre ainsi ces autres paroles du Christ : *Je m'en vais ; vous me chercherez, et vous ne me trouverez point et vous mourrez dans le péché* (136). Je disparais aux regards du corps, vous me cher-

cherez comme corps et vous ne me trouverez pas, car le *moi* est l'esprit vivifiant, celui qui ne le cherche pas ou ne le trouve pas meurt dans la *chair*. « Nous ne le verrons plus des yeux, dit Bossuet, mais ne le verrons-nous plus des yeux de l'esprit ? A Dieu ne plaise ! où serait donc notre foi et notre espérance ? Il s'en va donc et il demeure, comme quand il est descendu du sein du Père il y est demeuré, aussi quand il y retourne, il ne demeure pas moins avec nous. L'homme qui disparaît est le même que Dieu qui demeure ;
66 | celui qu'on voit est le même que celui qu'on ne voit pas. » (137)

Chapitre VIII. Versets 14 et 18. *Quoique je me rende témoignage, mon témoignage est véritable... et mon père qui m'a envoyé me rend aussi témoignage.* Celui-là seul qui vit de la vie de l'esprit peut se rendre témoignage, avec la conscience intime qu'il rend témoignage à la *vérité* que l'esprit seul connaît comme elle doit être connue parce qu'il en vient, et qu'il est identifié avec la lumière du monde.

Verset 15. *Juger selon la chair.* C'est juger dans l'état de passion où la conscience du *moi* a disparu, et où il n'y a plus de dualité intérieure, savoir un sujet jugeant et un être jugé.

Jésus-Christ dit donc supérieurement : *Si je juge, mon jugement est véritable, parce que je ne suis pas seul, mais moi et mon père* (Verset 16), savoir, *moi*, sujet, homme qui passe, et l'être qui ne
69 passe point, qui est la vérité même. | J.-C. ajoute dans le même sens supérieur : *si vous me connaissiez, vous connaîtriez aussi mon père* (Verset 19). Celui qui connaît le *moi* et se possède lui-même connaît Dieu et la vérité, l'être.

Remarquez bien encore les paroles de J.-C. : *Celui qui m'a envoyé est véritable et je ne dis dans le monde que ce que j'ai appris de lui* (Verset 26). Nous sentons au-dedans de nous-mêmes qu'il y a une vérité que nous ne faisons pas, qui nous est donnée, et dont nous sommes les organes dans ce monde extérieur si plein de mensonges. La vérité seule nous rend libres. La première et l'unique condition de notre liberté, c'est de nous connaître, de connaître la vérité qui est en nous par opposition aux passions de la chair qui
70 sont | hors de nous. La grande difficulté et le mystère même de notre existence, c'est de concevoir la véritable dualité dans l'unité de sentiment ou d'aperception (moi et le Père), ce qui est successif, quoique identique dans le temps, et ce qui est éternel, immuable.

Verset 18. *Je me rends témoignage à moi-même et mon père qui m'a envoyé me rend aussi témoignage.* Le *moi* qui se reconnaît ou s'atteste lui-même, s'atteste aussi comme manifestation de l'être durable, absolu, d'où il sort ou en qui il était avant sa manifestation.

Se retirer dans le sein du Père, c'est entrer dans la vérité qui est plus haute que le *moi*, de telle sorte qu'il faut pour la voir, pour

en jouir, pour entrer dans *le sein du Père*, pour retourner d'où il
171 est venu, que le *moi*, | l'esprit de l'homme perde de vue tout ce qui
est sensible et se perde lui-même de vue. C'est par l'amour seul qu'il
s'absorbe ainsi dans l'être. « L'esprit de vérité juge de tout et ne
dépend du jugement de personne. S'il ne luit pas dans nos ténè-
bres, notre esprit incertain ne sait où s'attacher, où s'en prendre
parmi ces ombres qui l'environnent. La vie intérieure et spirituelle
se passe ainsi entre la connaissance et l'ignorance, jusqu'à ce que
vienne le jour où ce bienheureux esprit se manifeste, jusqu'à ce que
l'homme vive entièrement de cette vie dont il est écrit : *Le juste
vit de la foi qui opère par l'amour*. L'esprit se manifeste à l'amour :
douce manifestation que l'amour inspire, que l'amour attire. » (138)

« Ce n'est plus nos froides et sèches spéculations ; on aime ce
qu'on voit et c'est l'amour qui donne des yeux perçants pour le
172 voir. | Un moment de paix et de silence fait voir plus de merveilles
que les plus profondes réflexions des savants. Alors ce n'est plus
notre propre esprit, mais un esprit plus haut que l'homme qui juge
seul ce qui est de l'homme et qui sait que ce n'est rien. » (139)

Ce n'est pas avec notre esprit que nous pouvons reconnaître le
néant de cet esprit même et la vanité de tout ce qui l'occupe. Ce
n'est pas en se comparant à soi-même ou à ses semblables qu'on
peut apprendre à mépriser ce qu'il y a de plus grand parmi les hom-
mes. La difficulté est toujours de bien entendre ce qu'on dit quand
175 on parle de l'esprit | qui est en nous, qui habite en nous et que nous
sentons pourtant bien supérieur à nous ou à notre propre esprit.
Il faut que cet esprit d'en haut nous tienne, nous possède et que
nous nous abandonnions à lui, et non point que ce soit nous qui
prétendions le tenir, le fixer, le subordonner à notre *moi* qui tend
toujours à dominer. L'acte de soumission du *moi* à la voix inté-
rieure ou à l'opération de cet esprit supérieur est un acte libre. Le
moi ne s'anéantit pas pour cela, et quand il s'absorbe dans l'enthou-
siasme, il n'y a plus rien de libre, plus rien de moral.

Chapitre IX. Verset 41. *Si vous étiez aveugles vous n'auriez point de péché, mais maintenant vous dites que vous voyez, et c'est pour cela que notre péché demeure en vous*. Admirables paroles ! ce n'est pas l'ignorance, mais la fausse science, la science orgueilleuse qui tue l'âme et fait le péché. Vous dites que vous voyez, et ce que vous voyez n'est rien qu'un fantôme qui vous égare, vous éloigne de la vérité et fait demeurer le péché en vous.

176 | Chapitre X. Verset 18. *Personne ne me ravit la vie. J'ai le pou-
voir de la quitter et le pouvoir de la reprendre*. Attention à ces paro-
les ! ce n'est pas de la vie organique ou animale qu'il s'agit, mais
de la vie de l'esprit que l'âme a vraiment, en vertu de sa libre acti-
vité, le pouvoir de quitter, en s'attachant aux objets sensibles et

s'y laissant absorber, et le *pouvoir de reprendre*, en s'élevant en haut, en s'unissant à la source même de la vie, à l'esprit de Dieu, le *seul* capable de connaître Dieu et d'y trouver sa *paix*. *Personne* ne me ravit cette vie de l'âme, cet esprit divin ; il se retire et revient suivant que l'âme l'attire ou le repousse par un bon ou mauvais emploi de son activité

79 | Chapitre X. Verset 35. *Si donc elle appelle dieux ceux à qui la parole de Dieu était adressée et que l'Écriture ne puisse être détruite.* La loi appelle dieux ceux à qui la parole de Dieu était adressée, ceux qui ont reçu l'esprit de Dieu et vivent de cet esprit.

Chapitre X. Verset 37. *Si je ne fais pas les œuvres de mon père, ne me croyez pas.* C'est aux œuvres qu'on reconnaît celui que Dieu a sanctifié, ce n'est qu'aux œuvres qu'il faut croire, l'esprit ne peut se manifester que par elles.

Chapitre VIII. Verset 29. *Celui qui m'a envoyé est avec moi et ne m'a pas laissé seul, parce que je fais toujours ce qui lui est agréable.* Heureux l'homme qui n'est jamais seul dans la solitude, même la plus profonde ! mais qui sent toujours au-dedans de lui un appui,
80 un consolateur | avec qui il converse, en la présence de qui il est sans cesse et sous la dépendance duquel il agit, en ne cherchant à ne faire que ce qui lui est agréable, ce qui est digne de cet esprit.
83 — Ah ! je suis trop seul parce que le monde me vide, | parce que mon compagnon de solitude ne me suit pas dans ce monde et qu'en rentrant je ne le trouve plus. La partie de moi-même où cet esprit se retire est offusquée comme un œil fermé à la lumière, qui ne peut s'ouvrir par faiblesse ou maladie, quoique la lumière ne cesse pas d'être présente.

80 | Chapitre XI. Verset 33. *Jésus-Christ frémit en son esprit et se trouble lui-même.* Il est souvent parlé dans l'Évangile de ces troubles du Christ. N'était-ce pas le combat de deux natures ? En se liant à une nature sensible, la nature divine pouvait en partager les affections et en éprouver momentanément quelque résistance ou obstacle à sa volonté et à son action toute-puissante. De là le frémissement dans l'esprit et le trouble momentané que la nature divine ne partageait que pour le régler ou le surmonter.

183 | Chapitre VII. Verset 19. *Si vous me connaissiez, vous connaîtriez aussi mon père.* Sur ces paroles de J.-C., Bossuet fait ce commentaire remarquable comme vérité psychologique : « Ne croyez pas qu'en vous élevant à la connaissance de mon père je vous mène à quelque chose qui soit hors de moi ; c'est en *moi* qu'on connaît le *père* et vous l'avez déjà vu. Quel est ce nouveau mystère ? Com-
184 ment est-ce qu'on connaît le père | en connaissant J.-C. ? » (140) Comment connaît-on l'*âme* en connaissant ou apercevant le *moi* intérieurement et immédiatement ? C'est là tout le mystère et le pre-

mier problème de la psychologie, car la vérité psychologique est
la représentation de la vérité absolue : ce qui est dans l'homme,
image de Dieu, est la représentation de ce qui est en Dieu d'une
manière absolue.

On ne peut chercher et trouver ce qui est dans l'*âme* ou ce qu'est
l'âme elle-même autrement que par la conscience ou l'aperception
interne de ce qui est dans le *moi* ou le *moi* lui-même. En aperce-
vant ce qui est dans le *moi*, on trouve ce qui est dans l'âme, on
conçoit son être et la manière dont les autres choses ou les idées
185 de ces choses y sont présentes. | En étudiant le *moi* par l'observa-
tion ou l'expérience interne, nous avons donc déjà connu l'âme ;
l'être pensant, l'absolu, est donné dans le relatif.

189 | Chapitre XIII. Verset 13. *Vous m'appelez votre maître et vous
avez raison, car je le suis*. Heureux celui qui se sent toujours en
présence du maître qui lui parle au-dedans, qui sait recueillir tou-
tes ses paroles et obéir à ses commandements ou suivre, sans les
détourner, toutes ses inspirations. « Toute ma connaissance, dit
Bossuet, ne consiste qu'à me *réveiller*, à me rendre attentif aux sim-
ples et pures idées que je trouverai en moi-même dans les lumières
de la foi, ou peut-être dans celles de la raison aidée et dirigée par
la foi même. » (141)

L'emploi de notre activité bien réglée consisterait en effet à nous
tenir *éveillés* par l'*esprit*, en faisant taire l'imagination et les sens ;
190 en nous faisant | taire nous-mêmes pour laisser parler le maître et
l'écouter. Mais combien ne faut-il pas être disposé au-dedans de
nous-mêmes, pour n'avoir qu'à écouter la voix intérieure ou pour
que cette voix même y parle, car elle ne parle pas toujours, et à
tous les hommes, et dans toutes les dispositions également. Suffit-
il de se tenir éveillé pour l'esprit, ne faut-il pas encore que l'esprit
agisse ?

Il y a une partie secrète de nous-mêmes où le *moi* (le Dieu qui
est en nous) se retire et habite, surveillant de là tout ce qui est dans
191 l'homme | ou de lui, tout ce qui est produit par la volonté de la chair
(*ex voluntate carnis*), le dominant et le dirigeant. Là seulement est
le repos, la paix, la dignité de notre nature, tout ce qu'il y a de
vraiment moral. Pour nous maintenir calmes et dignes, tout con-
siste donc à tenir toujours cette partie intime de nous-mêmes, ce
lieu secret où Dieu habite, à l'abri de toutes les passions, des trou-
bles et des affaires du dehors. « O hommes ! où courez-vous, de dis-
tractions en distractions, de visites en visites, d'affaires en affai-
res ? » Tout votre bien, tout votre contentement et votre repos pos-
sible est en vous.

192 | Je suis heureux dans la solitude parce que je me sens relever de
ce point central de mon être qui domine et se rend présent à tout.

Je suis malheureux, dégradé dans le monde et les affaires, parce que ce centre supérieur est envahi, que le désordre et le trouble s'étendent jusqu'à lui ou l'offusquent. Je ne suis plus au-dessus ni à part de toutes les impressions qui viennent m'assaillir, parce que j'existe tout entier hors de *moi*, que le monde est *moi* ou que le *moi* est le monde. Cet état singulier tient à une maladie nerveuse
93 | qui produit un besoin instinctif d'agitation, de courses au-dehors.

97 | Chapitre XIV. Verset 17. *L'esprit de vérité que le monde ne peut recevoir*. Il y a bien de la différence entre connaître la vérité et avoir l'esprit de vérité, de manière qu'il soit en nous et qu'il y fasse sa demeure.

Quand nous aimons fortement et avec passion une créature, son image est comme empreinte dans notre âme, de manière qu'elle s'y représente sans cesse, qu'elle y vit, s'y meut pour ainsi dire, et qu'elle est en nous autant que nous-mêmes ou comme nous-mêmes. Combien l'amour divin, celui de l'esprit de vérité peut encore mieux remplir notre âme et demeurer en nous quand nous savons l'y établir, quand nous méritons qu'il s'y fixe !

Tout ce discours de J.-C. doit être étudié, et peut être entendu dans le sens de la plus haute psychologie. *Si vous m'aviez connu, vous auriez connu mon père. Celui qui me voit, voit mon père* (142). Le père c'est l'être de l'âme qui ne se manifeste que par le *moi*. Celui qui réfléchit profondément sur lui-même, en se distinguant de toutes sensations, a, dans la conscience même du *moi*, la connaissance certaine de l'*âme* dont le *moi* n'est que la manifestation.
198 Celui qui ne réfléchit pas et se confond avec les sensations | ne voit pas, ne connaît pas le père, l'être de l'âme que le corps cache et enveloppe, loin de la manifester. C'est là aussi ce que signifie la réponse de J.-C. à Judas (143), où Bossuet a vu le mystère inexplicable de la prédestination. Le monde n'aime pas l'esprit de vérité ; il hait la réflexion, la vie intérieure. Cet esprit ne peut donc pas se découvrir au monde, mais seulement aux disciples qui aiment, qui ne vivent pas comme le monde.

Chapitre XIV. Verset 6. *Je suis la voie, la vérité et la vie. Personne ne vient au Père que par moi*. Le *moi* est la voie, la vérité, la vie. Personne ne vient à reconnaître l'âme immortelle que par lui.

Verset 26. *Le Saint-Esprit vous fera ressouvenir de ce que j'aurai dit*. Bossuet, dans ses *Méditations sur l'Évangile*, a traduit de même le texte latin : *suggeret vobis quaecumque dixero*. Je ne crois pas que cette traduction rende la pensée. Le Saint-Esprit ou l'esprit de vie suggérant les paroles de J.-C. doit leur ajouter ce caractère de
199 *force vivante* qu'elles n'auraient pas sans lui. | Il ne s'agit pas d'un simple acte de ressouvenir, qui n'équivaudrait pas à l'audition de la parole même, reçue immédiatement. Bossuet semble vouloir

d'abord établir lui-même la distinction que nous faisons ; mais il
l'abandonne ensuite par préoccupation contre certaines idées mysti-
ques qu'il veut combattre. « Soyons attentifs, dit-il, à cette *école*
intérieure qui se tient dans le fond du cœur. Outre les enseigne-
ments du dehors, il fallait un maître intérieur qui fît deux choses ;
l'une de nous faire entendre au-dedans ce qui nous avait été ensei-
gné *au-dehors*, l'autre, de nous en faire souvenir et d'empêcher qu'il
nous échappât jamais. » (144)

Je ne crois pas que ce soient là deux choses différentes ; mais l'une
est à la suite de l'autre : si l'enseignement intérieur a été donné à
J.-C. en même temps que l'extérieur, si ses paroles ont été suggé-
rées à l'âme de chacun de ses disciples en même temps qu'ils les
entendaient, ils devront s'en ressouvenir d'eux-mêmes par la seule
200 | liaison naturelle des facultés de l'homme. Il ne faut pas un secours
supérieur pour se souvenir de toutes les choses qui ont frappé vive-
ment le cœur et l'esprit. Mais si le cœur n'était pas disposé à rece-
voir la parole alors qu'elle a frappé le sens pour la première fois,
ou même qu'elle a été entendue par l'esprit, il sera vrai de dire que
celui qui parvient à la suggérer au cœur la lui fait entendre d'une
toute autre manière, dans un sens bien plus élevé, qui influe sur tous
les actes, sur tout l'ensemble de la vie, qui transforme en hommes
tout nouveaux ceux en qui une telle suggestion ou inspiration a lieu.

Sans doute, ce sont les mêmes choses qui sont enseignées par J.-C.
et par le Saint-Esprit ; mais il suffit que l'un enseigne au-dehors
et l'autre au-dedans pour que ce soient réellement deux maîtres.
Le moment n'était pas venu pour les disciples d'être frappés inté-
203 rieurement des paroles de J.-C., de les entendre | par le cœur. Ce
n'était pas la faute du maître, mais celle de la nature qui exige une
préparation, une éducation. La troisième vie, la vie du cœur ou
de l'amour, ne pouvait se développer qu'après la deuxième, ou la
vie des sens et de l'entendement de l'homme.

204 | Il ne s'agit pas seulement d'entendre la vérité, mais de la tenir
toujours présente à notre esprit par l'attachement qu'elle nous ins-
pire. L'esprit n'enseigne pas tant la science que l'amour, et c'est
206 par lui véritablement que nous sommes enseignés de Dieu. | « C'est
l'amour, dit Fénelon, qui fait naître au fond de l'âme les vérités
que la parole sensible de J.-C. n'avait exposées qu'aux yeux de
l'esprit ; on goûte, on se nourrit, on se fait une même chose avec
la vérité. Ce n'est plus elle qu'on voit comme une chose hors de
soi, c'est elle qui devient nous-mêmes et que nous nous sentons inti-
mement comme l'âme se sent elle-même. » (145)

203 | Chapitre XV. Verset 7. *Si vous demeurez en moi et que mes paro-*
les demeurent en vous, vous pourrez tout ; sans cela vous ne pour-
rez rien. (146) Demeurer en J.-C., c'est se transporter en lui en

esprit, de manière à anéantir cet esprit, ce *moi* propre, et c'est alors que la parole (le verbe vivant) habite en nous, que nous agissons, nous existons sous sa seule influence. C'est le caractère de cette vie supérieure d'amour qui nous fait demeurer dans l'être aimé, en nous identifiant à lui, au lieu de prétendre l'attirer, le fixer en nous, de manière à l'assimiler, à l'identifier avec notre propre nature.

04 « La parole de Dieu entre dans les plus secrets replis de l'âme et de l'esprit, séparant l'homme *animal* de l'homme *spirituel*, et discernant ce qui vient de l'un et de l'autre. » (147) C'est là aussi le but de l'analyse psychologique, entreprise avec les seules forces de la raison appuyée sur l'observation intérieure. Mais que peut-on sans le secours de l'esprit qui juge tout d'un point de vue élevé ?

05 Ce qui manque aux esprits les plus actifs, les plus pénétrants, c'est de se fixer à ces vérités qui font la destinée et la vie de l'âme. On va d'une idée à l'autre suivant la pente d'un esprit inconstant et mobile, qui revêt successivement les modifications les plus opposées. Il n'y a que l'esprit de Dieu qui soit fixe quand il demeure en nous ; lui seul peut nous donner un point d'appui de quelque côté que souffle le vent de l'instabilité, et nous maintenir les mêmes. « Soyons donc recueillis et intérieurs puisque c'est au-dedans que nous parle l'esprit. Homme, où cours-tu d'affaires en affaires, de visites en visites, de trouble en trouble ? Tu te fuis toi-même, tu fuis l'esprit. »

06 Chapitre XIV. Verset 30. *Le prince du monde va venir quoiqu'il n'ait rien en moi qui lui appartienne*. Jésus-Christ seul pouvait le dire ; quel homme vit assez de la vie de l'esprit pour que le prince du monde n'ait rien en lui qui lui appartienne ?

13 Chapitre XVII. Verset 11. *Je ne suis plus dans le monde, mais pour eux ils sont encore dans le monde*, dit Jésus-Christ en parlant de ses disciples, et il *prie pour eux et ne prie pas pour le monde* (verset 9). Le monde, c'est l'orgueil de la vie et la concupiscence ; c'est l'esprit de l'homme abandonné à lui-même, absorbé dans sa chair et méconnaissant Dieu et lui-même. Les disciples étaient des hommes élevés vers Dieu, dignes de recevoir son esprit, mais qui n'avaient pas encore dépouillé entièrement la vie de la chair (la deuxième vie). C'était pour eux que priait le *médiateur*, comme pour tous les hommes qui, étant dans la deuxième vie, aspirent à la troisième, qui sont dans le monde et le haïssent, qui sentent des passions, mais n'y *consentent* point et détestent le péché qu'ils ont le malheur de commettre.

Jésus-Christ, le Verbe incarné, était l'esprit de Dieu même sous
14 une enveloppe mortelle. En se communiquant aux hommes, en se
rendant leur médiateur, J.-C. a séparé du monde ceux qui ont reçu
son esprit. Il dit aussi : *J'ai fait connaître votre nom aux hommes
que vous m'avez donnés en les séparant du monde.* (148)

ource : Victor-Cousin, t. II, p. 399-427.

[NOTES SUR LE DEUXIÈME VOLUME de *L'Indifférence en matière de religion* de H.-F.LAMENNAIS]

Nier le témoignage général, lui préférer sa raison particulière, est le caractère propre de la folie...
(Préface, p. LXXIII)

Je nie la supposition ; il est impossible qu'une *raison particulière*, en tant que telle, soit en opposition avec le témoignage général des hommes doués de cette même faculté de *raison*. Le *témoignage* ne sert de rien dans les choses qui sont du ressort propre de la *raison*. Tout homme peut témoigner qu'il voit tourner chaque jour le soleil, et nulle personne parmi ceux qui n'ont pas vu ne peut contredire ce témoignage ; mais nul homme ne peut *témoigner* que le soleil tourne *réellement*, car il ne peut être témoin que des apparences du phénomène ; c'est à la raison de chacun (identique pour tous) qu'il appartient de prononcer sur les preuves de la réalité du mouvement et du repos ; et pour croire à cette réalité, il ne me suffit pas que les hommes s'accordent à me le dire. Qu'il y en ait un million qui l'affirment, leur assertion ou leur croyance unanime ne fait rien à la vérité de la chose ; et si j'entends les preuves astronomiques, si ma raison les adopte, fussé-je le premier ou le seul qui aurait cette conception, je croirais à ma raison et à moi plutôt qu'à l'univers entier.

Tout homme qui ne reconnaît point d'autorité ayant droit de commander à son esprit, est fou, soi involontairement, si sa folie a une cause physique, soit volontairement, si elle n'en a pas, etc.
(Préface, p. LXXIII)

Il faudrait bien s'entendre sur ce qu'on appelle l'*autorité*. Chacune de nos facultés porte en elle son *autorité* propre ou la preuve évidente de son témoignage. Les sens et la perception témoignent la présence de leur objet. La mémoire témoigne la présence et l'existence antérieure de l'objet qu'elle rappelle. Le jugement témoigne la vérité des rapports qu'il apprécie et la raison témoigne l'existence et l'ordre régulier des fonctions de tous les sens ou facultés sur qui elle plane.

Mais pour que ce témoignage ait lieu, les témoins ne suffisent pas ; il faut de plus qu'il y ait un sujet qui recueille et vérifie ces témoignages, savoir le *moi*, la personne identique.

Dans la folie, quoique toutes les facultés hors la raison puissent s'exercer, il n'y a point de sujet qui reçoive et apprécie les témoignages de ces facultés, et c'est précisément cette absence du sujet moi ou de la personne qui caractérise l'aliénation.

On n'est pas fou parce qu'on ne reconnaît point d'*autorité* ayant droit de commander à son esprit. Les pyrrhoniens ou sceptiques, qui affectent de méconnaître ou de nier l'autorité même de toutes nos facultés, ne sont pas fous ; car dès qu'ils raisonnent, ils croient à cette autorité comme les autres hommes, quoiqu'ils prétendent la détruire par le raisonnement qui y est tout à fait incompétent.

Un homme aliéné n'est pas fou parce qu'il ne reconnaît aucune autorité externe ou interne capable de commander à son esprit ; mais il ne reconnaît aucune autorité parce qu'il est fou. M. de Lamennais prend ici l'effet pour la cause, une circonstance pour l'effet essentiel.

Un homme rêve qu'il est roi de France, ou il se frappe l'imagination d'un château en Espagne qui prend assez de force et de consistance pour prévaloir sur tous les témoignages contraires. En cela, il est fou, non parce qu'il est le seul qui adopte cette fausse croyance ; car quand il parviendrait à la persuader aux autres hommes, il n'en serait pas moins fou. Cet exemple est puéril ; il prouve précisément contre le système de l'auteur, qui veut attribuer exclusivement le caractère de vérité au témoignage universel ou à l'autorité.

Il peut arriver qu'on trouve plus de fous dans les pays où le principe d'autorité étant affaibli, les esprits sont moins défendus contre eux-mêmes, parce que dans ces pays les passions sont plus libres, moins gênées dans leur essor ; que les esprits n'ont pas de point d'arrêt et sont plus accessibles aux fantômes ; qu'il y a moins de simplicité et plus d'agitation, ou de renouvellement désordonnés. Mais le mépris ou l'oubli de l'autorité n'est encore dans ce cas qu'un effet ou une circonstance de la folie et non point une cause, un principe, etc.

La raison de l'homme seul *ne saurait le conduire qu'à un doute profond, universel, puisqu'elle ne peut se prouver elle-même.* (Préface, p. LXXXIII)

Comment la raison a-t-elle besoin de se prouver elle-même à elle-même autrement que par son exercice ?

Celui qui dit : *Je crois en moi*, présuppose, selon l'auteur, une infaillibilité personnelle, c'est-à-dire la plus monstrueuse absurdité.

Certainement pour croire en Dieu, il faut que je croie en moi, ou en une raison qui établit cette croyance sur des preuves quelconques, fût-ce même sur la seule autorité du témoignage universel.

Il faut faire voir à l'homme qu'il ne saurait se prouver *sa propre existence comme il veut qu'on lui* prouve *celle de Dieu... il faut désespérer toutes ses croyances.*
(p. 2-3)

Ce serait une grande déraison de chercher à prouver sa propre existence comme on peut prouver celle de Dieu, et de demander la même espèce de preuves pour des vérités de genres si différents. Soit qu'on commence par la personne de *Dieu*, ou par la personne *moi*, il faut admettre une première vérité qui ne demande pas à être aperçue et n'a pas besoin de *preuves*.

Il n'importe comment nous parvenons à connaître la *vérité* pourvu que nous soyons certains de la posséder. La certitude est la *base* essentielle de la raison ; car être incertain si l'on connaît, ce n'est pas connaître. Le doute n'est qu'une ignorance aperçue.

Je crains qu'il n'y ait dans ce passage plus d'esprit que de véritable raison. La certitude est l'*objet*, le *but* de la raison, et non point sa base. La *raison* qui cherche, qui doute et qui s'enquiert, n'en est pas moins la raison. Le doute porte sur la *réalité* de l'objet de la connaissance et non point sur la connaissance même. Ce que l'esprit connaît, ce dont il a la conscience ou l'aperception même, peut n'être qu'un phénomène, et la connaissance n'en est pas moins certaine pour le sujet qui s'affirme à lui-même qu'il connaît.

Voilà ce qui se trouve très bien exprimé dans le principe de Descartes : je pense, j'existe. Cela est vrai, certainement vrai en tant que je le connais et l'affirme ; mais l'objet de cette pensée ou le moi-même qui se sent exister, a-t-il hors de ma pensée, de ma conscience, une réalité *absolue* ?

C'est là ce que Descartes se presse trop d'affirmer. Sans sortir de moi, peut-on connaître une réalité absolue, un être quelconque ? Voilà le problème.

Nous connaissons avec certitude certaines vérités que nous ne comprenons nullement.
(p. 3)

Il vaudrait mieux dire : que nous n'expliquons nullement, et cela doit être si ce que nous connaissons avec certitude est une vérité primitive, évidente par elle-même, ou un fait primitif, qui soit la condition nécessaire de toute connaissance, comme le fait de conscience ; car il répugne en ce cas de demander une explication de ce qui sert à expliquer et à comprendre tout le reste.

Ainsi *l'action de la volonté sur les organes* est très bien connue et comprise, sans pouvoir être expliquée, pas plus que le *moi* lui-même ; et ce fait, connu, sert à entendre *la transmission du mouvement.*

Quiconque a réfléchi sur l'entendement humain avouera sans hésiter que nous ne concevons rien parfaitement.
(p. 3-4)

Cela revient à dire que nous n'avons l'idée adéquate de rien ; il faudrait excepter pourtant les idées de nombre, d'étendue abstraite, etc.

Qu'est-ce que sentir ? Qui le sait ? Suis-je même certain que je sente ?
(p. 6)

Le pyrrhonisme ne va pas jusqu'à en douter ; et quand on fait la question : Qu'est-ce que sentir ? ou l'on demande ce qu'on sait parfaitement (*certissima scientia et clamante conscientia*), ou l'on ne sait ce qu'on demande.

On s'est imaginé qu'il existait des vérités senties *avant d'être* conçues... *On ne pouvait confondre plus dangereusement des facultés distinctes et liées entre elles dans l'ordre inverse de celui qu'on supposait... Nous montrerons que tout sentiment suppose une vérité ou une idée préexistante dans l'entendement.*
(Préface, p. LXXVI-LXXVII)

Je voudrais bien savoir ce qu'est la connaissance d'une vérité *qui n'est nullement comprise*, comme l'admet ici l'auteur, sinon le sentiment même de cette vérité.

Nous avons le sentiment de l'infini, celui de la Divinité sans en avoir l'idée, etc.

Qu'est-ce que la foi ? sinon un sentiment donné ou suggéré à l'âme, qui ne peut acquérir dans la vie actuelle aucune connaissance ni conception de ce qu'elle croit et de l'objet de sa tendance, etc.

« Pendant que nous habitons dans ce corps, dit saint Paul (2e Épître aux Corinthiens, V, 6-7), nous sommes éloignés du Seigneur, et hors de notre patrie. Parce que nous marchons vers lui par la *foi* et que nous n'en jouissons pas encore par la claire *vue.* »

L'âme aime donc ce qu'elle ne peut voir ni comprendre ; elle tend de toutes ses forces vers cet invisible qu'elle n'atteint que par le sentiment. Ôtez ce sentiment, que devient la foi ?

Dieu se manifeste comme vérité ; aussitôt on voit naître un sentiment nouveau, etc.
(Préface, p. LXXIX)

Il faut bien reconnaître du moins que ce sentiment ne trompe pas, qu'il est une règle de vérité bien plus certaine que l'autorité du témoignage humain le plus universel.

Il m'arrive, durant le sommeil, de croire éprouver une sensation de plaisir ou de douleur, dont je reconnais, au réveil, l'illusion.
(p. 6)

La sensation intérieure ne peut tromper.

Je ne puis donc m'assurer par mes sens de l'existence des objets extérieurs, de l'existence de mon propre corps, etc.
(p. 7)

La fonction des sens n'est pas d'assurer, mais de *témoigner* des existences ou des faits dont une autre faculté juge ou constate la *réalité.*

Le sentiment du vrai et du faux, du bien et du mal, varie selon les circonstances, les intérêts, les passions.
(p. 8)

Ce qui varie n'est pas le *sentiment* vrai de l'âme, mais l'opinion de l'*esprit.*

La force avec laquelle le sentiment nous entraîne ne prouve rien en faveur des principes que nous adoptons sur son autorité.
(p. 9)

Quoi ! N'est-il donc aucune vérité, aucune notion, qu'il nous soit impossible de ne pas croire ? N'y a-t-il pas un sentiment de nécessité absolue attaché à des propositions comme celles-ci : tout ce qui commence a une cause ; la ligne droite est la plus courte entre ses deux extrémités, etc. ?

Tout ce que dit l'auteur sur les illusions du *sentiment* et du raisonnement dans les pages suivantes ne consiste qu'en déclamations et arguments frivoles, tous basés sur la confusion perpétuelle qu'il fait des notions universelles et immuables, ou toujours les mêmes en tout temps et en tout lieu, et les idées, les opinions, les fantômes de l'esprit, qui n'ont aucune consistance. Une saine philosophie apprend à distinguer tout ce qui reste et tout ce qui change, et ici l'autorité n'y fait rien.

Après avoir montré « *que si l'on voulait fonder sur des démonstrations ou raisonnements toutes les croyances et les vérités, on serait directement conduit au pyrrhonisme* » (p. 19), M. de Lamennais conclut « *que c'est l'impuissance de douter ou l'assurance d'être déclaré fou si l'on doute, qui constitue toute la certitude* » (p. 31). Et il devrait conclure seulement qu'il y a des vérités primitives de sentiment ou de raison, qui n'ont pas besoin de preuves et ne sont pas susceptibles de démonstration. En ce cas, la question serait de savoir si ces vérités sont innées ou *données* à l'esprit d'une manière quelconque. Mais c'est se presser beaucoup que de conclure de ce qu'elles sont indémontrables, qu'elles reposent uniquement sur l'autorité ou le témoignage.

Il est constant que la géométrie, de toutes les sciences la plus exacte, repose aussi bien que les autres sur le consentement commun ou l'autorité du témoignage.
(p. 25)

Ne serait-ce pas plutôt le sentiment commun qui repose sur la géométrie et sur la nature simple de son objet qui fait que toutes les idées, dont se compose cette science, sont adéquates ?

On détruirait complètement la géométrie si on l'obligeait à prouver les axiomes et les théorèmes qui en sont le fondement.
(p. 25)

Oui ; et de là il suit qu'il ne faut pas chercher à prouver les vérités *primitives*, mais non pas que c'est le *témoignage* qui les constitue *vérités*. Tous les yeux sont éclairés par la même lumière ; il s'ensuit que la nature de la lumière est telle qu'elle agit simultanément sur les yeux communément disposés, mais non pas que cette commune disposition produise la lumière. Chacun croit ce qu'il voit et sent. Le témoignage universel atteste que tous sentent la même chose, mais ne saurait rien ajouter à l'autorité du sentiment de chaque homme, qui, fût-il seul, n'en croirait pas moins certainement à la lumière qui l'éclaire.

On se fonde sur ce qu'il est naturellement impossible qu'un être pensant soit seul absolument. Quand cela serait, on ne pourrait rien en tirer contre l'autorité propre et individuelle de chacune de nos facultés ; il en résulterait seulement que ces facultés n'existeraient pas et que l'homme solitaire, s'il pouvait vivre, serait au-dessous de la bête. Mais il ne s'agit pas de déterminer quelle est l'influence de l'état social sur le développement ou même l'existence des facultés humaines, mais ces facultés étant données ou supposées en exercice (quelle que soit leur origine), quelle est l'autorité de chacune d'elles, et si l'individu, livré à lui-même, n'est pas nécessité à croire ce qu'elles attestent.

Comment affirmer en ce cas que

La certitude des vérités du sentiment repose aussi bien que la certitude des vérités de sensation ou de raison même, sur l'autorité générale ou le consentement commun ?
(p. 51)

Qu'entend-on par là ? S'agit-il de la vérité relative ou de la vérité absolue ? Celui qui croit, sans pouvoir faire autrement, sur le témoignage de ses sens ou de sa raison propre, croirait-il plus fortement par le consentement commun ?

Sans doute, « *il faut bien reconnaître, avec Cicéron parlant de l'existence de Dieu*, dans le consentement unanime des peuples, la loi même de la nature, etc. [*Tusc.*, I, XIII] » (p. 52). Mais ce consentement unanime n'est point le *principe* ; il est le résultat nécessaire du sentiment propre de chacun, lequel, bien consulté, porte avec lui l'évidence d'un être suprême, nécessaire, invisible, quoique toujours présent.

Si ce sentiment n'existait pas dans chaque homme doué de raison, et s'il n'apportait pas avec lui la certitude intime, absolue de l'être nécessaire, comment pourrait-il y avoir consentement et témoignage universel ? Et que pourrait apprendre ce témoignage, quelle conviction pourrait-il donner à celui qui n'aurait pas déjà en lui-même le sentiment dont il trouve la manifestation et les signes dans la société de ses semblables ? En supposant un homme de nature privé de ce sentiment et de cette source intérieure de lumière qui éclaire chaque homme venant au monde, on cherche vainement comment le témoignage pourrait agir sur lui et lui suggérer une croyance dont il n'aurait pas déjà le fondement dans sa propre nature intelligente et morale.

C'est de la même manière qu'en faisant abstraction de toute idée ou *prénotion* des substances, des essences, de l'être universel nécessaire, etc., il est impossible qu'une langue renfermant les signes de ces idées pût être efficacement révélée à l'homme ; car les mots ne portent pas avec eux la lumière ; ils ne créent rien dans l'intelligence ; mais il ne font que développer, réveiller ce qui y était en germe et sans manifestation, en sorte que le problème de l'origine des langues, correspondant à celui de la certitude du témoignage, présuppose toujours les idées que les langues doivent signifier, ou les croyances que les hommes s'accordent à exprimer ; loin qu'on puisse jamais dériver les idées de leurs signes, soit révélés, soit institués, pas plus que fonder ces croyances sur le consentement universel, qui n'en explique ni la nature ni l'origine.

L'erreur commune de MM. de Bonald et de Lamennais est donc bien manifeste, lorsque s'élevant contre toute raison individuelle et cherchant à l'anéantir, ils prétendent dériver toute science humaine de la *raison universelle*, du langage révélé, de l'autorité du *témoignage* (car c'est le même système, le même principe sous des noms différents). Il fallait que ces grands esprits nous expliquassent ou cherchassent à entendre en eux-mêmes comment la raison peut être universelle si elle n'est d'abord ou en même temps individuelle, comment la même lumière pourrait éclairer tous les esprits, si elle ne se communiquait également à chacun en particulier, et, dans ce cas, comment chaque esprit recevrait de tous les autres la lumière qui n'éclairerait aucun en particulier, comment les signes d'un langage révélé pourraient être entendus ou compris si l'être intelligent n'avait pas en lui les idées qui s'y rattachent ou les moyens de former ces idées ; comment, enfin, l'homme qui apprend une langue donnée serait dans l'impossibilité naturelle de se former un langage quelconque.

Il arrive souvent que l'esprit croit voir avec clarté ce qu'il ne voit réellement point... Comme il y a des évidences trompeuses, la certitude des vérités évidentes repose uniquement sur le témoignage d'un certain nombre d'hommes qui attestent que leur esprit est affecté de la même manière, etc.
(p. 55-56)

Rien de plus faux ou de plus contraire à toute expérience psychologique. L'évidence n'est jamais trompeuse, pas plus que le sentiment. Celui qui voit avec la raison, voit bien réellement la vérité présente à son esprit ; il ne se trompe ou ne trompe qu'en affirmant qu'au-delà de ce qu'il voit, en prenant la partie pour le tout, le particulier pour le général, l'accidentel pour le constant, etc.

Ainsi de deux choses l'une : ou l'esprit d'un individu jouit de l'évidence (et cela n'a lieu que dans les idées adéquates) ; en ce cas l'accord de tous les autres esprits avec le sien n'ajoute pas la moindre chose à sa certitude ; bien plus, quand tous seraient en opposition avec lui, il n'en croirait pas moins fermement ce qu'il voit, ce qu'il sait être. Ou bien l'esprit de cet individu ne voit rien que confusément ou n'embrasse que de vains fantômes, auquel cas on ne peut nier qu'il ait encore le sentiment d'évidence ; et dans cette hypothèse, le témoignage universel ne lui donnera pas sûrement les idées qui lui manquent. Ou il verra par lui-même ce que d'autres lui disent voir ; ou il ne verra rien du tout, et il ne fera que répéter par imitation les formules vaines de la croyance commune. Ainsi en matière de *raison*, il implique d'affirmer que

Et si le témoignage est unanime ou l'autorité universelle, la certitude est la plus complète que nous puissions obtenir.
(p. 56)

Pour entendre que *deux choses identiques à une troisième sont identiques entre elles*, il suffit d'avoir l'intelligence du sens du mot.

Pour entendre et affirmer que *l'univers est l'ouvrage d'un être intelligent*, il faut avoir plus que la compréhension de signes, et hors la *foi*, cette vérité, qu'il est peut-être impossible de bien entendre, ne saurait être l'objet d'une certitude raisonnée, comme celle-ci par exemple : *les mouvements et l'ordre de l'univers sont des produits d'une cause ou force intelligente*. La création des substances sort en effet des limites de l'entendement humain ou de la raison ; la création du mouvement et la coordination des moyens à un but a son type en nous-même dans l'expérience intérieure. Voilà pourquoi tous les hommes qui raisonnent et croient ce qu'ils entendent, l'admettent plus généralement.

Aucun être créé, s'il ne commençait par dire : je crois, *ne pourrait jamais dire :* je suis.
(p. 90)

C'est le contraire qui est vrai. Seulement on peut mettre psychologiquement en question de savoir s'il est possible que la personne intelligente et libre se dise à elle-même : *je suis*, j'existe en tant que *je pense* et me sens exister, sans dire en même temps : *je crois* à la permanence de *l'être*, au durable de la substance *pensante*. Certes l'autorité du témoignage ne fait rien à cette croyance qui ne serait pas moins ferme quand la personne intelligente serait seule au monde.

L'auteur montre aisément partout que l'homme agit par des *croyances* primitives qui ne sont fondées sur aucun *raisonnement*. Mais ce principe individuel de croyance, qu'a-t-il de commun avec l'autorité du témoignage ? Un homme isolé n'agirait-il pas également en se fondant sur la constance des lois de sa nature !

Mettez de côté toute raison, et supposez que les hommes ne se conduisent que par un principe d'imitation, en faisant tout ce qu'ils voient faire aux autres, en croyant aveuglément tout ce qu'ils disent, sans en chercher les *raisons*, etc. Et quelle société aurez-vous ? Sera-ce une société d'êtres intelligents ? Sera-ce cette foi aveugle qui pourra développer, éclairer et fortifier la raison qui lui est restée étrangère ? En principe, loin d'être la vie de l'intelligence, n'en sera-t-elle pas plutôt la mort ?

Les vérités premières [...], *primitivement révélées par la parole, se transmettent également par la parole...*
(p. 93-94)

Voilà bien ce qu'il s'agit de prouver psychologiquement. Pourquoi la parole (le logos) ne serait-elle pas le résultat de la présence immédiate de la notion d'être dans l'âme, qui demande à être exprimée aussitôt que conçue ? Pourquoi veut-on au contraire que la notion ne soit qu'un résultat ou produit de la parole donnée ? Cette parole, matériellement reçue ou entendue, suffirait-elle pour donner la notion, si l'on ne supposait un rapport nécessaire entre le signe et l'idée, et l'intelligence innée de ce rapport ? Nous voilà ramenés, non seulement aux idées innées, mais au langage inné ; et qu'il soit inné ou révélé dans un temps, l'effort *intellectuel* sera le même. De plus, ce rapport, nécessaire entre la notion intellectuelle et son expression ou son signe, étant donné, qu'importe que ce soit le langage qui détermine la présence de la notion dans l'esprit, ou *vice versa* ? Entre les deux termes simultanés et indivisibles du même rapport, comment distinguer un antécédent et un conséquent ? Mais si l'on consulte le témoignage intérieur, la primauté de l'idée ou de la notion indépendante du signe variable peut-elle être douteuse ?

La vérité, qui est le bien commun des intelligences, doit être possédée en commun par elles, et aucune intelligence ne pouvant exister qu'à l'aide de certaines vérités nécessaires, on doit retrouver ces vérités dans toutes les intelligences.
(p. 94)

J'adopte entièrement cette proposition, d'où il suit que chaque intelligence humaine égale à une autre, possédant en commun avec elle la vérité, n'a pas besoin de lui emprunter à cet égard son témoignage. Toutes les intelligences sont donc indépendantes les unes à l'égard des autres, relativement à la vérité que chacune d'elle entend.

Le témoignage commun, à l'égard de telle vérité nécessaire, lui attribue le caractère d'universalité, lequel est tout extérieur, mais n'ajoute rien à son évidence ou à sa nécessité intérieure.

Le témoignage par lequel ces vérités nécessaires se manifestent [le témoignage universel], conclut M. de Lamennais, *n'a pas moins de certitude que le témoignage de Dieu, parce qu'au fond il n'en diffère pas.*
(p. 94)

D'accord encore. Mais il ne s'agit pas d'établir la certitude absolue de ce témoignage universel. Il s'agit dans le système de l'auteur, de prouver qu'il est le seul *critérium* de la certitude de toute vérité, et c'est bien ce qu'il affirme à chaque page, mais ce qu'il est dans l'impuissance de prouver.

Les vérités *universelles* sont-elles les seules qui aient le caractère de *vérités* ? Pour n'être connu que par un petit nombre d'hommes ou même par un seul, une proposition, un rapport, un fait, en serait-il moins absolument certain ? Tous les esprits peuvent-ils connaître toute vérité ? Si on ne peut le dire sans renverser les bases mêmes de la révélation et de la foi, que devient l'autorité exclusive du témoignage ?

La raison générale ne saurait errer ou ne pas atteindre sa fin : donc le témoignage universel est infaillible.
(p. 94)

La difficulté de reconnaître et de déterminer invariablement les caractères et les signes de la raison générale subsiste la même. Combien n'a-t-on pas abusé, en politique comme en morale, du principe ambigu de l'auteur ?

Je me demande que serait donc l'homme seul, l'homme séparé de ses semblables et séparé de Dieu ?
(p. 95)

L'homme n'est pas seul tant qu'il a deux natures et que l'une réfléchit sur l'autre.

Les idées naissent en nous avec leur expression, et apprendre à parler, *comme apprendre à* penser, *c'est apprendre à* croire.
(p. 133)

Il faudrait bien distinguer entre les idées, celles qui ne naissent réellement qu'avec les expressions et celles qui sont indépendantes de toute expression. Quand nous n'aurions aucun mot qui exprimât pour notre esprit les notions de substance et de cause, nous n'en aurions pas moins présentes ces notions en tant que présentes à nous-mêmes et ne pouvant rien concevoir que sur ce modèle.

Pourquoi Dieu n'a pas fondé le christianisme sur une révélation intérieure faite à chaque homme individuellement...
(p. 134)

On peut dire qu'il a établi le fond de cette religion , si bien approprié à notre nature, sur une telle révélation intérieure. Il faut bien distinguer les faits particuliers à cette religion, son histoire et ses traditions, de ses préceptes généraux qui étaient écrits dans les cœurs et les esprits des hommes les plus élevés, avant d'être manifestés à tous par la parole du Sauveur du monde.

Il n'y a point de sentiment inné, autrement il se manifesterait de la même manière chez tous les hommes.
(p. 135)

Avec le *moi* se manifeste le sentiment de notre dépendance de causes visibles, celui de la pitié, de la justice, tous sentiments qui préexistent aux idées et ne dépendent pas du langage, comme on le voit par l'exemple des sourds-muets.

Il y a un sentiment immédiat des lois de notre conservation et de notre existence comme êtres moraux et intelligents, comme il y a une tendance instinctive des appétits animaux conformes aux lois de notre conservation comme êtres physiques, et nous sentons ces deux sortes de lois avant d'en avoir l'idée ou la science.

Rousseau est un exemple frappant. Confondant à dessein le sentiment et les sensations, « nous sentons, dit-il, avant de connaître [Émile, *Livre II, p. 253, éd. de Belin, 1793*] ».
(p. 136)

Contre Rousseau.

Quoique ce soit aux *sentiments* primitifs que l'étude nous ramène quand elle ne nous égare point, on ne peut pas dire *que la raison soit inutile*, comme l'objecte M. de Lamennais, car c'est la raison qui apprend à distinguer les sentiments primitifs de l'âme des sentiments artificiels et des habitudes acquises, des fausses directives imprimées, etc. C'est la raison qui rappelle plus tard à l'examen de la conscience tout ce qui a été appris dès l'enfance, etc.

N'y a-t-il qu'une religion sur la terre ? Est-ce là ce que nous voyons ?
(p. 139)

Pourquoi y a-t-il eu plusieurs religions sur la terre, pendant qu'il n'y a eu qu'une révélation intérieure, etc. ?

C'est que cette révélation intérieure ne s'étend pas au-delà de ce qui est nécessaire à l'homme pour sa vie morale, pour être dans l'ordre ou en paix avec ses semblables et avec lui-même. Ce fond commun appartient à toutes les religions de la terre.

L'auteur confond sans cesse ce qui appartient à nos deux natures. Il ne s'aperçoit pas que tous ses arguments peuvent être rétorqués, et que ce qu'il dit pour infirmer l'autorité du sentiment intérieur infirme encore plus l'autorité du témoignage.

Si la diversité des religions prouve que le sentiment n'est pas le moyen général établi par Dieu pour nous faire discerner la véritable, que dirons-nous de l'autorité du témoignage, qui n'empêche pas cette diversité des religions, bien plus, qui n'a pas empêché que la vraie religion, objet du témoignage, ne pût s'établir dans les lieux où elle prit naissance ?

Les vices du raisonnement sautent aux yeux, dans tout l'ouvrage de M. de Lamennais. Et d'abord il montre la certitude de la religion naturelle ou de l'existence de Dieu, par l'universalité de *croyance*, et il appelle à son secours le témoignage universel, qui peut bien être aussi un sentiment *universel*, commun à tous les hommes et propre à chacun individuellement. Mais quand il vient au discernement de la vraie religion, il croit triompher en montrant que ce sentiment universel, qui peut bien servir de fond à toutes les religions, ne suffit pas pour apprendre quelle est la vraie.

Certes, ce n'est pas par sentiment que le chrétien croit à la Trinité, pas plus que le musulman ne croit par sentiment à Mahomet, etc. (p. 140)

Mais ne s'ensuit pas de là que le chrétien et le musulman ne croient pas par un sentiment primitif à l'unité de la cause de l'univers, à la distinction réelle du juste et de l'injuste, du bien et du mal, etc. La raison vient sanctionner ces premiers témoignages du sentiment : il faut bien aussi qu'elle sanctionne l'autorité du témoignage universel ou qu'elle constate son universalité.

On trouve chez les Anciens deux choses qui étonnent presque également ou plutôt deux doctrines si opposées qu'évidemment elles ne sauraient avoir la même origine, les vérités les plus hautes et les plus monstrueuses erreurs, les préceptes les plus durs et les maximes les plus dissolues, des croyances sociales et des opinions destructives de la société. Les unes étaient de la tradition, les autres de la raison ; et quand la tradition s'affaiblit et que la raison prit sa place, le monde s'affaissa et faillit s'écrouler dans l'abîme. (p. 156)

Je demande si Socrate et Platon tenaient leurs principes si purs, leurs maximes si élevées de la tradition ou de la raison ? Si ces grands maîtres n'avaient consulté que les traditions de la société, que seraient devenues ces doctrines, qui ont tant servi aux progrès du christianisme lui-même ? Dira-t-on que Socrate et Platon tenaient leur philosophie sublime de la tradition des Hébreux ? Qu'on le prouve ?

Quand la raison abandonna la tradition universelle, on cessa d'obéir à l'autorité du genre humain, on vit paraître des multitudes de sectes, etc.
(p. 178)

L'autorité du genre humain. Qui la connaît, et comment prouver qu'elle existe au sujet de quelque croyance religieuse que ce soit, hors les notions primitives communes à toutes les intelligences, l'être, la cause, les puissances invisibles, etc. ? Il ne faut pas moins étudier pour constater l'existence d'une autorité vraiment *universelle* du genre humain sur la véritable religion que pour en trouver la base ou les fondements en nous-mêmes par le raisonnement. Toute la doctrine de l'auteur sur l'autorité du témoignage se réduit donc à ceci : il faut croire *sans aucun examen* tout ce qui nous est dit et attesté sur la religion de notre enfance, par la nourrice, les maîtres, les pasteurs. Notre raison n'en est pas juge. Il faut croire même sans entendre, sans chercher à comprendre.

Mais s'il arrivait que les paroles de la nourrice, des maîtres, des docteurs, ne s'accordassent pas, ne faudrait-il pas faire un choix entre les témoignages ; et comment le faire, sans examiner, sans raisonner ? Voilà donc les difficultés qui renaissent.

Un homme né au sein du mahométisme ou du judaïsme ne doit-il pas aussi croire sans examen ? Pourquoi pas ? N'est-il pas soumis aussi à l'autorité d'un témoignage ? Pourquoi le devoir imposé à l'homme que le sort a fait naître en pays catholique serait-il tout différent pour celui qui est né chez un peuple infidèle ? En ce cas, la doctrine de M. de Lamennais ne serait fondée que par *exception* ; il aurait donc tort de la généraliser ? Ne semble-t-il pas, à l'entendre, que le témoignage de tous les peuples s'élève en faveur du christianisme comme en faveur du principe de l'existence de Dieu ? Que s'il y a, comme on ne saurait le nier, discordance entre les témoignages, et qu'il soit pourtant indispensable de discerner le vrai du faux sous peine de mort éternelle, comment ceux qui sont trompés par l'autorité du témoignage reviendront-ils de leur erreur, sans faire aucun usage des facultés intellectuelles que Dieu leur a données dans ce but ?

Nous recevons le langage sur l'autorité de ceux qui nous parlent, et avec le langage nos premières idées ou les vérités nécessaires à notre conservation.
(p. 192)

L'autorité de ceux qui nous parlent ne fait rien pour l'apprentissage du langage. Il s'agit de répéter des signes oraux, à quoi une faculté première *d'imitation* se trouve naturellement portée. Celui qui apprendrait naturellement à hurler parmi les loups ne recevrait pas cette sorte de langage de l'autorité des loups. Il s'agit surtout d'attacher un sens aux mots et l'autorité n'y fait encore rien. L'intelligence doit s'aider elle-même, et rien ne peut suppléer à son activité propre pour l'acquisition des premières idées que le langage exprime. Si ces idées se retrouvent chez tous les peuples, c'est qu'elles sont inhérentes à chaque esprit individuel venant en ce monde. Je nie donc ce qui est dit :

que l'homme ne doit pas le langage à la raison, qu'il l'a reçu et l'emploie tel qu'on le lui a donné ; que parler c'est obéir.
(p. 197)

Paradoxes brillants ! L'autorité du témoignage, comme celle de l'exemple, n'influe que sur les idées ou vérités contingentes. Ce n'est pas sur cette autorité que l'enfant prend la première nourriture, ou qu'il acquiert les notions nécessaires et universelles. Mais il croira sur l'autorité ou l'exemple que telle espèce de choses est bonne ou mauvaise pour la nourriture des corps et de l'âme, que tel événement est arrivé ou arrivera ou n'arrivera pas.

M. de Lamennais affecte de confondre sans cesse la parole avec le témoignage, et cette équivoque sert à son dessein. Quand j'entends le son des mots, l'homme qui prononce ces mots témoigne à mes yeux qu'il a dans l'esprit les idées que ses paroles suggèrent au mien. Que si je n'entends pas son langage, l'émission de la parole ne sera pour moi qu'une sensation ou un fait physique. Mon intelligence ne reçoit donc pas la vie ou l'être par la parole, mais elle a la vie en elle-même et la parole l'éveille ou la seconde. C'est *par le témoignage intérieur* exclusivement que nous sommes certains d'être et de posséder la *vérité*.

L'autorité est le seul moyen, le moyen général de discerner la vraie religion ; en sorte que celle-là est certainement ou nécessairement la véritable qui repose sur la plus grande autorité.
(p. 199)

Puisqu'il y a des autorités plus ou moins grandes, il faut donc bien avoir ou prendre les moyens de connaître ces degrés ; il faut donc examiner, comparer. Quel est le mahométan ou le juif qui n'attribue pas la plus grande autorité à sa religion ? Quel moyen de le dissuader s'il ne compare les preuves ?

L'auteur de l'*Essai sur l'indifférence en matière de religion* fait ce qu'ont fait avant lui les sceptiques et tous ceux qui affectent de nier ou de calomnier la raison humaine qu'ils prétendent détruire dans ses bases. Bossuet a une autre idée de la raison humaine.

Quand il dit (*Traité de la connaissance de Dieu et de soi-même*, chap. IV, IX) : « Je vois toutes les *vérités* dans une lumière intérieure, c'est-à-dire dans une *raison* par laquelle je juge et des sens, et de leurs organes, et de leurs objets. »

Cet auteur emploie beaucoup de raisonnements et de discussions pour prouver qu'il faut croire sans raisonner à l'autorité et à la plus grande autorité en matière de religion. Je trouve les conséquences et ce qu'il dit à la fin, sur la *société spirituelle* primitive, dont l'église fondée par Jésus-Christ est le développement ou le perfectionnement, et sur l'autorité divine (du moins médiatement) qui appartient à cette société, beaucoup plus raisonnables que ses principes philosophiques absolus. Ces Messieurs devraient bien rester sur leur terrain, et ne pas entamer celui de la philosophie qui leur est étranger.

M. de Bonald et M. de Lamennais parlent avec dénigrement de la science de l'homme individuel et de ceux qui la cultivent ; ils parlent de ce qu'ils n'entendent pas. Ils auraient mieux fait d'étudier d'abord eux-mêmes les facultés de l'homme, avant de traiter, l'un de l'origine du langage, l'autre de l'autorité du témoignage ; ils auraient évité bien des bévues et des contradictions.

Dieu n'a pu parler à l'homme ou se manifester soit directement, soit par témoignages successifs, qu'en s'adressant à quelqu'une des facultés qu'il avait données à l'homme, ou plutôt à toutes ses facultés ensemble : car elles concourent toutes en effet à la formation de chaque *idée* ou pensée proprement dite, quelle que soit l'origine, la cause ou l'objet de cette idée ; qu'elle soit *révélée* avec son signe ou produite par l'autorité de l'esprit.

Il n'y a pas opposition entre les systèmes de philosophie, comme l'assure M. de Bonald, mais bien différence de point de vue. Les uns s'attachent, pour ainsi dire, à la surface de l'âme ; les autres pénètrent plus ou moins avant dans un fond. Tel rapporte tout à une faculté de l'homme ou de l'animal comme l'imagination ou les sens : tel autre voit tout l'homme dans la réflexion ou le sens intime ; et ceux-ci cherchent les lois d'une sorte d'automate intellectuel auquel ils réduisent la pensée ; ceux-là au contraire ne comprennent pas qu'il n'y ait de pensée, d'intelligence sans moi, sans libre arbitre, etc.

Si la philosophie ne fait aucun progrès depuis des siècles, si les conceptions les plus sublimes de nos modernes se trouvent dans Platon ou Aristote quoiqu'elles n'y aient pas été empruntées par les auteurs, c'est que chaque être pensant ou méditatif est obligé de se faire sa philosophie d'après le modèle qu'il a sous les yeux. Une philosophie apprise ou d'emprunt ne consiste que dans de vaines paroles ou dans une simple fin de formes artificielles, et ceux qui n'ont pas puisé à la source intérieure pour se faire leur philosophie, n'y entendent absolument rien.

Ce ne sont pas les différences de systèmes ou de points de vue qui doivent frapper et surprendre les esprits éclairés sur le vrai fond des idées philosophiques ; c'est plutôt l'accord ou même l'identité des conceptions des vrais philosophes de tous les siècles qui ont été jusqu'au fond du sujet ou de l'âme même. L'école de Platon ne diffère de celle de Descartes ou de Leibniz que par les expressions ou les formes des doctrines qui se reproduisent toujours les mêmes. Voilà ce qui méritait d'être observé et dont il fallait chercher la raison dans la nature même de l'esprit humain appliqué à se connaître lui-même.

Condillac, dans son *Traité des animaux*, remarque avec beaucoup de sagacité que si les animaux de la même espèce font tous la même chose, c'est précisément parce qu'ils ne s'imitent pas ; que s'il y a tant de différences ou de modifications variables dans les actions des hommes, c'est au contraire parce qu'ils tendent à s'imiter en tout.

Ceci s'applique à la diversité des systèmes de philosophie. Ceux qui sont vraiment originaux doivent se ressembler parce qu'ils sortent tous, pour ainsi dire, du même monde intérieur. Ceux au contraire qui sont produits par imitation, ou par enseignement *extérieur* des paroles d'un maître, ne sont que des combinaisons variables, artificielles.

Le vrai critérium des systèmes, c'est l'uniformité ou l'identité des doctrines professées par des philosophes qui ont pu n'avoir aucune communication ; mais il faut savoir reconnaître cette unité malgré toute la diversité des formes.

L'uniformité des traditions sur les choses qui ne peuvent être sues ou apprises que par ce moyen, ne prouve rien pour la vérité des choses ainsi transmises ; car l'erreur se transmet aussi bien ou mieux que la vérité.

MARGINALIA

Louis de BONALD
RECHERCHES PHILOSOPHIQUES
Paris, Le Clère, 1818, 2 vol.

Maine de Biran	L. de Bonald
Est-ce que le raisonnement est éteint ?	Le criticisme de ce philosophe (Kant), annoncé avec emphase, n'a pu se soutenir sur des fondements et n'a produit que des divisions et même des haines. *(p. 44)*
Qu'importe pour ou contre les idées innées [pour] des hommes qui n'entendent pas la valeur des termes ayant fait l'objet des travaux.	Que n'a-t-on pas dit contre les idées innées, soutenues cependant par les plus beaux génies qui aient honoré la philosophie ancienne et moderne. *(p. 52)*
Qu'entend-on par idéologie ?	Mais cette idéologie dont on est si fort occupé, est-elle, je ne dis pas utile aux progrès de l'esprit ou de la science, mais peut-elle même être l'objet d'une étude raisonnable... ? *(p. 64)*
Discours d'un homme frivole qui n'a jamais eu une pensée sérieuse...	Recherchez le principe de nos connaissances, de nos idées et de nos sensations, mais ces idées et ces sensations sont nous-mêmes qui pensons et nous sentons. *(p. 65)*
	Religion, morale, politique, littérature, sciences, arts, la so-

Comparez à tout ce verbiage scandaleux la réponse de l'oracle sur l'ignorance savante de Socrate. De Bonald décrit le plus bas degré de la science, et ne se doute pas du plus élevé.

ciété, tout est à sa disposition [...], c'est là, c'est au-dehors qu'il faut diriger nos recherches, et la connaissance de nous-mêmes n'est que la connaissance de nos rapports avec les êtres semblables, et de nos devoirs envers eux.
(p. 66)

Pointe à la Voltaire.

Mais si nous nous obstinons à creuser nos idées pour y chercher nos idées [...] ne risquons-nous pas de faire comme ces moines du mont Athos qui, des journées entières les yeux fixés sur leur nombril, prenaient pour la lumière incréée des éblouissements de vue que leur causait cette situation ?
(p. 67)

Ce que vous saviez auparavant

Que ce soit Bacon ou Descartes, Leibniz ou Locke, qui viennent me proposer ses opinions, je n'en reçois jamais que ce que je comprends ou ce que je crois comprendre. Je ne puis même adhérer à ces pensées, qu'autant que je les retrouve dans mon esprit, ou plutôt qu'elles sont les miennes ; comme je ne puis obéir à un autre homme, ou même à Dieu qu'autant qu'il me fait vouloir moi-même : et nous sommes tous comme les enfants, toujours prêts à obéir, pourvu qu'on ne leur commande que ce qu'ils veulent faire.
(p. 71)

Prenons acte.
M. de Bonald n'avait donc pas

L'inutilité des tentatives faites jusqu'à présent prouve bien moins l'impossibilité de réussir que la constance des recherches et les talents de ceux qui s'y sont tort de ne pas désespérer. Voyez le commencement.

livrés ne prouvent qu'il existe un objet à cet effort opiniâtre de l'esprit humain, et qu'il ne doit pas désespérer de l'atteindre.
(p. 82)

Voilà le scepticisme...

Ils [les rationalistes] ont donc posé un fait purement intérieur et intellectuel, dont chacun est juge et dont personne n'est témoin, fait aussi obscur que nos esprits sont impénétrables, aussi varié qu'ils sont différents.
(p. 84)

Qui parle d'*expliquer* ?

Ils [les philosophes empiriques] retombent dans les faits intellectuels et tous individuels, dont nous avons fait voir l'insuffisance et l'illusion, et ne font ainsi qu'ajouter à la difficulté d'expliquer l'idée et même la sensation.
(p. 85)

Ne faudra-t-il pas aussi l'expliquer ?

Il s'agirait donc de trouver, un fait sensible et extérieur, un fait absolument primitif et *a priori* pour parler avec l'école, absolument général, absolument perpétuel dans ses effets.
(p. 85)

Pourquoi pas aussi l'esprit ?

Les autres [sciences], comme la zoologie, la botanique, la minéralogie, ont pour fait primitif les corps mêmes soumis à leurs observations, plantes, métaux, animaux...
(p. 86)

L'homme extérieur...

Plusieurs philosophes de notre temps veulent que ces vérités [du fait primitif] n'aient aucun besoin de démonstration, et qu'elles éclairent les esprits

immédiatement et par elles-mêmes.
(p. 89)

Qui le dit ? C'est là une analogie fausse ou hypothétique ou arbitraire.

Comment aurait-il laissé des créatures intelligentes sans intelligence ?
(p. 93)

Locke, idées morales.

Il faut supposer que les idées de connaissances morales ont été dans leur *origine* arbitraires, et d'invention humaine comme le langage, et c'est à cette extrémité que quelques philosophes comme Hobbes ont été conduits.
(p. 97)

Cela est parfaitement juste, mais comment connaissons-nous ces opérations autrement que par la conscience ou comme faits de sens intime ?

Il semble naturel de chercher la preuve de l'existence de la suprême intelligence dans les opérations de l'intelligence de l'homme, plutôt que dans son organisation corporelle, parce que cette organisation, toute merveilleuse qu'elle est, ne le rapproche que des animaux, ou même des végétaux, au lieu qu'il est, par son esprit, seul entre tous les êtres faits à l'image et à la ressemblance de la divinité, et qu'il doit sous ce rapport participer en quelque sorte de son modèle.
(p. 99)

Comment le savez-vous ?

Il [l'homme] n'a nul besoin de langage pour les recevoir [les sensations], puisque les animaux à qui la parole a été refusée les perçoivent comme lui.
(p. 102)

Le langage suppose cette distinction faite, il faut donner un sens

Mais en supposant le fait du don primitif du langage, nous découvrons facilement l'origine pour au mot *est*, les animaux ne le peuvent faire.

chacun de nous des idées de vérités générales.
(p. 102)

L'homme n'apprend à *parler* qu'en liant des idées aux mots qu'il tient de sa nourrice.

Gardienne fidèle et perpétuelle du dépôt sacré des vérités fondamentales de l'ordre social, la société, considérée en général, en donne communication à tous ses enfants à mesure qu'ils entrent dans la grande famille.
(p. 103)

Apprendre.

Il faut donc commencer par croire quelque chose, si l'on veut savoir quelque chose.
(p. 115)

Pourquoi éloignée ? Le langage a-t-il dû d'abord être *parfait* ? N'y a-t-il pas eu d'abord un langage comme des facultés imparfaites ? Voyez les tribus sauvages.

Ainsi, jusqu'à l'époque de l'invention du langage, époque nécessairement très éloignée de l'origine de l'homme, le genre humain a vécu dans la condition la plus misérable qu'on puisse imaginer, sans parole, sans pensée, sans société, au-dessous même de la brute ; cet état primitif, qu'ils appellent *nature* ou de pure nature, ils la rejettent dans un passé indéfini, et quelques myriades de siècles avant tous les monuments historiques et toutes les traditions.
(p. 120)

Oral. Mais il y a d'autres langages.

L'organe de l'ouïe [...] est absolument nécessaire pour recevoir la connaissance du *langage*.
(p. 123)

L'homme s'entend lui-même et peut s'imiter sans imiter les autres.

Et non seulement la parole est en nous une imitation, ou une *répétition de la parole*, que nous avons ouïe...
(p. 123)

Les aveugles [...] parlent ou

chantent sans *expression* et ils ne peuvent pas plus imiter une expression qu'ils n'ont pas vue, que les sourds-muets ne peuvent répéter une expression qu'ils n'ont point entendue.
(p. 124)

C'est le contraire pour la répétition et l'imitation intérieure, les aveugles ont le même avantage pour l'expression.

Ainsi [l'homme] ne peut penser aux objets incorporels, et qui ne tombent directement sous aucun de ses sens, sans avoir en lui-même, et *mentalement*, les mots qui sont l'expression ou la représentation de ses pensées, et qui deviennent *discours* lorsqu'il les fait entendre aux autres.
(p. 125)

Influence exagérée attribuée aux signes. C'est ce qu'ont dit Hobbes, Condillac, et ceux qui nient la réalité des *notions* intellectuelles.

Enfin si l'on s'obstine à soutenir que le langage est l'ouvrage de l'homme, on est obligé d'admettre autant d'inventeurs que l'on croit voir dans le monde de langues différentes, et autant d'inventeurs qui ont eu précisément les mêmes idées sur la formation du langage, l'ont construit partout sur le même plan et ont, pour ainsi dire, jeté toutes les langues dans le même moule.
(p. 167)

C'est qu'il y a un fonds commun de notions pour tout esprit humain, l'identité des formes pour les langues les plus diverses ne prouve que l'universalité et la *nécessité* des formes propres à l'esprit humain.

Il est assez étonnant que la fable [...] nous ait laissé ignorer le nom d'un de ces *nombreux inventeurs de l'art de parler*, lorsqu'elle nous en a transmis plusieurs des inventeurs prétendus de l'art d'écrire.
(p. 168)

C'est que l'art s'est fondé sur la nature, et n'est pas une invention.

Le langage est partout le même quoique les idiomes soient différents. C'est ce qui fait que les divers peuples ne s'entendent pas

Cela ne prouve autre chose que la *communauté* des notions ou des formes intellectuelles.

entre eux et que toutes les langues se comprennent les unes les autres et peuvent se traduire les unes par les autres.
(p. 169)

Cette *essence* est fondée sur la construction même de l'esprit humain, donc elle n'est pas *transmise* par la société mais propre à chaque esprit individuel. Le *nécessaire* est inné et non pas *transmis*.

Le langage est identique et invariable dans ses lois générales qui forment proprement sa constitution et son essence.
(p. 169)

Si le langage avait été inventé à force de temps et d'essais, les langues devraient être plus imparfaites, ou moins capables, si l'on veut, d'exprimer l'homme, à mesure qu'elles se rapprocheraient davantage des premiers temps. Or il en est autrement, puisque les langues les plus anciennes, dont les monuments écrits nous soient parvenus, réunissent toutes les qualités qui peuvent constituer une langue finie.
(p. 170)

Le peuple ancien doit parler, il détient donc une langue perfectionnée.

L'homme découvre l'utile ou l'agréable, il invente même le mal ; mais il n'invente pas le *nécessaire* par lequel il est, et qui existe avant lui et hors de lui.
(p. 170)

Propre à chaque esprit individuel, le nécessaire est inné et non pas transmis.

Si le langage n'a pu être inventé par l'homme ni par les hommes, il a donc été donné primitivement au genre humain dans la personne d'un premier homme, transmis par lui à ses premiers descendants et par ceux-ci à tous les autres et au genre humain.
(p. 171)

L'essence du langage tel que l'entend l'auteur n'a pas été transmise à la manière dont l'*âme*, la vie sont transmises à chaque individu.

Cette vérité que toutes les langues viennent d'une langue primitive, appui et preuve de tant d'autres vérités, devient tous les jours plus probable.
(p. 172)

Cela ne prouverait point que cette première langue fût un don.

Il est vrai de dire que les mots réellement différents expriment des choses différentes, c'est-à-dire nomment d'un nom particulier diverses modifications d'un même objet, que les divers peuples ont considéré sous des rapports différents, selon l'usage auquel ils l'emploient, ou l'impression qu'ils en avaient reçue.
(p. 173)

N'y a-t-il pas aussi des noms bien différents qui expriment des idées abstraites identiques, tels que les noms de nombres, de figures géométriques ?

Et n'est-il pas plus vrai de dire que si l'homme avait pu inventer le langage, l'idée du langage serait innée dans son esprit ? Car l'homme a nécessairement en lui-même le type de ce qu'il invente, lorsqu'il ne le reçoit pas du dehors, et, dans ses découvertes, il ne fait que copier un modèle ou intérieur ou extérieur.
(p. 197)

J'accorde ceci et j'en prends *acte* contre l'auteur.

La faculté de répéter la parole n'appartient pas même à l'homme seul, puisque cette faculté se montre chez quelques animaux.
(p. 198)

Il s'agit de répéter avec intention et volontairement.

Car les animaux entendent notre parole [...] un signe matériel et sensible, inséparable de certains mouvements dont on leur a fait contracter l'habitude.
(p. 198)

Comme dans l'homme qui n'aurait pas *appris* à lier des idées aux signes.

Puéril.

Ce qui le prouve est que le chien qui rapporte si fidèlement au mot ou au son *apporte* n'obéirait plus si on se servait d'une périphrase pour lui faire entendre la même chose.
(p. 198)

Croit-on que l'enfant saisisse plus vite et plus sûrement le sens des mots qui expriment des idées générales que celui des noms des objets physiques ? Le comprennent-ils au *premier instant* où ces mots, *justice*, *idée*, etc., frappent leur oreille ?

Mais lorsque je parle à un enfant d'objets moraux et immatériels et qui ne peuvent lui être présentés sous aucune image, lorsque je l'entretiens de vertu, de raison, de justice, d'ordre, de bien et de mal, de rapports des objets entre eux ou avec nous, choses qui sont le fondement de la vie et que tous les hommes comprennent...
(p. 199)

Donc, il y avait des pensées sans parole.

Il faut de toute nécessité supposer dans son esprit quelque chose d'antérieur à une leçon, des pensées qui attendaient une parole pour se joindre à elles.
(p. 200)

Tout cela est vrai pour ceux qui admettent des idées innées, mais si les idées sont dans l'esprit avant les signes conventionnels du langage. Pourquoi faire dépendre leur *présence* à l'esprit de ces signes arbitraires, *reçus* ou entendus du dehors ? pourquoi l'esprit, actif par lui-même, ne se ferait-il pas d'abord des signes intérieurs ? Si les pensées sont prêtes à se lier à toute espèce de sons, pourquoi ne se lieront-elles pas à des sons volontaires que l'enfant émettrait de lui-même, et qu'il répéterait avec intention après les avoir faits au hasard et spontanément ?

On n'apprendrait pas plutôt la géométrie à un enfant qu'à l'animal qui vous regarde et vous écoute, si l'enfant n'avait pas, plus que l'animal, des idées de rapports d'espace, de grandeur, de quantité, qui ne peuvent se joindre aux mots qui les expriment, que parce qu'elles se trouvent antérieurement dans l'esprit.
(p. 200)

Fausse difficulté ; il y a d'autres moyens que la parole pour rendre des idées compréhensibles.

Le maître sait la langue, le disciple n'en connaît encore aucune. Comment celui-ci comprend-il les pensées, lorsqu'il ne connaît pas encore la parole qui les exprime et les rend compréhensibles, ou comment entend-il la parole s'il n'a déjà la pensée qui la rend intelligible ?
(p. 202)

C'est justement ce qui arrive.

Je sais que l'homme étant passif quand il entend la parole, actif quand il y joint la pensée, le même homme n'a pu recevoir la parole de lui-même, et y joindre en même temps la pensée...
(p. 203)

Pourquoi n'y aurait-il pas une *fécondation* toute intérieure et *active* ?

La pensée est le germe qui attend que la parole viennent le féconder et lui donner l'existence.
(p. 203)

Contradiction avec ce qui a été dit plus haut sur l'identité du langage.

Mais les signes du langage, pour dire les mots, sont une expression fausse, car les mots ne sont pas les signes du langage, mais le langage lui-même.
(p. 205)

En ce cas, vous n'êtes pas philosophe.

Un philosophe ne doit rien dire qu'il ne le pense et ne le prouve...
(p. 205)

Oui, quant à la création des *êtres* et à l'établissement des lois dérivées de leur essence ; *non*, quant aux effets et aux phénomènes qui peuvent être rapportés aux *causes* secondes ou aux forces *dérivatives*, verbiage, déclamation oiseuse.

La cause première et génératrice de toutes n'est pas plus extraordinaire que les causes secondes de quelques effets [...]. Mais ce qui est extraordinaire, et hors de toute nature, c'est la matière éternelle qui s'est faite et arrangée d'elle-même...
(p. 209)

Le merveilleux ou surhumain est ce qui surpasse les forces et l'industrie de l'homme [...]. Or tout est merveilleux et surhumain dans le monde...
(p. 210)

Abus des mots. Changement dans l'état de la question.

Condillac dit « qu'il est du devoir du philosophe d'expliquer comment une chose aurait pu être faite par des voies extraordinaires », c'est à peu près comme s'il disait « qu'il ne suffit pas à un philosophe de dire qu'une chose a été faite par des voies qui sont dans la nature et appartiennent à l'ordre dont elle fait partie, mais qu'il est de son devoir d'expliquer comment elle aurait pu être faite par des moyens pris dans une nature différente, et qui sont dans un ordre de choses hors duquel elle est « placée », ce qui renferme une absurdité dans la pensée, et une contradiction dans les termes.
(p. 211)

Paralogisme ; on suppose ici faussement que la formation des langues, déduites des facultés de l'homme, serait opérée par des moyens pris hors de la nature intelligente et active ; c'est là qu'est la *contradiction*.

[les enfants] avaient, comme les animaux, la vue intérieure ou la perception de ces images qui ne seraient pas, si l'homme ou la brute ne les apercevaient pas et n'en avaient aucune connaissance [...] (car la brute est dans l'état naturel à son espèce, au lieu que l'homme sans le langage est dans un état contraire à sa nature).
(p. 213)

Il faudra d'abord prouver qu'il ne peut y avoir sensation ou *image* sans aperception, c'est-à-dire qu'il n'y a aucune différence entre les sensations des animaux et celles de l'homme.

Condillac fait faire à ses lecteurs un pas de géant et franchit d'un saut l'intervalle qui sépare

Subtilité logique.

l'homme brut de l'homme social…
(p. 214)

Supposition de Hobbes, contre nature.

Si deux êtres à figure humaine, placés dans des circonstances semblables, venaient à se rencontrer […] leur premier mouvement serait de se fuir plutôt que de se chercher…
(p. 215)

Elles vivaient donc ensemble, l'excès de passion ne prouve rien.

…en Picardie [de deux filles] l'une avait tué l'autre pour je ne sais quel objet qu'elles avaient trouvé, et dont elles s'étaient disputé la possession.
(p. 215)

Qui vous l'a dit ?

Ces êtres hors de toute nature vivante, puisqu'ils n'avaient ni la raison qui réunit les hommes ni l'instinct qui rapproche les brutes.
(p. 216)

Si la nature morale n'était rien hors de la société, comment une société pourrait-elle commencer sans miracle ou sans recourir à la *force* de Hobbes ?

L'erreur de Condillac […] c'est d'avoir regardé comme natives et appartenant à sa nature physique et individuelle [de l'homme] des qualités qui appartiennent uniquement à sa nature morale et sociale.
(p. 218)

Non, mais l'instinct de l'humanité.

C'est d'avoir cru que l'homme aurait l'instinct de la brute.
(p. 219)

Cela prouve seulement qu'il y a dans l'homme une force supérieure à l'instinct.

Puisque si nous ne pouvons nous empêcher de faire certains mouvements d'habitude pour échapper à un danger qui menace notre vie, nous pouvons braver volontairement ce danger et faire de notre plein gré le sacrifice de notre vie.
(p. 219)

Est-ce qu'il n'y a pas aussi des besoins sympathiques ?	La sensibilité aux maux d'autrui n'est pas une qualité native de l'homme, un besoin comme celui de digérer ou de dormir. *(p. 220)*
On est d'autant plus sensible que la raison agit moins.	On n'est pas sensible parce qu'on a les organes et la constitution physique de l'homme, mais parce qu'on est un être raisonnable et moral. *(p. 221)*
Il y a des besoins et des passions plus forts.	Il y a une sensibilité qui dépend de la faiblesse des organes... *(p. 221)*
Demandez-le aux nourrices.	Est-il vrai que l'homme ait comme la brute des cris naturels, des signes naturels de ses affections ? *(p. 224)*
Les cris ne seraient pas signes pour lui.	L'homme crie parce qu'il sait ou qu'il croit qu'il sera entendu. Il ne crierait pas, je crois, s'il se croyait absolument seul. *(p. 225)*
Paradoxe.	L'homme n'a point de cris naturels à son espèce et le cri est chez lui, comme la parole, une imitation. *(p. 225)*
Donc il y a des cris arrachés par les passions ; les habitudes se forment par la répétition volontaire.	Mais ce cri n'est pas comme celui des animaux un langage, c'est un accident, un premier mouvement, parce que la surprise et l'effroi qui le feraient naître ne sont pas proprement des affections. *(p. 226)*
Substituez *involontaires* à natu-	Mais si les cris étaient des signes naturels, qu'avaient besoin les hommes pour se faire entendre,

rels et la question sera *absurde.*

de convenir entre eux de signes arbitraires ?
(p. 227)

Ils ne suffisent pas aux hommes précisément parce qu'ils ne sont pas des animaux.

Les cris naturels donnés par la nature, pour être les signes naturels de ses besoins, devaient suffire aux hommes, comme ils suffisent aux animaux.
(p. 227)

Quelle parole ?

Est-ce que l'articulation de la parole humaine serait plus naturelle à la brute qu'à l'homme lui-même ?
(p. 228)

L'instinct humain n'est pas celui de l'animal ; même celui du singe n'est pas celui de l'huître.

Condillac a soin de nous dire que tout ce que faisaient les enfants, ils le faisaient par instinct.
(p. 228)

La transformation n'est pas longue quand on admet la réflexion et l'activité de l'esprit.

Il n'aurait plus manqué que de calculer combien de temps il a fallu pour qu'un cri ou une contorsion soit devenu un verbe complet avec tous ses modes de temps.
(p. 229)

Rousseau fait abstraction des facultés innées ou des formes propres à l'esprit humain. Il n'y a point de convention dans l'espèce d'une faculté matérielle.

Franchissons pour un moment l'espace immense qui doit se trouver entre le pur état de nature et le besoin des langues.
(p. 236 ; cit. de Rousseau, Discours sur l'origine et les fondements de l'inégalité...*)*

Absurde.

Ils exprimèrent donc les objets visibles et mobiles par des gestes, et ceux qui frappent l'ouïe par des sons imitatifs [...] on s'avisa enfin de substituer au geste les articulations de la voix [...] *substitution qui ne peut se faire que d'un commun consen-*

	tement... *(p. 238 ; cit. de Rousseau, ibidem)*
Faux.	Le mot servir est ici, dans la construction grammaticale la plus simple et la plus correcte, le lien ou la copule des deux membres de la phrase. *(p. 299)*
Cette dépendance n'étant pas générale ni absolue, l'expression est inexacte.	Ainsi cette définition exprime la dépendance des organes à l'égard de l'intelligence. *(p. 299)*
C'est par là qu'elle règne.	La définition de l'homme fait de l'intelligence le maître, et des organes des serviteurs. *(p. 299)*
C'est bien dit, mais il faut voir ce qui est possible.	Souffrir que les sens et leurs organes [...] usurpent le pouvoir qui appartient de droit à l'intelligence. *(p. 300)*
Comment pouvoir s'assurer que les ministres sont fidèles ?	Tel un souverain abusé par ses ministres corrompus... *(p. 301)*
Pur remplissage, verbiage inutile.	[...] et si le langage lui-même, dans ses éléments les plus familiers et ses locutions les plus générales, pouvait n'être pas vrai, le monde ne serait tout entier qu'une grande illusion, et la société même n'aurait pu se former. *(p. 303)*
Digression qui n'éclaire rien.	Il paraît contraire à la constitution morale de l'homme que l'âme empêche l'estomac de digérer, comme elle empêche l'organe cérébral de coopérer à la pensée, ou la langue d'en pro-

	duire l'expression. *(p. 304)*
Faux.	[Dieu] a interdit [à l'homme] sur ses mouvements le pouvoir qu'il lui a donné sur ses actions. *(p. 305)*
Comparaison n'est pas raison.	En effet, si l'homme est une intelligence servie par des organes... *(p. 306)*
Ministres souvent révoltés ou qui font tout par eux-mêmes, comme dans un gouvernement représentatif, où le pouvoir *royal* est neutre.	Dans l'homme, l'intelligence ou l'âme est le pouvoir, les organes sont les ministres... *(p. 306)*
Hypothèse de Stahl.	Dans l'homme, l'âme est avertie aussi par le rapport des organes de tout ce qui peut être utile ou nuisible au corps... *(p. 307)*
Platon, dans la *République*, a cherché aussi le type de gouvernement de la société, dans le gouvernement de l'homme ou la monarchie de la raison ; tout cela est bon pour le drame et non pour la vérité.	Car le pouvoir public n'a de droit sur la famille que pour en protéger l'existence et en faciliter le développement. *(p. 309)*
Ni plus ni moins ;	Le parallèle entre l'homme et la société serait toujours également juste. *(p. 310)*
Platon a mieux fait que la soupçonner, il l'a établie tout aussi bien pour le moins que M. de Bonald.	Aussi cette analogie a-t-elle été reconnue ou plutôt soupçonnée, et même dès la plus haute Antiquité. *(p. 310)*
Ce n'est pas ainsi et par des comparaisons ou des analogies ima-	...si c'est avec raison que l'on croirait avoir atteint le dernier terme des progrès de ces sciences, en ramenant à une seule loi

ginaires que les physiciens (ou anatomistes) procèdent dans la position des lois et la réduction des principes de philosophie naturelle.	[...] tous les phénomènes qu'elles présentent pourrait-on ne pas reconnaître un grand principe qui, s'appliquant à toutes les natures, explique à la fois l'homme, la société, l'univers ? *(p. 312)*
Le mot thèse est ambitieux.	Un esprit exercé à considérer [...] le système entier des êtres moraux [...] y verra peut-être quelque chose de plus qu'une simple thèse philosophique. *(p. 312)*
Ceci est par trop fort — *risum teneatis amici.*	... il est impossible qu'une erreur, c'est-à-dire une chose sans réalité, eût pu être représentée à l'esprit par [...] une expression si simple, si élevée et si générale. *(p. 313)*
Pitoyable.	C'est un effet inévitable des opinions populaires [...] que tout ce qui est noble, même dans la doctrine, paraisse suspect. *(p. 313)*
Ce second service est bien certainement différent du premier : l'un est passif, l'autre est actif. Il eût fallu du moins les distinguer au lieu d'équivoquer sur le mot *servir*, les latins auraient employé le verbe *utor* dans le premier cas et *servire* dans le second.	... l'homme est une intelligence servie par les organes de la sensibilité, ou plutôt par la sensibilité répandue dans tous les organes. *(p. 314)*
Sujets fort indépendants, des sujets qui ne servent pas et qui commandent le plus souvent...	Les organes de la respiration, de la nutrition sont plutôt les sujets de l'intelligence que ses ministres. *(p. 315)*
Métaphore.	... l'on donne le nom de sensibilité élective à certaines proprié-

tés des végétaux.
(p. 317)

Ainsi, dans l'une [des définitions] l'être propre, essentiel de l'homme, est l'âme ou l'esprit, et les organes ne sont que l'avoir ou l'attribut.
(p. 319)

Distinction subtile non applicable au cas actuel, car l'homme n'a pas plus [l'organisation] que l'intelligence par acquisition.

Ces deux définitions sont donc deux extrêmes [...] dans l'une l'homme est un esprit qui a reçu des organes, et dans l'autre, des organes qui reçoivent de l'esprit.
(p. 320)

Hypothèse abstraite dans les deux cas ; l'âme a-t-elle l'esprit, avant un corps quelconque ? Question irrésoluble.

... où est même le besoin du langage, pour que l'homme, qui peut vivre sans parler, ait reçu de ce besoin l'esprit [...] d'inventer le miracle toujours subsistant de la parole...
(p. 322)

Il y a des besoins ou des instincts de l'esprit comme il y en a du corps ; les uns ne sont pas plus que les autres des acquisitions fortuites — ce qui est *universel* ne peut être acquis.

... et loin que l'homme *reçoive l'esprit de tout ce qui l'environne et de ses besoins*, il reçoit de son esprit les moyens de faire servir tout ce qui l'environne à satisfaire ses besoins ; et même on peut dire qu'il reçoit de l'inépuisable activité de son esprit, de nouveaux besoins, et des moyens toujours nouveaux de les satisfaire.
(p. 327)

Juste.

Mais nous-mêmes nous portons nos arts aux sauvages, peuples [...] non pas naissants et primitifs, mais dégénérés.
(p. 327)

Hypothèse.

Le système populaire [...] est aussi la masse du peuple [...] organisée en un nombre infini

d'autorités et de fonctions ; masse sensible aussi ou, ce qui est la même chose, douée d'une extrême irritabilité.
(p. 331)

Autre jeu d'esprit.

... masse qui reçoit l'esprit de ses besoins, car ce n'est jamais que ses besoins [...] et jamais la morale que le peuple voit dans l'administration, toutes les fois que, pour son malheur, il fait irruption dans le gouvernement.
(p. 331)

La science physique ne voit pas plus que la morale les besoins de l'animalité.

Cet enchaînement nécessaire dans tous les systèmes, d'un côté le spiritualisme, le monarchisme, le théisme, de l'autre, le matérialisme, le popularisme, l'athéisme...
(p. 332)

Enchaînement artificiel ou hypothétique. La Grèce prouve le contraire.

...Qui est-ce qui n'est pas révolté de cette proposition, que penser est sentir, et n'en trouve pas le démenti dans ses idées les plus distinctes et ses sentiments les plus habituels.
(p. 336)

[Les remarques de Maine de Biran se trouvent sur des feuilles intercalaires]

§ 1 Il y a donc quelque chose à chercher ou à étudier, et à apprendre en nous-mêmes ? Il y a donc une autre évidence que celle des faits *extérieurs* ? Notre esprit est donc quelque chose de plus qu'un instrument donné pour opérer sur ce qui est hors de nous. Comment M. de Bonald s'est-il assuré que *penser* est plus que *sentir* ? Pense-t-il que c'est seulement parce qu'il y a là deux expressions qui ne peuvent être synonymes ?
Mais il faut bien toujours en venir à dire pourquoi elles ne sont pas synonymes ou en quoi diffèrent les deux idées exprimées, c'est-à-dire distinguer les deux espèces de faits intérieurs exprimés par les verbes *sentir* et *penser*.

§ 2 L'auteur nie la réflexion. On dirait qu'il ne l'a jamais exercée. Je saurais que j'ai des yeux, des organes mobiles à volonté, quand je n'aurais jamais eu de miroir. Il suffit d'agir et de vouloir pour distinguer le *sujet* du *terme* de l'action.

§ 3 La volonté se connaît et se juge elle-même *immédiatement*.

§ 4 Je demande toujours à M. de Bonald comment il est parvenu à faire cette grossière analyse psychologique et phys[ique] si ce n'est par une sorte d'observation non intérieure ? Comment l'instrument donné uniquement pour connaître ce qui est au-dehors a-t-il pu se retourner sur lui-même pour se reconnaître ?
Il a donc forcé ou changé sa destination naturelle ? On serait en effet tenté de le croire ainsi en voyant combien cet esprit délié si habile à [entendre] le langage figuré est embarrassé et a bégayé en parlant de lui-même.
Le mot [impression] symbolise avec expression, c'est ce qui a séduit M. de Bonald. Il n'est pas vrai que nous rapportions les unes en les autres au cerveau. Les actes de la volonté ne se localisent pas et les impressions ne se rapportent qu'aux organes.

§ 5 L'opération par laquelle les objets intellectuels sont conçus à l'occasion des mots entendus est-elle immédiate et simple ? Suffit-il d'entendre le mot sans avoir la conception de l'idée ? Ne serait-il pas possible qu'il y eût des mots vides d'idées comme des idées sans signes ?

L'âme est entendement ou faculté de concevoir les idées d'objets intellectuels qui ne tombent pas sous les sens.
(p. 342)

[Les remarques de Maine de Biran se poursuivent sur une feuille intercalaire.]

§ 6 Est-ce bien sûrement la *même* âme qui est le sujet identique de ces attributs divers, l'âme des bêtes est-elle plus que sensibilité et imagination ?

§ 7 Il valait bien la peine de se moquer de la *décomposition* de la *pensée* et de l'idéologie pour arriver à cette pitoyable décomposition idéologique !

§ 8 Belle découverte ! On ne figure que ce qui se voit et se touche.

§ 9 Les images et les sentiments parlés sont des *idées*.

Quelle pauvre psychologie. Le mot impression est employé ici pour celui de *perception* ou d'intuition.

Il ne faut pas confondre l'impression reçue par les organes avec la sensation éprouvée par les organes.
(p. 340)

Singulières expressions. L'âme est donc un composé de facultés.

L'âme est donc imagination, entendement, sensibilité.
(p. 341)

L'âme reçoit, par sa faculté de sentir, des avertissements plus prompts et plus sûrs que par les facultés de comprendre ou même d'imaginer ; peut-être par la raison que les sensations sont immédiates...
(p. 353)

N'y a-t-il pas quelque chose d'encore plus *immédiat* à l'âme pensante, savoir : elle-même en tant qu'elle agit, veut et pense ? Mais M. de Bonald ne reconnaît pas cette *immédiation*-là. On voit qu'il goûte plus au fond la doctrine de Condillac que celle de Descartes.

Je sais mieux que je me brûle que je ne distingue un objet, ou que je ne comprends une proposition.
(p. 353)

Ne dirait-on pas qu'il suffit d'ouïr les mots d'une proposition pour les *comprendre* ?

Si mon entendement et mon imagination se trompent, ils sont redressés par l'entendement et l'imagination des autres hommes.
(p. 354)

Beau moyen.

Enfin les facultés d'entendement, d'imagination, de sensibilité [...] diffèrent encore [...] par les organes qui leur transmettent leurs perceptions respectives...
(p. 355)

L'entendement a donc aussi des organes qui lui *transmettent* les expressions où est l'activité ?

Le sentiment provient-il d'un jugement que l'âme porte sur la sensation qu'elle éprouve ?
(p. 358)

Les deux sont vrais suivant les cas qu'il fallait distinguer.

Je me résume : si penser c'est sentir, sentir, c'est penser, mais quand je pense au carré de l'hypothénuse peut-on dire que je *sens*...
(p. 361)

Puéril.

Alors chaque idée appelée par son nom se présente, et répond comme les étoiles dans le livre de Job, au commandement de Dieu.
(p. 373)

Poétique.

Il y a du vrai dans cette comparaison, mais il ne faut pas attribuer à la vertu du *langage reçu* la vertu d'une distinction qui tient essentiellement à l'activité de l'esprit se *servant* du langage ; telle est l'erreur continuelle de M. de Bonald.

Ainsi l'entendement éclairé par la parole distingue chaque idée à son expression particulière.
(p. 373)

Par quelle vertu l'idée vient-elle trouver son expression ?

L'idée ainsi marquée a cours dans le commerce des esprits, où elle ne serait pas reçue sans cette empreinte comme l'expression sans l'idée n'y vaudrait que comme son...
(p. 375 sq.)

Pas toujours.

Ainsi, l'on oublie les expressions et non pas précisément les idées, puisque l'idée se montre aussitôt que l'expression se présente.
(p. 377)

Non, mais les mots correspondants de la langue dans laquelle il traduit.

Nous pouvons [...] apercevoir clairement cette correspondance des mots et des idées. Un enfant, lorsqu'il a une version à faire, a sous les yeux des mots dont il cherche les idées.
(p. 377)

Toujours des métaphores données comme des vérités.

Ainsi [...] les expressions sont à notre esprit ce que le tain est à une glace.
(p. 379)

Il y a loin de là aux assertions absolues de M. de Bonald sur la *vertu* exclusive du langage reçu, il lui manque d'avoir trouvé les caractères primitifs *donnés* de cette langue qui exprime la *nature* des choses.

« Il est impossible sans langage de s'occuper d'objets ou d'événements qui n'ont point frappé les sens. »
(cit. de Dugald Stewart, p. 379)

C'est celui-là qu'il fallait bien entendre.

Parce que c'est par le même moyen [...] par le langage intérieur ou extérieur qu'on parle

avec soi-même, ou avec les autres...
(p. 382)

Juste, mais ne remonte pas assez haut dans l'origine et le caractère des *notions simples* ou des *idées générales*.

La métaphysique moderne a confondu trop souvent les idées générales avec les idées généralisées ou abstraites...
(p. 391)

C'est ce que semble ailleurs supposer M. de Bonald.

Cela prouve que l'esprit est simple et un, et que les organes composés de parties peuvent recevoir des habitudes différentes et être diversement modifiées.
(p. 403)

Avec cette différence qu'il n'y a qu'un moyen naturel de fécondation du germe, tandis qu'il y a autant de moyens de *production* de l'idée qu'il y a d'expressions diverses dans les différentes langues.

La pensée [...] attend pour se montrer dans l'esprit l'expression qui doit la produire, comme dans la génération des animaux le germe attend, pour éclore, la liqueur qui doit le féconder...
(p. 403)

C'est là compliquer le problème à dessein, ou confondre deux problèmes à dessein d'embrouiller.

L'homme n'a donc pas inventé le langage, car si l' homme avait pu inventer quelque chose de nécessaire à la société, il eût pu ne pas l'inventer...
(p. 410)

Et à entendre la parole ou lui donner un sens.

Aussi J.-J. Rousseau [...] finit par avouer « que la parole lui paraît avoir été fort nécessaire pour inventer la parole ».
(p. 410)

On pourrait appliquer le même raisonnement à la première idée que nous acquérons de notre propre existence, de notre moi, et dire aussi que cette connaissance toute intérieure nous vient du dehors. Le problème de l'origine du langage est le même que celui de l'origine de la personnalité.

Les hommes auraient-ils pu [...] avoir une idée claire et distincte de l'expression avant d'avoir l'expression de leur idée ?
(p. 410)

C'est en étudiant l'homme intérieur qu'on trouvera l'origine du langage, et l'homme intérieur n'est autre que l'homme *moral*.

Elle [la parole] est, j'ose le dire, la dernière des vérités morales qui reste à démontrer.
(p. 411)

Sophisme aisé à réfuter. Le sophisme consiste dans tout ceci : à équivoquer sur le mot *existence*. S'agit-il de l'existence de l'esprit ou de la présence d'une idée quelconque à l'âme ? S'agit-il d'une existence réelle, absolue, hors du sujet pensant ? A ce dernier égard, la question est évidemment fausse ; nous concevons et nommons des choses possibles, qui deviennent même sujets de propositions universelles et sont bien vraies ? Quoique ces sujets n'existent pas réellement hors de l'entendement, les vérités mathématiques sont ainsi purement conditionnelles et les noms des figures n'impliquent pas l'existence.

... on peut défier tous les philosophes ensemble de figurer un objet matériel qui n'existe pas, ou de nommer un objet intellectuel qui n'est pas...
(p. 413)

Exagéré, confusion du possible et du réel ; l'un et l'autre sont des noms. La vérité n'est pas l'être.

Or nous nommons Dieu [...] donc Dieu est, comme a dit très bien Fontenelle, une vérité est connue lorsqu'elle est nommée.
(p. 414)

Qu'est-ce que la vérité d'une idée ?

Ainsi, l'idée est toujours vraie, et il n'y a d'erreur que dans le jugement.
(p. 414)

Affirmer l'existence, c'est bien juger, mais nommer *n'est pas juger en ce sens.*

Mais quand je dis Dieu [...] je ne fais que nommer, c'est-à-dire affirmer l'existence.
(p. 415)

Il le faut bien, mais qu'en conclure ?

Voyez dans la *Concordance* des livres saints en combien de manières le *nom* est employé pour le sujet lui-même.
(p. 416, note 1)

Dire que tout ce qui est nommé *est*, ou est connu non seulement comme possible, mais comme réel et actuel, c'est dire que tout possible ou intelligible est ou doit être réalisé nécessairement en conséquence de cette assertion dogmatique, c'est dire que tout ce qui n'est pas est ou arrive *nécessairement* ; c'est ce que disent Spinoza ou Hobbes.

Mais un système de philosophie morale est un enchaînement de raisonnements qui tous tendent à un but, celui d'établir une opinion [...] mais qu'il vient à être renversé, l'édifice entier s'écroule, il n'y a plus de système ni même d'hypothèse...
(p. 418)

Combien tout cela est vague ; la raison subsiste toujours, il s'agit seulement de savoir si elle explique bien les faits et si elle n'est pas plutôt en contradiction avec eux. La marche naturelle est donc de constater les faits de sens intime et de voir si l'hypothèse de l'origine est vraiment explicative ou même conciliable avec ces faits.

Si la physique a ses faits qui ne peuvent être que des mouvements, la morale a les siens qui sont des actions.
(p. 420)

La physiologie aussi a ses faits.

Le docte Barthez, défenseur du système du principe vital, et qui prétend que sa doctrine diffère essentiellement de toutes les autres, s'élève contre celle que nous combattons.
(p. 421)

Quelle physiologie est étrangère à celle que Barthez examine dans le principe vital ?

Ceux [...] qui placent en particulier dans l'organe cérébral la cause de toutes les déterminations ressemblent au villageois qui s'introduit dans la maison d'un grand seigneur.
(p. 423)

Comparaison triviale et fausse.

Non, pas tous.	Les organes qui ne sont que les instruments de la volonté. *(p. 423)*
Poésie et non philosophie.	Cette fraction qui calcule l'infini, cet atome qui embrasse l'univers... *(p. 424)*
Ce n'est point par la force physique que je vois et entends à distance. L'exemple est bien mal choisi.	Je ne peux voir ou entendre ce qui est à dix toises de moi... *(p. 424)*
Si les organes touchent les lignes intelligibles, ils pourraient aussi les mesurer.	Mes organes touchent des lignes, je les mesure. *(p. 425)*
Faible raisonnement. La prévoyance n'est pas plus ou moins difficile à expliquer que la mémoire. C'est le *temps* qui fait toute la [? difficulté].	L'homme [...] pensera à ce qui tombe actuellement et *immédiatement* sous l'action de ses organes [...] là seront les bornes insurmontables de sa faculté de penser et jamais ce qui s'est passé avant lui, ce qui se passera après lui, ce qui se passe hors de lui et loin de lui, ne sera l'objet de ses méditations. *(p. 427)*
Tout cela est éloigné et ne remonte pas au principe. Posez la première supposition des matérialistes, tout le reste s'expliquera.	Quand l'eau courbe un bâton, ma raison le redresse. *(p. 428)*
Il faudrait s'attacher à bien distinguer dans les diverses opérations de la pensée ou dans l'exercice des facultés diverses telles que la réflexion, la mémoire, ce qui est sous la dépendance d'une organisation variable et ce qui n'en dépend nullement, l'expérience intérieure pourrait nous servir directement dans cette distinction et on aurait là une réfu-	...le seul état de maladie grave aurait rendu suspectes [...] les dernières paroles des mourants. *(p. 438)*

tation meilleure du système de Condillac.

Je suppose que je voie pendant la nuit, et de très loin, une lumière qui soit enfermée dans un vase de cristal.
(p. 439)

Comparaison fausse... parce que la lumière n'existe qu'autant qu'elle s'éclaire elle-même.

Un fait observé par les médecins et avoué par les physiologistes vient contredire le système de ceux qui font constamment dépendre l'état de l'âme de celui des organes.
(p. 440)

Il ne le contredit pas, si peu que Cabanis en tire avantage.

D'un autre côté, nous voyons que le corps se meut à l'occasion de certaines déterminations que nous rapportons exclusivement au cerveau...
(p. 441)

Faux.

Les partisans du système d'organisation pensante [...] raisonnent comme un enfant qui, voyant une troupe manœuvrer au son du tambour, s'imaginerait que le tambour est cause des mouvements que la troupe exécute...
(p. 441)

Triviale et fausse comparaison.

Quand Pascal a dit qu'il « suffisait de trois degrés d'élévation du pôle pour changer toute la jurisprudence », il a cédé [...] à son génie un peu exagérateur par une disposition chagrine.
(p. 452)

Il faut bien entendre la pensée de Pascal.

L'homme ne serait qu'un assemblage fortuit de muscles [...] et d'où l'intelligence se dégage comme un gaz, par fermentation.
(p. 463)

Confusion de la vie sensible avec la vie intellectuelle.

Car où prendrait l'organisation pensante cet excédent de volonté que l'organisation agissante ne pourrait accomplir ?
(p. 463)

Confusion du *désir* avec le vouloir, nous ne *voulons* réellement que ce que nous pouvons faire.

... lutte éternelle de l'homme intérieur contre l'homme extérieur rebelle par impuissance aux volontés de l'âme...
(p. 467)

Confusion d'idées et de facultés.

Mais si le cerveau s'épuise à servir l'âme dans l'opération de la pensée, l'âme ne se lasse jamais de vouloir...
(p. 467)

Et le sommeil ?

C'est là peut-être ce qui explique l'état de l'homme dans les songes où l'âme veut, et même par habitude, croit agir, sans que le corps agisse réellement.
(p. 467)

Non.

H.-F. LAMENNAIS
ESSAI SUR L'INDIFFÉRENCE EN MATIÈRE DE RELIGION
Paris, Tournachon-Molin, 1817-1823, tomes I et II

Maine de Biran	**Lamennais**
Les philosophes avaient-ils eu cette influence dans les premiers âges de la république ? Pourquoi cette philosophie naît-elle ou meurt-elle à certaines époques de la société ? On prend ici une des circonstances ou un des effets de la maladie pour la *cause* de cette maladie.	Caton ne redoutait tant l'introduction de la philosophie des Grecs dans sa patrie que parce qu'il prévoyait qu'en apprenant à disputer sur tout, les Romains finiraient par ne croire à rien. *(vol. I, chap. I, p. 8)*
Rousseau parle des religions particulières, en tant qu'elles renferment toutes les mêmes fonds de croyances, ou de vérités *nécessaires*, à l'égard de ces vérités fondamentales qui sont la religion générale, il n'y a pas d'*indifférence* à lui reprocher.	*(cit. Rousseau)* « Je regarde toutes les religions particulières comme autaut d'institutions salutaires qui prescrivent, dans chaque pays, une manière uniforme d'honorer Dieu par un culte public, et qui peuvent toutes avoir leur raison dans le climat, dans le gouvernement, dans le génie du peuple, ou dans quelque autre cause locale qui rend l'une préférable à l'autre [*Émile*, Livre III, p. 184, éd. de La Haye, 1762]. » *(chap. IV, p. 78)*
	Pour un lecteur qui veut s'entendre, ce n'est pas un léger travail que de chercher à mettre l'auteur

d'*Émile* d'accord avec lui-même. Cette tâche a de quoi rebuter le plus subtil argumentateur. Ainsi, à quelques pages de distance, Rousseau nous apprend qu'il y a « des dogmes que tout le monde est *obligé* de croire » et « qu'il n'y a de vraiment essentiel que les devoirs de la morale [*Émile*, Livre III, p. 186 et p. 196] ».
(p. 79-80)

Vous supposez la contradiction où elle n'est pas.

L'indifférence absolue des religions est donc le fondement de ce système cent fois plus injurieux à la divinité que l'athéisme.
(p. 86)

Rousseau aurait eu de bonnes réponses à faire à tout ceci.
(Au bas de la page)

Supposons que (...) dans les mêmes circonstances aucun d'eux [les hommes] ne trouve en soi des preuves déterminantes en faveur de ce qu'il sent et de ce qu'il juge. Sa raison étonnée s'arrêterait en silence devant la raison d'autrui.
(vol. II, chap. XIII, p. 20)

Faux.

Qu'est-ce qu'une science, sinon un ensemble d'idées et de faits dont on convient ?
(p. 21)

Mauvaise définition.

La raison appliquée aux choses morales pour séparer le vrai du faux *n'est que l'art de discerner la plus grande autorité.*
(p. 21-22)

C'est ce que disent les *libéraux* ?

Malgré les erreurs de son esprit, l'homme partout a le sentiment d'une puissance souveraine, sage, prévoyante, qui entend sa voix, qui juge ses actions et dispose de ses destinées. S'il désire,

Celui qui n'aurait aucun sentiment ou *idée* qui le nécessite à croire, croit-il au témoignage souvent ? Comment aurait-il la conception de la chose témoignée ?

s'il craint, s'il souffre, il l'invoque.
(chap. XIV, p. 53)

Les mots n'ont aucune ressemblance avec les idées.

Nous nous représentons les objets sensibles à l'aide de leurs images, les mots sont les images des idées.
(chap. XV, p. 83)

FRAGMENTS

urce : BI, ms. 2137.

| NOTE POUR LE CHAP[ITRE] DU DÉSIR

Extrait des *Confessions* de saint Augustin

« Je n'étais pas plus assuré de mon existence que je ne l'étais d'avoir une volonté ; et c'est là ce qui me soulevait un peu et me faisait entrevoir votre lumière, ô mon Dieu !... Ainsi quand il m'arrivait de vouloir ou de ne pas vouloir, j'avais la certitude que c'était moi qui voulais ou ne voulais pas, et je m'apercevais qu'en cette *volonté*, c'est-à-dire en *moi-même*, était la *cause de mon péché*. Quant à ce que je faisais à regret et comme malgré moi, je le considérais comme un mal que je souffrais plutôt que comme un mal que je commettais, comme une *punition*, comme un péché. » (149)

Ce passage est remarquable ; il s'explique par ce que j'ai dit du désir ou de l'influence de la volonté[58] sur l'imagination et sur les idées de l'esprit.

Il dépend de nous jusqu'à un certain point de rappeler ou reproduire certaines images, de les tenir présentes par une attention et avec un effort volontaire ; et à des images oubliées de l'esprit se trouvent liées sympathiquement des affections intérieures ; la volonté, mettant ainsi indirectement en jeu cette sympathie, source des *passions* qui égarent et aveuglent, devient ainsi la cause véritable du mal... C'est donc dans la volonté seule qu'est la corruption ou le mal, de là le remords ou la peine qu'éprouve la conscience pour l'abus ou le mauvais emploi de la *liberté*.

1v° | *Réfutation d'un passage sceptique de Malebranche dans lequel le philosophe met en doute l'activité humaine.*

« Il me semble, dit Malebranche, 5e Méditation, art. 3, que c'est moi qui produis mes idées, et pourtant je me trompe en cela bien certainement puisque je ne saurais faire mes idées de rien. Pourquoi donc ne me tromperais-je pas aussi en pensant que c'est *moi* qui produis les mouvements de mon corps ? Est-ce que mes idées ne se présentent pas devant moi *dès que je le veux*, aussi promptement que mon bras se remue dès que je le désire. » (150)

[58] *Rayé :* le courage

Non certainement, et la présupposition de l'esprit de système peut seule empêcher de voir la différence essentielle des deux cas. En me consultant bien, je sens que je ne crée jamais aucune idée en moi et que je me rappelle librement celles qui se sont formées dans mon esprit par des causes quelconques ou par le moyen de signes articulés sur qui seule ma volonté se déploie immédiatement. Ce sont donc ces signes ou *mouvements* volontaires qui sont les seuls objets ou termes immédiats de mon effort. Le sens interne me dit que je crée librement avec cet effort de la conscience quelconque qui l'accompagne ; il n'y a rien de pareil dans la représentation ou la production des idées et la conscience bien consultée m'avertit [illis.] que ce n'est pas moi qui en suis l'auteur. Donc...

2 | Saint Augustin, dans les *Confessions*, distingue très bien au sujet de la volonté les cas où le vouloir et le pouvoir sont différents, et ceux où pouvoir et vouloir sont la même chose. C'est il est vrai aux plus sublimes fonctions de la vérité qu'il applique cette citation :

« Aller vers *Dieu*, y arriver même, n'est autre chose qu'y vouloir aller, mais le vouloir pleinement, fortement et non pas en laissant flotter de côté et d'autre une volonté à demi malade et languissante dont une partie s'élevant vers le ciel lutte contre l'autre qui retombe sur la terre. » (151)

Dans un ordre de fonctions plus près de la matière organique, nous trouvons qu'il y a également lieu de distinguer les cas de motilité où le vouloir et le pouvoir sont identifiés et ceux où il se séparent.

A proprement parler, l'homme ne *veut* que ce qui peut être réel-
2v° lement en son | pouvoir. Et dans les cas où il n'a pas le sentiment immédiat de ce pouvoir ou de cette énergie, où il *doute* du succès de son effort —, le *moi* ne doute pas, il *désire* seulement que l'événement extérieur à lui s'accomplisse par suite de l'effort qui est fait ou de son effort, lequel est toujours libre par lui-même... C'est ce qui arrive dans les mouvements des membres habituellement volontaires quand ils viennent à être paralysés ou amputés ou lésés et empêchés d'une manière quelconque dans leurs fonctions locomotrices, dans tous ces cas, l'effort seul est *libre*, le mouvement ne l'est pas, aussi n'est-ce pas lui qui est l'objet immédiat du vouloir, car entre ce vouloir et l'effort déterminé librement, il y a eu une opération intermédiaire de l'esprit, savoir le souvenir du mouvement précédemment exécuté, le jugement, et non pas le sentiment, que la même...[59]

[59] *Le manuscrit s'interrompt ici sans suite*

ource : Bibliothèque Victor-Cousin, ms. 9 « Papiers de Maine de Biran »

3 | [EXTRAITS DE PROCLUS]

I.

1° Le destin (*fatum*) est la connexion nécessaire des choses et la *providence* est la cause de cette connexion nécessaire. La providence est donc antérieure ou supérieure au destin, et tout ce qui arrive par celui-ci se fait plus réellement sous la direction de la providence.
2° Il est une âme séparable du corps et qui, sortie de Dieu, est descendue du centre de vie dans le séjour de mort ; il est une autre âme, attachée au corps, fixée en lui et inséparable du *sujet vivant*. Celle-là est sous l'empire du destin, celle-ci dépend essentiellement de la providence.
3° Il est une science, une vérité inhérente aux âmes en tant qu'elles arrivent par la génération en la vie actuelle. Il est une autre science, une autre vérité qui est propre à ces âmes avant qu'elles ne sortent du séjour de lumière où elles ont été créées et placées naturellement pour venir habiter ce lieu de ténèbres et de mort.

Ces trois points de doctrine étant posés et bien entendus, on parvient à distinguer entièrement ce qui dépend du destin de ce qui
3v° gouverne une *providence*, | savoir ce qui est en nous comme produit de cette âme *séparable* du corps et jouissant de l'activité du libre-arbitre, et ce qui touche notre moi sans être lui, appartenant à cette âme plantée dans le corps qu'elle fait vivre et dont elle ne peut être séparée sans cesser d'être.

On comprend ainsi comment la *science* étant *double*, Platon, Socrate et Parménide attribuent à l'être de l'âme la connaissance d'une *vérité*. Purgée des ténèbres matérielles et de toutes les passions que lui apporte son mélange avec le corps, [elle] s'élève à cette science supérieure au monde matériel ou sensible, à la *génération* et à elle-même en tant qu'*engendrée*.

A cette double science correspondent objectivement deux *genres*, deux règnes et en quelque sorte deux *mondes* ; l'un supérieur, celui des choses intellectuelles ; l'autre inférieur, celui des choses sensibles. Le premier, comme le domaine immédiat de la provi-
4 dence, le second comme celui du *destin* ou de la *nécessité*. La | Providence diffère du *destin* comme Dieu diffère de ce qui est *divin*, non par soi-même ou comme attribut de Dieu, mais par communication ou participation de la divinité.

C'est ainsi que la lumière propre au soleil se communique à l'air et aux substances qui deviennent lumineuses secondairement ou par communication. Ainsi la vie appartient à l'âme comme son attribut propre et essentiel, et secondairement au corps qu'elle vivifie. De même le destin est quelque chose de divin ou divinifié sans être Dieu lui-même, car il dépend de la providence dont il est une image ou une *manifestation*.

Ce que la *providence* est aux êtres *intellectuels*, le destin l'est aux choses *sensibles*. Les êtres intellectuels sont des *êtres* par eux-mêmes ; les choses sensibles sont des êtres *secondairement* (*entia ab aliis*).

54v° | Quant au second point de doctrine, en partant des principes de la philosophie d'Aristote, considérons l'âme tour à tour comme séparable et inséparable des corps.

Toute âme exerçant une aperception, ou qui est capable d'exercer une opération quelconque qui n'a nul besoin du corps demeure telle qu'elle est substantiellement, en admettant que ce soit une substance, hors de ce corps même ou séparément de lui. Et il est nécessaire qu'il en soit ainsi, car autrement il faudrait dire que l'opération de l'âme qui n'a pas besoin du corps ou à laquelle celui-ci ne concourt en aucune manière serait plus parfaite avec lui, ce qui est absurde. Il est donc nécessaire que la substance ou la force qui opère séparément du corps soit séparable du corps. Voyons maintenant quelles sont les choses [que] notre âme fait selon sa nature sans avoir aucun besoin du corps. Sont-ce celles qui se rapportent aux sens ? Mais toute force *sensitive* se sert des corps comme d'organes néces-
55 saires et opère avec eux | ou par eux sur les choses sensibles ; c'est ainsi qu'elle est remuée sympathiquement avec les sens de la vue, de l'ouïe, etc.

Que dirons-nous de la *colère* et de la concupiscence ? Ne sait-on pas bien que ces passions correspondent à l'état de certaines des parties du corps, telles que le cœur, le foie, c'est-à-dire aux fonctions de l'organisme ?

Mais comment serait-il possible que des modes de l'âme qui correspondent nécessairement à certains états du corps ou des *sens* pussent être séparés d'un sens quelconque ou affranchis de toute dépendance de ces corps dont les sens ont toujours besoin pour être mis en jeu*.

55 | * On peut donner à ce mot *sens* une latitude d'acception telle qu'il serait fort inexact de dire que les corps seuls ont la puissance des les mettre en jeu. Le fait même de l'existence prouve que l'âme ou la force vivante qui
55v° connaît | son existence par là se connaît elle-même à titre de force causale, de *volonté*, exerce une véritable initiative d'action sur le sens musculaire et aussi, quoique secondairement, sur le sens nerveux immédiat.

Nous savons donc avec certitude que toutes nos facultés *appétitives* exigent nécessairement la coopération du corps et l'excitation des sens et, comme dit très justement Plotin, toutes les passions sont elles-mêmes ou des *sens*, ou des dépendances de quelque sens.
5v° | Si, par exemple, le sens de la tristesse se lie toujours à la colère comme celui de la joie ou du plaisir à la concupiscence, il est nécessaire que le corps prenne part à l'une et à l'autre puisque le sens ne va jamais sans le corps.

Tels sont les attributs d'une vie toute irrationnelle et non séparable du corps.

II.

Considérons maintenant les attributs propres d'une nature *rationnelle*. Vous voyez cette âme supérieure à tous les sens corriger leurs défauts ou redresser leurs erreurs continuelles relativement aux objets de la connaissance propre de cette âme, quand elle affirme, par exemple, qu'au lieu de ce soleil apparent n'ayant qu'un pas de diamètre existe un véritable soleil plus gros que la terre, et tant de milliers de fois ; quand elle réprime la fureur des passions et arrête
6 les cris, les hurlements de bête que la | douleur arrache à l'âme sensitive, ou qu'elle contient les chatouillements ou titillations lascives que la volupté excite dans toutes les parties de l'organisme, et modère la pétulance propre à de justes *tempéraments*, etc.

Dans toutes les opérations semblables, l'âme manifeste une force supérieure à toutes les tendances sensitives qu'elle réprime, à tous les mouvements animaux dont elle se distingue et se sépare comme d'espèces qui lui sont étrangères. Or la nature d'une force, d'une substance quelconque ne saurait se déduire des choses qui agissent contre elle en la libérant ou la détournant de son but, mais bien de celles qui ne se font qu'avec son concours et conformément à sa nature.

Lors donc que la raison agit dans l'homme comme *raison* en réprimant l'aveugle impétuosité de la concupiscence ou les mouvements brusques de la fureur et [en] dissipant tous les fantômes trompeurs
6v° des sens pour mettre à la place ce qui ne saurait être vu ni | entendu, savoir ces notions absolument vraies qui n'ont nul rapport avec le corps, ni avec aucune connaissance dont ces corps soient les *instruments* ou les objets, il est manifeste que par là l'âme s'éloigne des sens, qu'elle corrige et qu'elle juge en dernier ressort, et qu'elle devient comme étrangère à leurs plaisirs ou leurs peines.

III.

Mais au-dessus de cette nature rationnelle qui est aux prises avec les sens, dans l'état naturel et ordinaire de l'humanité, se trouve une vie encore plus haute et meilleure qui, dans le silence des sens et l'inaction de toutes les facultés inférieures, tourne sa vue sur elle-même et prend pour objet de contemplation ses facultés, sa substance propre et toutes ces *raisons harmoniques* qui la constituent, et toutes ces vies subordonnées dont elle est le complément. Elle trouve ainsi en elle le type invisible et immuable d'un monde purement rationnel, la représentation des choses qui sont avant elle et dont elle est sortie, l'exemplaire vivant de celles qui sont après et en qui elle doit survivre.

57 | On peut considérer l'*arithmétique* et la *géométrie* comme se rapportant à cette vie supérieure, et lui servant en quelque sorte de préparation, puisqu'elles éloignent l'esprit des choses sensibles et le purifient de tous les fantômes trompeurs en l'élevant à ces espèces incorporelles et à la compréhension de ces choses pures et sacrées qui étaient dans l'âme avant les *sens*, et qu'il faut dégager de tous les liens corporels.

Examinons en effet quelle est la vertu *purifiante* de ces sciences toutes fondées sur les opérations intellectuelles ou sur l'activité propre de l'esprit humain qui les produit ; en prenant une âme pleine de vains fantômes de l'imagination, qui ne connaît rien d'élevé au-dessus de la matière et n'entend rien que le bruit confus des sensations, ces sciences lui apprennent à distinguer les rapports qui ont l'irréfragable nécessité des *démonstrations*, des idées qui portent avec elles un caractère d'évidence et d'immatérialité. Et pourtant, ce n'est point ces sciences seules qui peuvent purifier notre vie intel-
58 lectuelle de tous les | éléments hétérogènes qui l'altèrent et la remplissent de fantômes par leur mélange. Ce ne serait point par elles que l'esprit de l'homme s'élève jusqu'aux hautes sphères toutes divines et parvient à les circonscrire.

IV.

Au-dessus des deux sortes d'opérations rationnelles dont nous venons de parler, se trouve en effet placée la souveraine intelligence de l'*âme*, par laquelle elle voit ou connaît qu'il est dans le monde d'autres âmes, qui à partir du ciel ou de la patrie, leur origine commune, occupent dans la hiérarchie le rang qui leur a été assigné par le créateur ou le père de tout ce qui existe. L'âme humaine conçoit ainsi, comme être pensant, une partie de ce monde intellectuel ; elle s'y joint par la spéculation ; elle désire ne plus s'en séparer. Au-dessus de toute âme créée réside en effet un principe intelligent, commun, unique, *déiforme* ; c'est l'esprit de Dieu même qui donne
58v° à chaque âme sa forme intellectuelle. Comme | il faut nécessairement reconnaître au-dessus des choses naturelles un principe commun qui est forme ou *cause* d'univers, au-dessus des choses vivantes

ou vivifiées, un principe *vivifiant*, il faut reconnaître aussi, au-dessus de tous les êtres intelligents ou ont été faits tels un principe ou une cause qui se nomme l'*intelligence* ; et ainsi de tous les êtres qui, *participant* à une même nature, présupposent des *hypostases* imparticipables (ou qui, étant des *conditions*, se réfèrent nécessairement à des *inconditionnels*, selon la langue de la doctrine de Kant).

Cela posé, il doit paraître évident à tout esprit tant soit peu éclairé des vraies lumières qu'en s'élevant au-dessus des sens et des corps, l'intelligence se trouve naturellement élevée jusqu'à cette région des êtres purs et supra-mondains dont elle a des notions mystiques surajoutées à ses idées acquises par les sens ou les facultés relatives au
9 monde actuel des existences, notions | dont elle [est] sans cesse détournée par les habitudes ou les besoins sensibles.

Or d'où, par quelles opérations, quelle influence ou quelle dispensation secrète des dieux nous viennent les manifestations ou révélations d'un ordre de choses ou d'êtres divins ? Comment, et par quelle *manie* enthousiaste, supérieure à la sagesse et à la raison humaine, nos âmes peuvent-elles être entrées dans les secrets mêmes des dieux et deviner des objets qui échappent, par leur nature, à toutes les facultés de l'homme ? Telle est cette Sybille qui fit entendre en naissant des paroles merveilleuses, dit ce qu'elle était, d'où elle venait, et selon quel ordre elle se trouvait normalement placée dans ce lieu de la terre.

V.

Disons donc secondairement que l'âme considérée dans l'état de pure intelligence ou *raison* est nécessairement hors du corps et des sens, de quelque manière d'ailleurs qu'elle fonctionne et soit mise en mouvement. Il est donc nécessaire que la substance de cette âme
9v° soit séparable des corps | et des sens. D'où il suit encore qu'en agissant selon sa nature, elle est supérieure au destin et affranchie de ses lois, dont elle se rend à nouveau l'esclave dès qu'elle consent à se mêler ou à se confondre avec la chair, ou à se rabaisser au niveau des choses sensibles et irrationnelles qui la font passer avec elles sous l'empire d'une force étrangère et aveugle par sa nature.

Comme il y a en effet des êtres placés par leur essence éternelle au-dessus de toutes les lois fatales, et d'autres dont la vie se trouve soumise aux influences nécessaires et aux ordres fatidiques du même destin, il devait y avoir une nature moyenne entre les deux qui en soit affranchie sous certains rapports et dépendantes sous d'autres. Car la progression des êtres créés ne souffre pas plus de vide que n'en admettent les situations des corps contigus entre eux ; tous les extrêmes admettent des moyens termes qui leur servent de *liens*.

0 | Ce n'est pas seulement à Platon que nous devons la révélation

de ces vérités, mais [à] tous ceux qui se sont élevés à cette hauteur où l'homme est digne d'entendre une langue mythique et qui en ont recueilli les préceptes. Ne vous arrêtez point à la nature extérieure ; il y a dans son nom même quelque chose de *fatal* (*fatentum nomen ejus*).

Ne vous unissez point au *destin* ; n'en attendez rien ; il est fini et ne peut remplir une âme infinie dans ses *vœux* et ses *espérances*. Partout vous trouvez des préceptes semblables opposés à une vie qui serait toute soumise au destin, toute corporisée comme celle des troupeaux de bêtes conduits par un instinct fatal, toute imprégnée des sens et de ces désirs matériels qui nous égalent aux corps et aux êtres mus uniquement selon des lois nécessaires.

Or c'est la similitude de nature qui rapproche et coordonne les êtres analogues, les soumet à une même police, à un seul et même chef ou guide ; car il n'est rien dans la nature qui n'ait un *chef*,
60v° ou un principe | directeur, et cela est vrai des *parties* comme des *touts*, et les vies ou les existences particulières diffèrent entre elles surtout par les principes ou les forces qui les dominent ou les dirigent.

Nous trouvons enfin ces préceptes en la bouche des maîtres qui nous ont appris en quoi consiste la vie la plus haute, et une police pure ou *immaculée*. Tous ceux qui comprennent bien les œuvres du père trouvent en eux un caractère et des traits qui inspirent la vénération ; et nous les voyons sans cesse garder leur place et fuir le mouvement et les chances aléatoires du sort ou de la fortune.

Pendant qu'elle vit une telle vie, l'âme ne saurait s'assimiler aux choses que la destinée seule conduit à leur fin ; mais, en tant qu'elle s'unit à la matière, qu'elle s'applique uniquement aux biens du corps, qu'elle poursuit les honneurs, les dignités, les richesses, elle
61 | souffre de se trouver soumise à un double lien comme le serait un philosophe lié dans un vaisseau où il serait à la fois soumis aux vents qui poussent le navire et aux caprices des matelots qui le traiteraient en esclave.

Sachons donc repousser toutes les causes capables de nous asservir ; disons-leur un éternel *adieu*, et nous aurons l'intuition du prix et des charmes de la vertu ; nous saurons que le destin n'a point d'action sur ce qui est *en nous* ou nous-même, mais seulement sur ce qui est *autour de nous* (*non in nos, sed in ea quae circa nos*, etc.). Car le pouvoir qui peut nous atteindre au-dehors, en renversant les murs de notre cité terrestre sans y laisser pierre sur pierre, qui saisit et disperse nos trésors, n'a d'empire que sur les choses mortelles et passagères comme lui. Mais toute l'humaine puissance
61v° | échoue contre ce qui est en *nous*, et ne saurait rien nous ôter de ce qui est véritablement *nôtre*.

Si, en effet, nous sommes *sages* et modérés, nous demeurons tels dans les coups du sort, quels qu'ils puissent être. Si notre esprit est spéculativement occupé de la nature des êtres, rien d'extérieur n'a de prise sur cette pensée, et on peut en dépouiller l'âme, mais elle conserve imperturbablement sa force et ses habitudes propres au sein des troubles, des vicissitudes qui passent pour cruelles aux yeux des hommes faibles et vains. Elle se complaît dans le sentiment de cette force qui domine tout et que rien ne détourne de sa direction et n'empêche de poursuivre ses recherches sublimes.

VI.

Donc, ne considérant que les facultés inférieures de notre nature,
nous avons pu nous plaindre du sort d'une âme soumise au destin.
Considérant d'autre part ces facultés premières d'une nature plus
haute, il faut admirer cette vertu que rien au monde ne peut sur-
2 passer, | sur elle-même ou sur ce qui est *elle*, avant comme après
elle. Lorsqu'en effet l'intelligence se trouve *purifiée* de cette enve-
loppe matérielle qui la couvre dans son état de dégradation, alors
seulement elle reconnaît que ce qui est en *elle* ne peut appartenir
ni au corps (qui est après elle), ni au pur arbitre d'une liberté divine,
qui est *avant*, mais dans une vie toute conforme à la vertu, car la
vertu seule est libre et indépendante. C'est elle qui est le vrai | ? |,
la vraie puissance de l'âme, puissance qui consiste toute entière à
se posséder et à se maintenir *soi-même*.

La malice est *faiblesse*, quelle que soit d'ailleurs la force appa-
2v° rente, car autre chose est la force des organes. | Les afflictions et
les douleurs produites par une cause inférieure à la nôtre n'auront
plus le pouvoir de nous troubler, et si le corps souffre et tremble,
de succomber sous le poids de la douleur, ce n'est pas *nous*, c'est
un autre qui se plaint, c'est la voix de la concupiscence qui se fait
entendre. Car c'est elle qui est mère de la tristesse comme elle est
mère de la *volupté*. Quand l'avare pleure la perte de son trésor,
que l'ambitieux frémit et s'indigne en voyant ses projets renversés
et sa puissance abattue, cet état de *passion* ne tient point à la partie
supérieure de l'âme, mais à la partie inférieure, qui est sous
l'influence du foie ou des organes antérieurs de la vie animale. La
raison qui se laisse troubler et séduire par de semblables déceptions
[n'a] nullement son principe dans cette intelligence purifiée et éclai-
3 rée | et [dans] celle de la puissance qui se sert des organes.

La vraie force est proportionnée à la vertu, comme la faiblesse l'est à la matière. Qu'y a-t-il en effet de plus faible que le méchant ? Il est l'esclave de tout, non seulement du destin, mais de toutes les causes externes [?] capables de lui procurer ou de lui ravir ce qu'il désire. Tandis que l'homme vertueux n'obéit qu'à cette volonté suprême qui peut lui procurer un maître en lui, le seul bien désirable, savoir Dieu même en qui réside l'âme dans sa source pure et unique, cette vertu qui vient de lui pour descendre en nous.

Platon dit très bien que cette *obéissance* volontaire à Dieu constitue le plus haut degré de vertu. Par elle en effet notre volonté propre s'assimile et s'identifie en quelque sorte à la volonté suprême
63v° qui gouverne le monde et lui dispense tous les biens. | Un esprit élevé en effet, à son plus haut point de perfection, plane sur la nature entière et semble lui commander. Mais les âmes les plus divines ont de commun avec celles qui sont les plus courbées vers la terre et les plus liées à ce corps (ce corps à qui elles sont unies), de vivre d'une vie involontaire et passive plutôt que volontaire et libre. Entre les deux extrêmes, se trouvent les âmes purifiées des passions et des souillures du corps, âmes parvenues à vaincre le destin et à surmonter la force première qui préside à la génération de l'animal et de l'homme même.

VII.

Disons-le encore une fois : avant l'âme est l'esprit intelligent, Dieu ; après l'âme et au-dessous d'elle sont les passions et le corps d'où ces passions naissent, où elles résident. Elles seules agissent par contrainte et nécessité, tandis que l'intelligence, ou Dieu à qui
64 cette intelligence appartient éminemment est | affranchie de toute nécessité et *éminemment libre*. Ainsi l'âme, selon qu'elle puise à l'une ou à l'autre source, ou subit la nécessité de sa nature, ou s'élève à la liberté de la cause intelligente.

Dominée dans ce cas uniquement par ce qui est au-*dessus* d'elle, dans l'autre, par tout ce qui est au-*dessous*. Là associée à une *principauté* universelle, ici, à une *servitude* générale et commune. C'est en s'élevant à la hauteur de la vertu que l'âme ne regarde plus comme un mal ce qui ne peut qu'affecter le corps, ou ce qui est hors d'elle. Car les affections des organes ne passent point nécessairement à l'âme qui *se sert* de ces organes plutôt qu'elle n'est servie par eux, mais par une *vertu* qui lui est propre l'âme opérera
64v° toujours de même, quels que soient les organes ou | de quelque manière qu'ils soient affectés. C'est ainsi qu'avec un corps languissant et débile elle agira d'une manière énergique et mâle, comme avec un corps robuste et vigoureux elle agira de la manière la plus modérée. Quand elle sera dans la pauvreté, elle étalera les trésors et la grandeur de la sagesse comme dans l'abondance des richesses, avec une vraie magnificence. La vertu, supérieure à tous les biens, peut seule donner un caractère d'élévation et d'utilité ; elle seule peut sauver l'homme de l'esclavage où l'enchaînent ces biens trompeurs ; elle lui fait trouver au-dedans de lui-même des remè-

des ou des moyens de défense contre les impressions dangereuses
de tous les objets séduisants qui l'environnent au-dehors. Quoiqu'on
dise beaucoup, et que les *mécaniciens* reconnaissent eux-mêmes,
5 que le degré de gravité dépend de tel degré de *vertu* | donné, ce n'est
qu'à ceux qui vivent réellement selon la vertu qu'il appartient de
savoir jusqu'à quel point une vertu particulière dérive de telle autre
comme de son principe, et quel *ornement* vrai l'âme peut en retirer. L'homme vertueux est seul généreux et *libre* ; le méchant,
commandât-il à tout, n'en est pas moins esclave de tout, semblable à ces criminels dont la coutume des Égyptiens voulait que la
figure fût couverte d'un masque riant en contraste avec les souffrances qu'ils subissaient.

C'est ainsi qu'une dure nécessité tient sous elle et torture l'âme qui ne sait pas se tenir et se fortifier ou se consoler elle-même. Quand Dieu se retire, l'homme se trouve abandonné comme la brute à une nature fatale qui l'emploie comme un instrument matériel et aveugle.

5v° | Voulez-vous donc savoir ce qui est véritable *en nous*, ou *nous-mêmes* ? Considérez une âme vivant selon sa propre nature. Or celle qui vit ainsi est seule forte et active, car rien de ce qui est selon la nature ne peut être faible ; il n'y a de faible que la malice. En considérant ainsi la nature comme elle est dans chacun de nous, vous verrez qu'elle sait toujours bien user de toutes les choses ou circonstances quelconques, qu'elle prévient ou guérit toutes les passions nées du mauvais principe qui lui est contraire, et qu'en livrant au *destin* les choses placées sous sa dépendance, se coordonnant elle-même à ce qui est avant elle et aux êtres supérieurs avec qui elle est unie[60]...

Voilà tout ce que nous avons à dire sur l'objet de cette seconde discussion, savoir ce qui est *en nous*, ou *à nous*, et séparé de ce qui n'est pas.

VIII.

6 | Arrivant à l'objet de la troisième discussion, cherchons quels sont les caractères et la nature des divers modes de connaissance de l'âme en observant que c'est faute de les distinguer entre eux que nous nous ignorons et que nous sommes complètement aveugles envers le moi, nous le sommes aussi envers les choses, ou les institutions du divin Platon.

Nous distinguerons d'abord cette sorte de connaissance qu'Aristote a spécialement pour objet de déterminer, et où Platon a vu aussi les premiers rudiments de la vérité (non encore manifestée en

[60] *La phrase reste ainsi en suspens dans le ms.*

elle-même, ou dans sa cause), savoir l'*opinion* comme la nomment ces philosophes, attribut des âmes qui commencent à se purifier, à s'inspirer des choses ou des êtres qui sont hors du cercle de la vie pratique. Car l'*érudition* (*paidéia*) est le commencement de puri-
66v° fication des passions immodérées ; c'est la voie | par laquelle l'âme s'élève de la modération à l'*impassibilité* ou l'absence complète des passions, avant que la raison en ait tout à fait rompu la chaîne.

Le même *gymnase* nous montre comment l'âme s'élève de ce point de départ à une région *supérieure*. En partant, en effet, des *principes* ou de suppositions, elle en déduit la connaissance des causes ou des conclusions *nécessaires*. Ainsi sont nées l'arithmétique, la géométrie qui ne sont que l'ensemble des conclusions nécessaires déduites de certains principes hypothétiques ou abstraits, laissant dans le domaine de l'*opinion* la connaissance des êtres réels placés au-dessous d'eux.

Source : Bibliothèque Victor-Cousin, ms. 9 « Papiers de Maine de Biran »

[FRAGMENT SUR MARC AURÈLE]

75v° | Qui des hommes connaît ce qui est dans l'homme, sinon l'esprit de l'homme qui est en lui ? Ainsi nul ne connaît ce qui est en Dieu que l'esprit de Dieu.

Nous enseignerons donc avec les discours que l'esprit enseigne, ou ceux que l'esprit de Dieu peut seul inspirer, suggérer à l'homme quand il s'agit des choses spirituelles qui doivent être toutes spirituelles.

Cette puissance supérieure, cet esprit divin qui souffle où il veut, n'a rien de commun ni avec la volonté libre de l'homme ni avec sa *raison* en tant qu'elle est soumise à des formes ou aux procédés logiques. Constituée non en elle-même ou dans son essence toute mystérieuse, du moins dans ses produits quand leur caractère inimitable est celui d'une spontanéité pure, une indépendance complète de tout vouloir, de toute réflexion. On devrait sous ce rapport la rapprocher avec la sensibilité animale même ; tout dans l'animal a ses lois propres aussi indépendantes de l'activité du *moi*. C'est en effet des deux parts une pure *réceptivité*, mais entre les *causes* ou force productives il y a toute la distance du ciel à la terre, de l'infini au fini.

76 | On trouve dans plusieurs pensées de Marc Aurèle cette idée d'un esprit divin qui est *en nous* sans être *nous-mêmes*, car le moi de l'homme n'existe que pour la conscience de soi, dans le concret, avec ce qui n'est pas soi et dont il se distingue.

Par exemple, ce passage tiré du chap. XI sur la *raison* (152) : la sphère de l'âme est lumineuse lorsqu'elle ne s'étend et ne s'attache à rien du dehors, qu'elle ne se dissipe pas, etc. Alors, elle brille d'*une lumière qui lui découvre la vérité de tout, et cela même au-dedans d'elle-même.*

77 | soit absorbé, comme nous en verrons assez d'exemples.

La distinction fondamentale et première dont il s'agit ici se fait naturellement dans le for intérieur de chaque homme qui sait ou sent avant tout qu'il existe et qu'il est le même individu qui éprouve diverses sensations successives ou simultanées, et qui peut dire je suis moi et toujours également *moi* sous toutes ses modifications transitoires, sans idées systématiques ou artifices d'un langage qui confond habituellement sous un mot, tel que sensation, perception, idée, pensée, les deux éléments du même fait de conscience ou du rapport fondamental d'existence, en rendant cette distinction, ce premier pas de la science le plus difficile à faire surtout à exprimer nettement.

77v° | Tout ce que nous pouvons faire ici c'est d'engager l'homme qui veut de bonne foi se connaître lui-même, et s'élever par là à la science de ce qui est plus haut que lui, à la science de ce qui est et non de ce qui *paraît*, de ce qui *reste* éternellement et non de ce qui se passe ou fuit dans le temps, d'engager, dis-je, chaque homme réfléchi à descendre en lui-même, à interroger sans prévention et autrement que par des paroles le témoin intérieur seul capable de lui révéler manifestement et sans aucun doute ni amphibologie de mots le sentiment un et identique de personnalité du *moi*, *distinct* ou séparé de tout ce qui n'est pas lui ; distinct, quand il s'agit de modifications ou d'affections de la sensibilité, agréables ou dou-
78 loureuses, qui viennent | s'unir au sentiment du moi sans l'absorber, et, séparé, quand il s'agit de choses ou causes extérieures quelconques des impressions senties ou représentées à l'âme.

La seconde distinction fondamentale que nous avons en vue est plus difficile encore à concevoir par l'esprit et à exprimer par le langage, dont elle contrarie toutes les habitudes ; et peut-être aussi aura-t-on bien de la peine à la saisir dans le simple énoncé que nous avons besoin d'en faire, dans ces préliminaires.

Elle consiste à distinguer le *moi* de *l'âme*, ou plutôt le *sentiment* continuel que nous avons de notre personnalité dans l'état de veille, de l'idée ou de la notion objective de la substance durable de l'être pensant, de l'âme, qui continue à *être* indépendamment de toute conscience d'individualité, de sentiment du moi.

78v° | Quoique Descartes et les plus célèbres métaphysiciens depuis Descartes aient renié cette distinction, elle n'en existe pas moins, soit dans plusieurs des tentatives faites de notre temps par des philosophes qui n'ont pas craint de s'engager plus profondément dans les galeries souterraines de l'âme[61], soit même dans ces doctrines superficielles et étroites qui ont essayé de tirer d'un simple jeu des sensations toutes les idées des facultés les plus relevées de l'esprit humain.

Il entre de l'être dans toutes nos idées, a dit profondément Leibniz (153) ; il exprime une vérité de fait aussi certaine, mais le fait qui est absolument vrai de nos idées actuelles, présentes à la conscience ou à la *réflexion*, n'est pas aussi évident s'il s'agit des premières sensations et surtout du sentiment primitif et immédiat de l'existence de notre *moi*.

[61] *En marge :* Kant et Condillac.

ource : Bibliothèque Victor-Cousin, ms. 9 « Papiers de Maine de Biran »

[SUR CERTAINS PASSAGES DE PLOTIN][62]

3 | Plotin a pensé comme Leibniz et les cartésiens que le corps ne pouvait agir sur l'âme (quoiqu'il admette une action de l'âme pour créer le corps) ; aucune impression, dit-il, de l'âme douée de connaissance ne peut lui venir du corps, autrement il faudrait supposer que les corps peuvent former l'*âme*, ce qu'il est monstrueux de dire. Mais toute affection et connaissance de l'âme, alors même qu'elle est entièrement tournée vers le corps, est une certaine *action* exercée par l'âme sur le corps sans qu'elle en souffre rien, car les rapports de l'âme avec les corps n'ont rien de commun avec ceux des corps entre eux qui n'admettent point d'action sans réaction égale.

Qu'est-ce donc que *sentir* de la part de l'âme ? C'est s'appliquer elle-même ou exercer sa force sur les choses avec qui elle a quelque rapport d'essence ou quelque affinité naturelle. Il en est de même du souvenir qui ne diffère du sens que par le temps et une plus grande précipitation dans l'exercice de la force.

3v° | Suivant Plotin, il n'y a rien de susceptible de guérir qui ne soit en même temps susceptible de mort, car les passions ne sont que les voies ouvertes vers la mort, qui n'appartient qu'à ce qui pâtit : *passiones circa idem sunt circa quod est interitus. Via enim ad interitum est susceptio passionum atque hujus perire est cujus et pati.* (154)

Ce point de vue est remarquable. Il est certain que ce que nous appelons *passions* en nous, c'est l'obscurcissement plus ou moins complet de la vie de l'âme intellectuelle aux dépens de la vie sensitive. *Quoniam vero anima corpus continet quod quidem ne in verbis erremus dicentum est esse in ipsa anima continente, neque idem esse cum inanimato corpore hoc inquam ex ipsa anima verecundia in sanguine permutatur.* (155) Et dans l'action de l'âme, c'est au contraire la vie sensitive qui décroît pendant que l'intellectuelle s'élève. Le soleil n'est point altéré par les nuages qui le voilent momentanément à nos yeux. La lumière plus vive obscurcit la plus faible : peut-on dire que celle-ci éprouve une influence directe de l'autre ? *Atque etiam separationem animae quandam, anima videlicet nondum adeo corpori mancipata ut facta sit corporis, quae quidem quasi lumen est turbido non immersum, quamvis etiam*

[62] *Le titre est de Barthélemy Saint-Hilaire*

impatibile sit quod turbido est infusum. (*Ennéades*, III, liber 6) (156)

84 | Plotin[63] distingue parfaitement ce qui est actif en moi et ce qui n'est sujet à aucune altération ni changement, de ce qui est passif et s'altère ou change incessamment. *Potentia intelligendi tale quiddam est, non quod intus impressiones velut a sigillo suscipiat, sed habet quod videt [...] non esse quandam fornarum impressarum custodiam, sed facultatem quandam animae ita se ipsam excitandi, ut et quod non habet habeat [...]. Si tibi placet aliam dicere ne tamen dicas alteratum nisi forte quis alterationem nominet quanquam ex potentia in actum progressionem : at tamen nihil est tibi adjunctum sed quod naturaliter facere potest id afficit.* (157)

Toutes les modifications de la sensibilité changent sans cesse ; aucune n'est permanente. La sensibilité elle-même semble s'épuiser par son exercice ; ses forces ont besoin d'être renouvelées incessamment et, quand elles se renouvelleront, ce ne seront plus les mêmes qu'auparavant. Mais la force qui constitue la personne, ou plutôt qui se constitue elle-même *moi*, *reste* identiquement la même et juge le changement de tout le reste. Elle seule passant de la puissance à l'acte ne s'altère point, autrement elle mourrait ou s'éteindrait comme les forces sensitives. Mais au contraire, c'est en restant la même dans son fond qu'elle exerce une action toujours efficace, et qu'elle *constate* en elle-même sa propre identité. Ce n'est pas en elle que la passion arrive ou continue. Tant qu'elle est présente, la passion est dirigée, maîtrisée, et ne domine que lorsque la force du *moi* est empêchée et occupée ailleurs, etc.

85 | Il est remarquable que la classification encyclopédique de Bacon corresponde à peu près à la classification des *âmes* que Platon et son école distribuaient en trois ordres, exprimés par les mêmes signes, *entendement* (*intellectus*), *raison*, et *imagination*.

Les âmes douées d'entendement, et qui n'agissent que par ce principe de vie supérieure, sont le plus près de la divinité, et bien au-dessus de celles dont la *raison* est le seul principe. Voir le *tout en tout, omnia in omnibus* est au-dessus de voir l'universel dans le particulier, les genres dans les espèces. La raison tend à l'unité et n'en saisit que l'ombre par des moyens artificiels ou des signes logiques. L'imagination est le principe d'action des démons, comme des âmes du rang inférieur.

Chaque âme a ces trois principes en elle et, suivant ses dispositions, ses habitudes, sa direction bonne ou mauvaise, elle fuit ou laisse prédominer un de ces principes sur l'autre : ainsi elle s'élève ou s'abaisse.

[63] *La suite du manuscrit est une copie qui n'est plus de la main de Maine de Biran*

Il s'agit de voir ce qui peut constituer un *état* habituel ou permanent de l'âme, et ce qui n'est que passager, très court, accidentel, comme le mouvement de l'extase de sainte Thérèse et ce que les platoniciens ont appelé *entendement* (*intellectus*), identifié avec les choses entendues, etc.

Ce ne sont plus alors des facultés, mais des modes accidentels de l'âme.

Source : Bibliothèque Victor-Cousin, ms. 9 « Papiers de Maine de Biran »

[NOTE SUR DE BONALD]

86 | Voyez le chapitre de van Helmont intitulé *nexus mentis* (158) qui est la meilleure réfutation de la définition de M. de Bonald. Cette définition s'applique à Adam et non pas à ses enfants dégénérés.

Si l'on pouvait supposer qu'une intelligence fût unie à une organisation semblable, la définition de M. de Bonald serait toute en contresens ; or quoiqu'il y ait dans l'homme une autre organisation qui sert l'intelligence ou plutôt dont l'intelligence *se sert* pour ses opérations et pour se *manifester*, il reste toujours cette organisation passive et rebelle qui fait partie notable et essentielle de l'homme (dans son état actuel) et qui restreint à des limites particulières assez étroites cette définition présentée faussement comme générale et comme embrassant tout le *sujet.*

M. de Bonald loue beaucoup cette définition comme sienne quoiqu'on la trouve dans Platon ; il dit qu'elle présente le premier des êtres sous le rapport à la fois le plus noble, le plus simple et le plus étendu.

Il s'agirait de savoir si c'est le plus exact et le plus *complet*, si c'est bien là tout ce que l'homme est par nature.

86v° | « On peut remarquer, dit l'auteur, comme une preuve du rapport que le seul *arrangement* de mots a, dans une langue comme la nôtre avec l'*ordre* des idées, que le mot *servir* est ici dans la construction grammaticale la plus simple et la plus correcte, le *lien* ou la copule des deux membres de la phrase, *parce que* l'idée que ce mot présente fait aussi le lien des deux parties de notre être. » (159)

Ce passage est caractéristique ; on peut dire (en empruntant une formule de prédilection de l'auteur) qu'elle est l'*expression* complète de son genre ou du genre d'esprit qu'il porte dans les matières philosophiques.

Qui aurait pu croire que le rapport naturel ou essentiel, quoique bien reconnaissable, de l'intelligence humaine avec les organes peut avoir son type vrai dans le rapport des mots d'une phrase bien faite, et se justifie par l'artifice même ? Quand il pourrait dire que l'idée exprimée par le mot *servir* fait le *lien des deux parties de notre être*, on n'en serait pas plus autorisé à dire que l'organisation est faite
87 pour servir l'intelligence plutôt que | l'intelligence pour servir l'organisation, la développer et la maintenir.

Et pourquoi ne dirait-on pas que l'homme est un corps organisé vivant, servi par une intelligence, tout aussi bien qu'on dit que l'homme est une intelligence servie par des organes. Chacune de ces propositions contraires peut être vraie selon le point de vue partiel que l'on considère. Toutes deux sont fausses si l'on prétend qu'elles embrassent l'homme tout entier ou tout l'ensemble des facultés intellectuelles et physiques qui composent sa nature propre.

Il est, par exemple, telles facultés supérieures de notre âme dont la manifestation rare et extraordinaire exige le silence le plus absolu et comme la mort de tous les organes qui servent à la vie sensitive et, par suite, à l'imagination et aux passions. Ce sont particulièrement celles qui se développent dans certains états d'inspiration, d'extase, où l'âme semble atteindre momentanément cette sphère élevée où elle doit arriver dans un autre mode d'existence, quand
7v° elle sera | débarrassée de cette enveloppe grossière qui la gêne et lui nuit, bien loin de la servir, *corpus dissolvi*, disait saint Paul. Il ne chercherait pas son âme à la hauteur où la placerait l'esprit divin dont il était animé, s'il n'avait senti en lui qu'une intelligence servie par des organes. Tout au contraire, il sent qu'il y a en lui une loi du *corps* qui s'oppose à la loi de l'*esprit*, une intelligence qui lutte contre des organes plus forts qu'elle si la grâce ne vient au secours. Réciproquement, il est facile de s'assurer par l'expérience et l'observation physiologiques que loin que les fonctions de l'organisme auxquelles tiennent la bonne constitution du corps et son état de force ou de santé soient *aidées*, favorisées ou servies par le concours de l'intelligence ou de la pensée en exercice, elles en sont presque toujours altérées, plus ou moins et empêchées dans leur cours naturel ou instinctif. Et c'est sous ce rapport que J.-J. Rousseau a pu dire que l'homme qui pense est un animal dépravé.

Les deux définitions inverses de l'homme seraient fausses dans leur généralité et vraies chacune eu égard seulement à un état particulier et assez rare de santé et d'harmonie parfaite entre toutes les facultés de l'être mixte, état où l'on peut dire en effet que l'intelligence est servie à souhait par l'ensemble des organes, et aussi que les organes sont bien servis, ou leur état entretenu par l'exercice régulier, harmonique et agréable des facultés de l'esprit.

38 | C'est ainsi je crois qu'un observateur exact de l'homme physique et moral verrait les choses comme elles sont dans les faits et non dans les mots ou les métaphores et les analogies brillantes et forcées dont on peut amuser l'esprit, mais dont une raison sereine ne saurait se contenter.

Qu'importe que la définition exprime la prééminence *absolue* de l'esprit et l'infériorité de la matière, la supériorité *relative* de l'intelligence sur les organes et la *dépendance* des organes à l'égard de l'intelligence, la définition, loin de valoir davantage n'en est même

que plus inexacte. Il faut bien entendre et définir l'homme, il s'agit bien moins d'assigner le rang supérieur ou inférieur de nature des substances, des deux vies qui le composent, que de bien s'assurer d'abord qu'elles sont deux et non pas une seule ce qui n'est pas l'affaire d'une définition mais de l'observation exacte et composée
88v° de deux ordres de faits | qu'il n'est pas possible de confondre. Quelque certain que soit le lien qui unit les deux vies organique et intellectuelle, il est profondément caché, il ne peut tomber sous l'œil d'un observateur puisque l'observable est constitué par ce lien même et qu'il faudrait pour le connaître qu'il fût à la fois, au-dehors et au-dedans de lui, *lui* et un *autre*.

Mais en consultant les faits de sens intime, qui de nous peut dire que l'esprit prédomine toujours la *matière*, que l'intelligence jouit d'une véritable *supériorité*, je ne dis pas de nature ou d'essence, mais de *fait*, sur l'organisme en général, qu'il y a dépendance générale des organes par rapport à l'esprit qui veut et pense, qu'il n'y a pas au contraire assujettissement, gêne, empêchement des opérations de l'esprit de la part des organes en le servant, en lui nuisant tour à tour, selon certaines dispositions ou conditions, qu'il ne fait pas ou sur lesquelles son empire se trouve circonscrit par la nature
89 même dans d'étroites bornes. | Ne nous vantez donc pas tant une définition qui fait de l'*intelligence* le *maître* et les organes les *serviteurs*, car ce fut là l'état natif de l'homme sorti parfait des mains de son créateur, c'est là encore par un effet merveilleux de la grâce ou de l'esprit de Dieu qui souffle où il veut, ce n'est certainement pas le caractère propre de cette pauvre humanité dégénérée ; la foi même, d'accord avec la conscience nous empêche de l'appliquer aux enfants d'Adam.

89v° | L'auteur semble prendre son parti à cet égard quand il nous avertit que sa définition ne peut convenir qu'à l'homme libre dans l'exercice de ses facultés morales et physiques, ou, ajoute-t-il dans l'état de non-liberté morale ou physique, c'est-à-dire de débilité corporelle, d'aliénation mentale où l'intelligence ne peut gouverner les organes et les organes servir l'intelligence. Tantôt les organes viciés rapportent à l'âme des impressions fausses qu'elle ne peut redresser, tantôt elle ne peut se faire obéir d'organes impuissants.

Dans cet état, loin de servir l'intelligence, les organes semblent l'entraîner dans leur direction fausse et irrégulière.

Voilà donc un des états où la définition ne s'applique plus du tout et cependant l'homme reste du moins dans le fond tant que l'aliénation n'est pas complète, et quand la débilité corporelle serait
90 extrême. Mais combien de degrés dans le jeu de la sensibilité, | de l'imagination, l'éducation où l'homme ne jouit que de la liberté la plus imparfaite dans l'exercice de ses facultés morales et surtout

physiques, hors les mouvements volontaires, peut-on même dire que
ces facultés physiques soient jamais à sa disposition ou, qu'ayant
excité les muscles mis en jeu par les nerfs cérébraux, soient au ser-
vice de l'intelligence. En combien de manières les organes externes
et surtout internes peuvent-ils apporter à l'une des impressions faus-
ses, discordantes ou exagérées qu'il n'est pas au pouvoir de l'une
de changer ni de redresser et qui l'entraînent à son insu ? Qui pour-
rait assurer à l'auteur lui-même que son esprit n'est pas habituelle-
ment entraîné et séduit par cet organe destiné, comme il dit, à trans-
mettre à l'âme les *expressions* d'ici-bas par les images, organe qu'il
paraît avoir trop exercé pour qu'il n'ait pas acquis une influence
0v° exagérée aux sources | de ses succès dans le monde et de son défaut
absolu de vrai talent philosophique. Enfin, en prenant toute une
vie d'homme depuis l'enfance jusqu'à la mort, qui osera fixer les
époques et les instants où l'intelligence est bien réellement et fidè-
lement servie par les organes au lieu d'en être obscurcie ou cor-
rompue ou trompée. Quand arrive-t-il que l'âme gouverne par elle-
même et gouverne bien sans être gouvernée par les dispositions de
son corps et par tout ce qui l'entoure ? Est-ce sur des exceptions
si rares qu'on pourrait dire même surnaturelles ou surhumaines
qu'on pourrait établir une définition exacte de l'homme ? Le mot
aliénation exprime cet état de l'homme dans lequel la raison ne dirige
plus les mouvements du corps ; en ce sens l'aliénation s'étend bien
loin et comprend bien des degrés depuis l'état où la raison, la cons-
cience du *moi* et par suite la libre activité est tout à fait absente,
jusqu'à celui où elle domine seule sur toutes les facultés sensitives,
toutes les passions, toutes les images spontanées assujetties ; mais
1 on entend par aliéné | un homme étranger à lui-même et aux autres
hommes, qui ne se connaît pas, n'a pas la conscience ni le *corpus
sui*. Il faut que le *moi* soit présent ou que la volonté dirige les mou-
vements du corps pour qu'il n'y ait pas aliénation. Je ne dirai pas
qu'il faut que l'âme soit présente au corps ou le corps présent à
l'âme, car c'est hors de cette présence réciproque que l'homme peut
s'élever à la plus haute sphère intellectuelle.

Source : Bibliothèque Victor-Cousin, ms. 9 « Papiers de Maine de Biran »

[NOTE SUR DE MAISTRE]

92 | « L'Asie, au reste, ayant été le théâtre des plus grandes merveilles, il n'est pas étonnant que ses peuples aient conservé un penchant pour le merveilleux, plus fort que celui qui est naturel à l'homme en général, et que chacun peut reconnaître dans lui-même. De là vient qu'ils ont montré toujours si peu de goût et de talent pour nos sciences de *conclusions*. [...] Autant qu'il nous est possible d'apercevoir la science des temps primitifs à une si énorme distance, on la voit toujours libre et isolée, volant plus qu'elle ne marche, et présentant dans toute sa personne quelque chose d'aérien et de surnaturel. [...] L'aigle enchaîné demande-t-il une *montgolfière* pour s'élever dans les airs ? Non, il demande seulement que ses liens soient rompus. »

(*Soirées de Saint-Pétersbourg*, Deuxième entretien) (160).

Il n'est pas besoin de l'hypothèse qui admet un temps où l'homme
92v° aurait joui de | lumières supérieures par *intuition* immédiate... Nous portons en nous-mêmes le type de cet ordre supérieur de facultés réceptives dont la source et l'*objet* sont plus hauts que *nous* et bien au-delà de notre cercle d'activité ou de tous nos moyens matériels de *connaître*.

Cette *réceptivité* surhumaine est soumise à des *conditions* dont les premières sont premièrement le silence des sens externes et l'absorption de l'activité du *moi*, à la manière dont les mystiques, les quiétistes l'ont conçu d'après l'expérience.

Quand Leibniz dit : *« modi non putas absorberi anima in deum »* (161), il confond le *subjectif* avec l'*objectif*, c'est le *moi* qui est absorbé ou s'absorbe dans la lumière qu'il reçoit et non pas la *substance* qui est absorbée ou détruite par transformation.

93 | « En psychologie vulgaire, on ne calcule pas assez ce que, dans la recherche de la vérité, l'intelligence contribue dans les opérations de l'esprit (...) On ne pense pas que les rapports sont des créations de l'âme. » (Bonstetten) (162)

Une intelligence supérieure à la nôtre, où tout ce que nous appelons intelligence humaine n'est peut-être qu'une *émotion* contribue toujours dans les opérations de notre *esprit* en nous montrant ce qui *est* et que nous ne faisons pas. Il n'est pas exact de dire que les *rapports* sont des créations de l'âme, pas plus qu'il ne serait vrai de dire que des formes ou figures des objets colorés que nous voyons sont des créations du sens de la vision. Il est de même un sens intel-

3v° lectuel supérieur qui reçoit des rayons d'une lumière | céleste quand il se tourne vers elle et ne les crée pas. Il y a toujours deux conditions dans cette réceptivité suprasensible. La première que le sens soit bien disposé et tourné vers son objet ; la seconde que cet *objet* soit mis à la *portée*, ou, dépend-il de nous, de notre volonté, une force intelligente propre de saisir ses objets pour les mettre à la portée ; ne faut-il pas qu'ils viennent chercher leur sens ou qu'ils lui soient communiqué de plus haut, voilà la grande question.

Source : Bibliothèque Victor-Cousin, ms. 9 « Papiers de Maine de Biran »

[NOTE SUR L'ACTE DE LA RÉFLEXION]

106 | Je trouve l'acte de réflexion supérieurement caractérisé, quant à sa nature, et son objet, dans le système de Porphyre et la doctrine des platoniciens d'Alexandrie. Quand l'imagination ajoute quelque chose à la notion d'un être réel, elle n'enrichit pas la connaissance de cet être, mais plutôt elle appauvrit et diminue ou altère sa connaissance *objective*.

En nous arrêtant à ces images sensibles que nous rattachons à l'*être*, à l'esprit qui les connaît *en soi*, nous empruntons un *néant* : laissons là ce *néant* et nous nous serons très suffisants à nous-mêmes, bien mieux que tous les êtres ensemble.

En nous perdant de vue nous-mêmes pour nous identifier avec ce qui est plus petit que nous, nous nous éloignons de l'être réel et vrai en même temps que de nous-mêmes ; en tant que l'esprit
106v° est présent à lui-même ou à ce qui est *présent* en lui, | il saisit dans cette présence l'être *universel* qui est *partout*. En tout il [est] essentiel à l'homme de ne pas sortir ou s'éloigner de lui-même.

urce : Bibliothèque Victor-Cousin, ms. 9 « Papiers de Maine de Biran »

11 | [LETTRES SUR L'AMOUR]

| [LETTRES SUR L'AMOUR]

Rapport des facultés affectives avec les idées et les sentiments de l'âme

1° Généralités sur la nature et l'essence de ce sentiment : trois espèces d'amour comme trois vies.

La première qui consiste uniquement dans l'appétit animal ne peut être nommée amour que dans ce même sens métaphorique où les philosophes poètes ont donné aux qualités ou aux forces aveugles de la nature les noms des dieux pour exprimer les affections morales, les tendances de l'âme humaine ou des sentiments dont elle a conscience.

La deuxième espèce consiste dans le mélange de l'appétit et de l'instinct animal avec la tendance naturelle de l'âme vers la beauté naturelle dans son essence. L'âme peut élever l'instinct animal jusqu'à elle ou au contraire descendre vers lui et s'y subordonner ou s'y confondre plus ou moins (163). Dans le premier cas, l'amour humain est un sentiment moral, source de bien et de vertu, dans le deuxième c'est l'amour dégénéré en passion aveugle qui fait la honte de l'homme et lui ôte son caractère de dignité morale. Là, l'amour de la beauté prend le caractère de la vertu, ici, il tombe dans le vice, *per pulchrum in tenebrae lubitur* [Plotin, *de amore* (164)].

La troisième espèce d'amour est la tendance pure de l'âme vers la beauté lorsqu'elle est parvenue à se dégager des sens autant qu'il est possible dans cette vie humaine qui est l'incarnation d'un esprit immortel, image de Dieu même, dont le corps y est esprit comme dirigé vers une fin, pendant que ce même corps a aussi son principe de vie agissant aveuglément ou d'une manière indépendante
11v° dans son ressort. | L'amour humain ne peut être qu'une source de tourments, soit qu'il tende à s'assimiler l'objet et à l'identifier à lui, soit qu'il tende au contraire à s'y unir ou identifier. Dans le premier cas, son effort est impuissant, dès que l'objet, étant une personne douée de volonté, résiste toujours à l'assimilation et à l'identification avec une autre tant qu'elle est elle-même ; dans le deuxième cas, l'objet étant encore une personne sujette à varier sans cesse dans sa manière d'être, de sentir ou de vouloir, l'être aimant ne peut s'unir ou s'identifier un instant avec elle pour s'en voir
12 séparé l'instant d'après. | Les modernes platoniciens ont distingué deux âmes ou deux vies. L'âme intellectuelle ne saurait s'unir immé-

diatement à la matière sous la forme d'un composé unique, attendu qu'elle est une, pure, simple par essence et n'admet aucune composition, aucun mélange. Il y a une seconde vie, née de cette première, et qui est comme une seconde âme susceptible de s'unir naturellement avec la première matière. La première vie intellectuelle est aussi l'amour pur (première Venus), celui de la seconde, espoir (seconde Venus). La seconde vie qui est infuse au monde sensible est l'amour de la deuxième espèce (deuxième Venus). La beauté idéale de l'esprit divin est l'objet de l'un et de l'autre amour ; le premier tend à réaliser dans l'amour même une beauté semblable à la sienne propre ; le second tend de toutes ses forces à exprimer cette beauté dans les formes de la matière.

L'âme intellectuelle du monde qui cherche et trouve Dieu en elle-même, Dieu prototype de la beauté suprême dont elle est l'image,
112v°| ne saisit pas seulement un être imaginaire, mais quelque chose qui est naturellement substantiel et réel : c'est l'esprit, personne de cette trinité sainte, consubstantielle à Dieu selon le dogme chrétien.

De même que dans le soleil, la lumière et la chaleur sont deux affections différentes qui se réunissent et ne forment qu'une seule et même chose dans le soleil qui les produit d'une manière indivisible et instantanée, ainsi la connaissance et l'amour sont deux choses différentes, il est vrai, quant à la puissance rationnelle, mais constituent un seul et même acte dans la sublime passion intellectuelle. Nous ne pouvons connaître la vérité en tant que telle sans l'aimer, pas plus que nous ne pouvons l'aimer sans la connaître, et cet amour pur qui nous rattache à la vérité dès qu'elle vient à luire aux yeux de l'esprit est l'unique critère de cette vérité même que nous ne pouvons voir que dans la source de tous les rapports immuables, éternels, nécessaires, c'est-à-dire en Dieu même, comme
113 l'a très bien dit Malebranche dans ce point de vue supérieur où | si peu d'esprits sont appelés à le suivre. Cet acte de connaissance et d'amour intime de l'âme unie au corps est d'autant plus efficace qu'il est plus intime, et les produits de cet acte seront conformes à sa nature propre. L'intelligence produira intellectuellement, l'amour produira l'amour, et un amour substantiel, car l'existence et l'action sont une seule et même chose. Les produits de l'être qui connaît et aime en même temps seront des êtres substantiels intelligents et aimants, avec cette seule différence qui sépare la cause d'un tout émané des effets qui en émanent.

Lever cette différence amène que dans la cause domine la vision pure du beau et dans l'effet le plaisir qui s'attache à la beauté même ; ce n'est que dans le point de vue physiologique de la conscience qu'on peut dire que l'existence et l'action sont une seule et
113v° même chose ; dans la réalité absolue on connaît très bien un être |

qui subsiste sans agir ou se manifester, et lorsque cet être sort de son absolu pour se manifester, les changements qu'il peut produire en lui ou hors de lui seront des manifestations et non pas des êtres substantiels comme lui. La philosophie des alexandrins ne paraît pas s'être élevée jusqu'à cette distinction et, de là, toutes les illusions ou croyances mystiques de cette doctrine. L'être même qui produit ou fait naître l'amour dans un autre être semblable à lui s'aime lui-même à la fois comme sujet et objet, comme cause et effet ; mais indépendamment de cette production ou de cette sorte de duplication, l'âme aimante jouit en elle-même de son amour ; elle est imprégnée d'amour. Avant de communiquer au-dehors à un autre être ce souffle divin, elle se voit elle-même, ou se sent aimante avant d'avoir un instrument, un œil pour voir l'objet aimé à qui elle tente à faire participer son essence, elle se mire en elle
14 avant | de pouvoir contempler le miroir qui lui réfléchit son image, car la beauté, objet de l'amour pur est en elle, elle est merveilleusement entourée et il lui suffit de s'apercevoir ou de se connaître pour voir et aimer ce qui est beau. Il n'est pas étonnant que notre suprême jouissance comme être humain soit dans l'amour que nous inspirons aux êtres vers lesquels nous tendons aussi en vertu d'une sympathie naturelle, car l'amour inspiré est comme une création et la plus belle, la plus douée des créations d'une âme, dotée pour ça de la double faculté de connaître et d'aimer, et du pouvoir de transmettre à des êtres semblables cette connaissance et cet amour. Il ne faut pourtant pas s'exagérer cette puissance dans l'homme, toute âme connaît et d'abord se connaît, elle aime et s'aime indé-
14v° pendamment d'une autre âme. L'influence que | pensent exercer celles qui sont les plus élevées dans l'échelle des êtres intelligents et aimants sur celles qui le sont le moins consiste à leur fournir les moyens de développer ou de manifester ce qui est en elles, et à être en même temps leur *instrument* et un objet extérieur ou semblable d'amour à elles-mêmes. Ce qui est bien aussi une sorte de création puisque par là la pure lumière luit où étaient les ténèbres, la chaleur et la vie sont là où étaient le froid et un espoir de mort.

Mais l'erreur de l'âme aimante c'est de vouloir être le but ou l'objet de l'amour d'une autre âme qu'elle devrait diriger vers le vrai but ; c'est la concupiscence de la chair et l'orgueil de la vie qui produisent cette erreur, source de tout le malheur de l'homme.

Deuxième lettre
Examen de l'opinion de Buffon (165)
sur le physique de l'amour

Il a très bien vu que la vanité ou l'orgueil de la vie gâte tout ce
15 | qu'il y a de bon dans l'amour. Mais il se trompe en faisant consis-

ter tout le moral de l'amour dans cette alternative du sentiment de l'âme le plus doux et le plus élevé, à savoir l'amour de la beauté unie ou non avec l'attirance physique du faciès qui appartient à une toute autre nature.

Il y a une âme (disent les modernes platoniciens), séparée ou séparable du corps à qui elle préside comme un artiste à son œuvre, et une autre âme qui est unie ou cohérente au corps comme étant sa forme propre et essentielle.

« Nous disons qu'il y a une âme séparée : les actes de l'entendement pur la manifestent et ne permettent pas de douter de son existence séparée ; nous disons aussi qu'il y a une âme conjointe et intimement liée au corps, parce qu'il est nécessaire que ce composé que nous voyons et que nous sentons hors du moi, pour être aussi
115v° parfait | que sa nature le comporte, ait une forme vivante et sensible ajoutée à la matière qui le compose, indépendante d'elle sans lui être identique. L'âme intellectuelle ne saurait s'unir immédiatement à la matière pour former une véritable unité, car l'intelligence tend par la nature même de son action et de son amour vers un but opposé à la matière. Dans les passions ou les appétits propres au corps, l'âme ne communique point essentiellement avec le corps ou, réciproquement, le corps avec l'âme dans les actes intellectuels qui sont uniquement de son domaine. On peut dire cependant que l'âme intellectuelle est humaine dans l'homme, comme mondaine dans le monde, et qu'il résulte quelque chose d'*un* de son union avec l'âme animale, car c'est son influence jointe à la matière qui produit l'animal ou l'être sensitif qu'elle anime de son souffle con-
116 tinu sans quoi il périrait. | A ces deux âmes correspondent deux amours ; mais il faut bien faire attention que ce n'est point par une simple force ou vertu génératrice aveugle qu'est produite la vérité des formes dont se revêt la matière. Mais il faut l'attribuer à un pouvoir efficace d'imagination, car ce n'est pas cette puissance seule qui, recevant l'empreinte des formes divines, peut élever à cette hauteur et le monde et les choses qui sont dans le monde. »

Ficin, le commentateur de Plotin, avait dit plus haut : « Si l'imagination d'une femme enceinte peut communiquer au fœtus une qualité qui l'affecte en vertu du lien étroit qui l'unit à cet être qui participe en quelque sorte à une même âme sensitive et qu'ainsi un certain mouvement de cette âme exprime subitement certaines qualités réelles dans le corps propre qui est sous son influence immédiate, comment pourrait-on s'étonner que d'un effort ou d'un mou-
116v° vement semblables il résulte, | dans l'âme intellectuelle, quelque chose de substantiel ou de réel, et surtout dans l'âme intellectuelle où l'action, l'effet et l'affection ne sont pas seulement adventices et mobiles, comme dans l'âme animale, mais tout à fait propres, naturels et stables. » (166)

Je trouve qu'il y a bien de la témérité dans ces hypothèses métaphysiques faites sur la nature et l'amour des substances. La psychologie s'attache uniquement à distinguer dans les faits de conscience les forces diverses de notre nature comme elles se manifestent par des produits ou des effets apercevables que le sentiment intérieur seul ne permet pas de confondre. C'est là la seule manière de philosopher sur la nature humaine (mixte) qui puisse jeter quel-
17 que lumière sur un sujet si difficile ou si obscur | quoique les passions de l'homme semblent être quelquefois des concepts spirituels* ou s'y lier comme il arrive dans la colère, la vengeance, l'envie. Ce sont cependant des opérations de l'âme sensitive propre à la nature animale, à cette volonté en tant que propre au sang et à la chair transmis à l'homme pour la génération. Ces opérations ne sont que des envies de la chair partant du corps ou y revenant. Nous sommes sans cesse troublés par les affections et les passions de cette compagne dont l'esprit ne peut se séparer, parce qu'après avoir dégénéré par le péché nous avons perdu l'immortalité, aussi Dieu n'exige-t-il de nous que fort peu de chose pour nous faire rentrer dans la vie. Toutes les formes que manifeste l'esprit, excepté l'esprit lui-même, ne sont que des lumières vitales destinées à s'éteindre ou
17v° à mourir ; l'esprit seul est immortel et la comparaison | réflective de ce qui est de lui avec ce qui n'en est pas nous révèle la distance immense qui le sépare de l'âme sensitive.

Cet esprit immortel a beau vouloir se retirer tout en lui-même et chercher à rompre par ses efforts le lien impur qui l'unit et tend à le confondre avec la compagne qui lui fut donnée par le péché, il n'en assiste pas moins nécessairement à tous les actes ou mouvements de l'âme sensitive, alors qu'il y préside pour les régler ou les diriger, il n'en est pas moins inhérent tout entier à cette âme tout entière, enfin c'est avec elle qu'il vit, qu'il opère sourdement et sans cesse. Ce germe de l'esprit divin plongé et comme perdu dans les affections et dans les mouvements tumultueux du corps
18 | ne peut qu'avec bien de la peine s'en retirer par moments pour s'entendre lui-même (pour entendre qu'il entend), oubliant habituellement son caractère d'immortalité sujet à la tyrannique clien-

* J'ai trouvé dans les *Mémoires* de Mme Campan (167) un fait qui est propre à montrer comment une passion ou un sentiment exalté pouvait dans certains cas rendre les sens plus fins et l'esprit plus attentif, pourvu qu'il n'y ait pas de syncope ou de tremblement extraordinaire. Mme Campan rapporte qu'en ayant été saisie par des brigands assassins qui avaient envahi le château et, prête à tomber sous leur couteau, elle faisait attention au moindre mouvement et voyait à la fois avec une promptitude singulière toutes les circonstances relatives à cette terrible situation.

tèle des maladies de tout genre, il semble tout à fait disparaître et s'éteindre dans la démence, la rage ou l'insanie furieuse.

Le Tout-Puissant a ainsi réglé une échelle et comme les différentes demeures pour les esprits créés, en quoi se manifeste sa gloire et sa puissance depuis l'enveloppement le plus grossier de l'esprit jusqu'à la plus haute dignité de l'esprit pensant.

Dans les diverses fonctions du sens externe, comme dans les divers modes d'expérience des facultés dites intellectuelles, on confond sous le même mot ce qui est vraiment intellectuel et ce qui ne l'est
118v° pas, nous retrouvons toujours la | même distinction précédemment établie entre les différentes sortes de mouvement, ou, plutôt, de principes moteurs, instinctif ou sympathique, spontané ou d'habitude, et volontaires ou réfléchis, c'est-à-dire accompagnés de conscience, d'aperception du moi.

Toutes les opérations des sens, de la perception, de l'imagination, de la représentation, etc., qui n'admettent que les deux premiers principes internes, quelque compliquées, quelque intelligentes qu'elles paraissent, n'en sont pas moins hors du moi, de la personne et de la libre activité qui la constitue, et, partant, communes à l'homme et aux animaux doués d'une organisation à peu près semblable.

Quand la libre activité vient se joindre à ces opérations, elle les approprie au moi de l'homme qui alors y préside pour les commencer, les interrompre, en forçant l'âme sensible à lui obéir, mais sans pouvoir se séparer d'elle ni empêcher qu'elle ne vicarie à sa place en faisant sans le moi ce qu'elle a donc fait de lui ; et c'est ainsi
119 comme le | dit si bien Leibniz que nous sommes animaux dans les trois quarts de nos actions. (168)

Analysons plus expressément dans chaque sens ce qui est de l'homme et ce qui est de l'animal.

Source : Bibliothèque Victor-Cousin, ms. 9 « Papiers de Maine de Biran »

[NOTE SUR SAINT AUGUSTIN]

20 | J'étais à la fois, dit saint Augustin (169), celui qui *voulait* s'élancer vers Dieu, abjurer toutes les passions terrestres et qui ne le *voulait* pas. Mais la division qui régnait dans le fond de mon cœur ne prouvait pas en moi *deux forces*, deux *natures différentes*, l'une intelligente, libre, soi mouvant, l'autre passionnée aveugle et servant la pulsion.

On ne saurait dire qu'il y ait autant de *natures* que de volontés qui les combattent, car toutes les tendances contraires au *bien* où l'esprit se dirige partent d'un seul principe sensitif aveugle, et il n'y a de même qu'un seul *bon esprit*. La multiplicité des actes particuliers ou des effets ne prouve pas la pluralité des *causes*.

Il n'y a que deux *causes* ou deux *âmes* dans l'homme : la raisonnable peut se séparer de la *sensitive* selon les épicuriens. Elle peut l'élever jusqu'à elle ou la soumettre ou la faire concourir à la dislocation (moyennant la *grâce*) selon les chrétiens.

120v°| Van Helmont a vu profondément puis a exprimé avec un peu trop d'obscurité ces titres de distinction entre les attributs de l'âme sensitive et les facultés de l'*esprit* (*mens complementum*) (170).

Il cherche à établir (*passim*) que le siège propre de l'âme est à l'infini supérieur à l'estomac dont tout remonte vers le cerveau sans que rien parte premièrement de ce centre chez le fœtus, dit-il. L'âme sensitive est enveloppée d'abord dans les organes de la nutrition où cette âme prend connaissance immédiatement des choses appropriées ou contraires à l'entretien de la vie. Bientôt après la naissance on voit se développer dans l'enfant des idées ou représentations plus claires des choses du dehors auxquelles se proportionnent les mouvements, ainsi le cerveau et toutes ses dépendances apprennent peu à peu à suivre les directions données à ses idées régulatrices et à leur obéir, mais, dans ces progrès successifs, l'âme n'a point changé de siège, elle n'a pas abandonné le centre organique où elle commença à présider aux premières fonctions végétati-
121 ves. | Toute la difficulté de la science de nous-mêmes consiste premièrement à bien entendre ce qu'est ce nous-même pour ne pas le mêler ou le confondre à ce qui n'est pas *lui*, c'est-à-dire à bien déterminer le sujet d'attribution de tous les modes sensitifs, passifs et actifs de notre existence. Rien ne paraît d'abord plus simple et plus clair que cette détermination précise exprimée par le pronom de la première personne « je » ou « moi » qui se donne lui-même tant

d'attributions diverses. Nous verrons en y pensant mieux que le pronom est indéterminé quoiqu'il exprime à la fois ambiguëment mon individualité très précise et une généralité fort indéterminée, par exemple, un homme qui dit de lui-même « j'ai dormi », « j'ai été en défaillance », dans un état dont il ne lui reste pas la moindre réminiscence d'identité personnelle, prend pour ainsi dire son *je*
121v° du dehors, comme en s'installant à la place d'un | homme qu'il aurait vu dans cet état où il n'avait aucun sentiment d'existence, par suite aucune existence personnelle. Ce n'est pas ainsi qu'il entend spontanément son *je* quand il dit de lui-même, dans l'état de conscience et avec une perception intérieure, « je pense, j'agis, je veux ». Ici, le pronom personnel a une valeur individuelle et subjective qui se fonde sur la réflexion ; là, il a une valeur générale et objective qui se fonde sur quelque idée ou représentation matérielle.

C'est de l'individualité et de la conscience d'individualité personnelle que nous cherchons facilement à nous déterminer en elle-même et sous son signe. Cette forme verbale de sens n'exprime pas seulement, pour celui qui la prononce ou sachant ce qu'il dit, le pur et simple extérieur d'une sensation telle que l'aperçoit un être qui vit sans conscience de soi, elle exprime surtout la connaissance que je prends du fait : je sais que je suis dans tel état que j'appelle
122 sensation. | Cette simple distinction entre le sentir et la connaissance de son sentir, si elle n'est rien de plus que logique comme je crois le prouver ultérieurement, elle suffira seule pour renverser tout le système qui se fonde précisément sur l'identité absolue de la sensation et de la connaissance ou l'idée de la sensation même : nous sentons et nous savons que nous sentons et ce que nous sentons, et nous le savons immédiatement sans l'intervention de quoi que ce soit ; nous avons la conscience que c'est nous qui sommes odorant dans l'action de sentir, ou voyant dans celle de voir ; enfin, nous avons à chaque sensation quelconque la conscience d'une modification particulière de nous-même. Voilà ce qu'on s'accorde à dire dans presque toutes les écoles de philosophie, c'est cette immédiation ou cette individualité de fait entre la sensation et la conscience de sensation qui sert de point de départ commun aux auteurs spiritualistes et aux auteurs matérialistes et à ceux qui reconnais-
122v° sent la dualité. Or je dis que c'est | cette troisième hypothèse qu'il s'agit pour nous de justifier par des lois et qu'il faut rejeter si des faits d'observation intérieurs la démentent pour quelque cause. J'observe d'abord que c'est une pareille médiation qui se trouve établie par le principe de Descartes, « je pense, donc je suis », car l'existence réelle est conclue du fait de la pensée, là, la source de la sensation (qui n'est autre que la pensée) est conclue de la sensation ; d'où l'on arrive par identité, comme Condillac, à induire la

réalité absolue, la substance de l'âme, de la pure sensation, comme Descartes l'induisait de la pensée. Ainsi en attribuant la pensée à tout ce qui sent, à assimiler la matière à une existence humaine, on ne reconnaîtra entre elles qu'une différence de degré ; tandis que Descartes, en attribuant aux animaux tout ce qui n'est pas la pensée, ou la conscience de la sensation eût pu leur attribuer la sensation sans rien changer à ses principes. De nouvelles images ne
23 peuvent | rien changer à la faculté de connaître, c'est toujours la même faculté qui connaît les choses les plus diverses ou leurs images.

Le *sens extérieur* perçoit les choses sensibles et ne les reçoit pas en lui. Aussi, quand on dit que l'âme *pâtit*, il faut entendre que cette passion n'est point une altération ou changement fait dans la nature de l'âme (171) ou dans quelqu'une de ses facultés, mais bien une appropriation ou une tendance affective de l'âme vers telle ou telle chose ; et il y alors une action propre de l'âme, mais elle est réduite elle-même dans certaines limites. Ce qu'on appelle les mouvements de l'âme ne sont donc point en elle, mais dans le corps qui seul est susceptible de passions, comme à elle seule appartient l'action.

Il n'y a point de vertu ni de vice qui sont dans l'âme comme une qualité imprimée dans un objet ; mais c'est plus une action, un exercice de l'activité de l'âme.

123v°| *Satius autem est dicere praecipuam animae principali ob id potentia et fabricam convenire, quod magis superius adhaerat. Animabus enim illic attentius in cumbentibus potentia major exoritur. Conservantes enim seipsas in tuto illic fundamento facillime faciunt ; potentiae namque majoris est non pati in his quae facit, permanet vero potestas ex alto. Manens itaque in seipsa, facit ita consequenter aliis accedentibus ; aliae autem quae accesserunt vel processerunt, in profundum decessire videntur. Forte quod in eis plurimum est deorsum tractum, secum traxit et illas, adeo ut per cogitationes etiam descendisse jam videantur.* (172)

Entendez la connaissance subjective du moi ou de la personne et non pas celle de l'âme objective, car celle-ci autant qu'il est donné
124 à l'homme | d'atteindre, ne peut être fondée que sur les faits de conscience ou de la personnalité humaine.

Qui semel aut auditer tantum expertus fuit de introversionem novit postendum atque animam suam at posuerit cum desiderio et si quis multarum rerum sit scientiam non tamen proinde actus erit introversionibus mentis. (173)

Rien de plus différent en effet que les procédés de la raison discursive et ceux de cette faculté affective d'ordre supérieur qui nous unit et nous identifie au principe même de la vie intellectuelle.

Anima sensitiva nihil agit oblique mente (*mentis complementum*) (174). Voyez Van Helmont dans tout ce chapitre très curieux

qui met dans un grand jour l'influence et le lien réciproques des
124v° deux vies sensitive et intellectuelle. | On reconnaît qu'il y a un cer-
tain état que l'âme ne se donne pas à elle-même, mais qu'elle pré-
pare par l'*oraison du silence* ou du repos et où elle goûte un état
de béatitude, d'amour, de fusion dans l'être infini, source de la vie
et de la perfection. Cet état est indépendant des sens et de toute
modification organique, puisqu'il suppose le détachement de tout
ce qui est sensible et l'absorption ou comme la suspension de la
vie organique.

D'où l'on doit conclure au moins l'existence de ce principe de
vie d'une nature supérieure à toute organisation sensible.

Or ce même principe qui, en s'unissant au corps d'une manière
active, constitue la personne ou le *moi*, peut aussi *s'abstraire* ou
se séparer du corps par la même activité exercée d'une manière
inverse ; et en se retirant ou s'abstrayant ainsi d'une manière active,
il laisse la vie sensitive sans appui, privée de l'espèce de soutien dont
elle a besoin dans l'homme jusqu'à un certain point, sinon pour
durer, comme dans l'animal, du moins pour se manifester ultérieu-
125 rement ; de là | cette suspension apparente de l'âme sensitive dont
les organes continuent cependant toujours à exercer leur action obs-
cure ou latente, sans aucun signe de manifestation externe ou
interne.

Au contraire, quand l'absorption de la vie supérieure ou de l'acti-
vité de l'âme se fait d'une manière passive et par la seule prédomi-
nance de la vie animale ou sensitive, à laquelle l'âme elle-même se
subordonne ou n'oppose plus aucun effort, cette vie inférieure prend
un surcroît d'activité et se manifeste par des effets plus sensibles,
plus énergiques dans l'homme que dans l'animal chez qui il n'y a
qu'une vie sensitive. Premièrement parce que l'esprit, l'âme, en s'y
absorbant portent dans cette vie une sorte d'activité spontanée,
aveugle, qui double sa force et son énergie, de là la véhémence et
la force des passions humaines qui, pour la honte même de
125v° l'homme, surpassent alors l'animal en brutalité. | Écoutons van Hel-
mont : l'âme sensitive, dit-il (*mentis complementum*) (175), subsiste
dans les brutes d'une manière absolue, déterminée selon l'espèce
de l'animal. Il en est autrement dans l'homme où cette âme n'est
qu'adventice et n'est venue que par la corruption d'une nature plus
élevée ; elle n'y forme nullement un caractère d'espèce animale
déterminée, c'est une sorte de *lumière vitale* et non point la vie même
entière et complète comme elle l'est dans les brutes, car la vie totale
de l'homme a son principe radical dans l'*esprit* supérieur vivant qui,
tout enveloppé qu'il est dans la vie sensitive, n'en communique pas
moins à celle-ci l'activité et la lumière propre qui lui manquent.
C'est ainsi que la lune et les planètes empruntent du soleil seule-

ment toute la lumière dont elles semblent briller à nos yeux ; c'est là le caractère de supériorité, de *sagacité* dont l'âme sensitive jouit dans l'homme par-dessus les animaux considérés sous le même rapport ; en effet, l'âme sensitive, alors même qu'elle paraît agir *seule*, ne peut jamais être entièrement séparée de l'esprit dans l'homme, car elle ne peut lui emprunter une portion de sa vie sans qu'elle n'emprunte par là même aussi quelque caractère aux formes de la *pensée* (c'est là une supposition gratuite).

26 | A la vérité, l'âme sensitive, continue van Helmont (et ici je me sépare de lui), pense dans l'homme par une force propre, *cogitat quidem sensitiva humana, vi propria*, mais elle est éclairée, illuminée par l'esprit, *sed illustratur a mente*. Je dirais que les phénomènes de la vie sensitive se *manifestent* antérieurement dans l'homme par la participation de l'esprit de vie, supérieur, qui vient ainsi unir d'une manière plus particulière, par une véritable élévation de conscience ou en se tournant de son côté, ou il peut aussi s'en séparer jusqu'à un certain [point] en se tournant du côté opposé ou vers sa vraie lumière.

Ainsi toutes les *pensées* de notre âme sensitive, selon van Helmont, ne sont pas des attributs ou des produits des fonctions de cette âme *exclusivement*, mais elles appartiennent à l'homme tout entier et sont les produits de ces deux vies, unies et comme fondues l'une dans l'autre (ici, van Helmont emploie, encore moins heureusement, la comparaison du soleil et de la lune à laquelle il attribue une lumière propre qui n'est qu'augmentée ou étendue en intensité par celle du soleil qu'elle réfléchit).

26v°| Je m'en tiens à la première comparaison, et je crois que tout ce qui entre d'intellectuel et de moral dans toute passion ou modification de la vie animale ou sensitive appartient, il est vrai, à *tout l'homme*, mais ne peut être considéré que comme l'attribut de ce principe de vie supérieur, seule caractéristique qui fait toute l'humanité et qui seule la sépare de l'animalité pure.

Je ne sais si l'on peut dire avec van Helmont que dans la *manie*, la *démence*, la fureur, l'ivresse et les songes, il entre des *pensées* qui appartiennent à l'homme tout entier ; cela dépend précisément de l'acception qu'on donne au mot *pensée* ; mais je dirai avec cet homme de génie (qui a semblé être quelquefois bien près de soulever un coin du voile des passions humaines) que dans ces états où le *moi* n'est pas ni, par suite, la pensée, l'*esprit* ne jette que ce faible degré de lumière qu'envoie nécessairement son étroite union avec l'âme sensitive à laquelle il se trouve naturellement lié depuis l'origine ou dans le principe même, radical, de la vie humaine. L'*âme* peut être dite aussi prendre une part quelconque à toutes les opérations ou fonctions de la vie sensitive, mais sans s'apercevoir en aucune manière de cette *participation*, toute passive, où elle ne s'aperçoit qu'autant qu'elle commence à agir.

127 | Rien de ce qui change sans cesse ne peut être l'objet d'une vraie science, car au moment où l'on en parle comme de quelque chose de *réel* ce n'est peut-être qu'un fantôme, un songe transitoire sans *réalité*. Voilà pourquoi aussi il ne peut y avoir de métaphysique fondée sur la *sensation*, car la sensation est un pur phénomène sans consistance. *Sensibilis fugae omnia partis enim sunt mutabilia ideoque linearus notitia eorum teneri non potest* (Plotin, Ficin). (176) Je me sens presque toujours mal à l'aise dans ce corps, dans cette prison de boue qui tend sans cesse à se dénuder. Je serais tenté de croire à ce que disent les platoniciens qu'il n'est pas naturel aux âmes de passer leur vie unies à des corps et soumises à une génération dans le temps ; mais qu'au contraire une vie incorporelle et tout à fait séparée de la matière qui leur fait obstacle est seule conforme à leur véritable nature.

NOTES DE L'ÉDITEUR

1. De Bonald, *Recherches philosophiques*, Paris, Le Clère, 1830, chap. VIII, p. 192.

2. *Id.*, chap. V, p. 149.

3. Voici le passage auquel Maine de Biran fait allusion : « Ce qui me confirme dans la pensée que cette définition de l'homme, *une intelligence servie par des organes*, renferme une profonde vérité, c'est l'analogie évidente qu'elle présente entre la constitution présente de l'homme et la constitution naturelle de la société.
En effet, si l'homme est une intelligence servie par des organes, pour des fins de production et de conservation, la société domestique ou publique, religieuse ou politique n'est pas autre chose qu'un *pouvoir servi par des ministres* pour des fins de production et de conservation. Cette analogie n'a pas échappé à Cicéron : *animus corpori dicitur imperare ut rex civibus, aut parens liberis.* » *Ibidem*, p. 150.

4. *Id.*, chap. II, « De l'origine du langage », p. 102.

5. *Id.*, chap. I, « De la philosophie », p. 51.

6. *Ibidem*, p. 52.

7. *Ibidem*, p. 52.

8. *Ibidem*, p. 53.

9. *Ibidem*, p. 53.

10. *Ibidem*, p. 56.

11. *Id.*, chap. II, p. 84.

12. *Id.*, chap. I, p. 45.

13. *Ibidem*, p. 45.

14. *Ibidem*, p. 48.

15. *Id.*, chap. VIII, « De l'expression des idées », p. 199.

16. *Ibidem*, p. 200.

17. DESCARTES, *Notae in programma quoddam...*, (1647) in *Œuvres*, vol. VIII², Paris, Adam-Tannery, Vrin-CNRS, 1974, p. 358 sq. Maine de Biran cite la traduction française de ce texte effectuée par Clerselier qui la publie après la Lettre 99 du tome I des *Lettres de Monsieur Descartes*, Paris, Ch. Angot, 1657, p. 557 sq. (Réponse à l'article 13.)

18. De BONALD, *op. cit.*, chap. I, p. 47.

19. Cette lettre est adressée, bien entendu, à M. de Bonald. Toute la discussion qui suit a pour objet l'ouvrage de M.-J. DEGÉRANDO, *Histoire comparée des systèmes de philosophie relativement au principe des connaissances humaines*, Paris, Henrichs, 1804. Maine de Biran commente tout au long le premier chapitre des *Recherches philosophiques* de L. de Bonald.

20. De BONALD, *op. cit.*, chap. I, p. 7.

21. Ecclésiaste, chap. I, verset 13.

22. *Ibidem.*

23. De BONALD, *op. cit.*, chap. I, p. 10.

24. VIRGILE, *Énéide*, VI, vers 641.

25. Cf. Ch. BONNET, *Palingénésie philosophique*, Paris, 1769, « Si le philosophe ne conteste point au théologien l'évidence de l'autorité dont il a constaté les signes, le théologien peut encore moins contester l'autorité de l'évidence où le philosophe trouve les mêmes vérités. »

26. Psaume CXIX, verset 125.

27. Épître de Paul aux Romains, chap. VII, verset 22.

28. Évangile de saint Jean, chap. XIV, verset 6.

29. De BONALD, *op. cit.*, chap. I, p. 8.

30. J. BRUCKER, *Historia critica philosophiae a mundi incunabulis ad nostram usque aetatem deducta*, 5 vol. Leipzig, 1742-1744, Appendice, tome I, p. 17.

31. De BONALD, *op. cit.*, chap. I, p. 9.

32. Ph.-A. STAPFER, *Notice sur Socrate*, in *Mélanges philosophiques, littéraires, historiques et religieux*, 2 vol., Paris, Paulin, 1844, t. I, p. 16 (ce texte est d'abord paru dans la *Biographie universelle*).

33. De BONALD, *op. cit.*, chap. I, p. 10.

34. *Ibidem*, p. 10.

35. *Ibidem*, p. 10.

36. Allusion à CICÉRON, *De officiis*, I, XIV, 50 et III, V, 23.

37. De BONALD, *op. cit.*, chap. I, p. 11.

38. *Ibidem*, p. 11.

39. *Ibidem*, p. 12.

40. *Ibidem*, p. 12.

41. *Ibidem*, p. 15.

42. *Ibidem*, p. 15.

43. *Ibidem*, p. 15.

44. *Ibidem*, p. 15.

45. *Ibidem*, p. 15.

46. *Ibidem*, p. 16.

47. *Ibidem*, p. 16.

48. *Ibidem*, p. 16.

49. *Ibidem*, p. 17.

50. *Ibidem*, p. 17.

51. *Ibidem*, p. 18.

52. *Ibidem*, p. 18.

53. DEGÉRANDO, *op. cit.*, t. I, p. 207.

54. *Ibidem.*

55. De BONALD, *op. cit.*, chap. I, p. 18.

56. *Ibidem*, p. 19.

57. Fr. BACON, *De la dignité et de l'accroissement des sciences. Instauratio magna* (1623), Paris, 1843 (trad. fr. F. Riaux), Livre I, p. 114 : « En effet l'esprit humain quand il opère sur une matière (en contemplant les œuvres de Dieu et de la nature), est dans son travail dirigé par cette matière même, et elle lui fait trouver un terme, une fin ; mais quand il revient sur soi-même, semblable à l'araignée qui forme sa toile de sa propre substance, alors il n'est plus de fin pour lui, et il ourdit certaines toiles scientifiques, admirables sans doute par la finesse du fil et la délicatesse de la main-d'œuvre, mais tout à fait frivoles et sans utilité quant à l'usage qu'on en peut faire. »

58. De BONALD, *op. cit.*, chap. I, p. 21.

59. Maine de Biran fait allusion au passage suivant du chap. I des *Recherches philosophiques* de De Bonald : « La philosophie de Leibniz n'a pas conservé, en Allemagne, une autorité plus universelle que celle de Descartes en France, ou de Bacon en Angleterre, et ces trois systèmes, qui devaient renouveler la philosophie, vieillis comme les autres, ne sont plus que des époques de son histoire. » (p. 23).

60. Cf. de Bonald, *op. cit.*, chap. I : « La philosophie discréditée par tant d'inconsistances, perd peu à peu dans l'opinion son acception primitive. Elle ne signifie plus la sagesse et la science des choses morales et générales, mais toute manière *généralisée* de considérer les objets, quels qu'ils soient. Nous avons la philosophie des animaux ou la philosophie zoologique, la philosophie des plantes ou botanique : nous pourrions de même avoir la philosophie des pierres et des métaux ; et lorsqu'enfin on cherche à cette expression un sens un peu moins matériel, on est tout étonné de voir qu'elle ne signifie, pour le plus grand nombre, que l'art de se passer de religion. » (p. 30).

61. De Bonald, *op. cit.*, chap. I, p. 27.

62. *Ibidem*, p. 32.

63. *Ibidem*, p. 30.

64. *Ibidem*, p. 36.

65. *Ibidem*, p. 36.

66. *Ibidem*, p. 37.

67. *Ibidem*, p. 37 sq..

68. Pascal, *Pensées*, « De la manière de prouver la vérité et de l'exposer aux hommes ».

69. De Bonald, *op. cit.*, chap. I, p. 38.

70. J.-P.-F. Ancillon, *Mélanges de littérature et de philosophie*, Paris, Schoell, 1809, t. II, « Essai sur l'existence et sur les derniers systèmes de métaphysique qui ont paru en Allemagne ».

71. Il s'agit de Kant.

72. De Bonald, *op. cit.*, chap. I, p. 56.

73. *Ibidem*, p. 52.

74. *Ibidem*, p. 51.

75. *Ibidem*, p. 52.

76. *Ibidem*, p. 53.

77. Évangile de saint Jean, chap. I, verset 9.

78. De Bonald, *op. cit.*, chap. I, p. 54 sq..

79. Rousseau, *Émile*, Livre IV, *Œuvres complètes*, IV, Paris, Gallimard, 1969, p. 523.

80. Pascal, *Pensées*, « De la grandeur, de la vanité, de la faiblesse et de la misère des hommes ».

81. Exode, XX, 19.

82. Rousseau, *Émile*, Livre IV, *op. cit.*, p. 553.

83. Pascal, *Pensées*, *loc. cit.*

84. Cicéron, *de Legibus*, I, 15 ; « Si le droit ne repose pas sur la nature, toutes les vertus disparaissent. »

85. Leibniz, cit. non identifiée.

86. Bossuet, *De la connaissance de Dieu et de soi-même*, chap. IV, 5, in *Œuvres complètes*, vol. 4, Bar-le-Duc, L. Guérin, 1862 (éd. des Prêtres de l'Immaculée-Conception en 12 volumes, reprod. de l'édition de Versailles).

87. *Ibidem*.

88. Il s'agit de Guillaume de Moerbeke, traducteur de Proclus en latin (Corinthe, 1280). C'est cette traduction que cite Maine de Biran, d'ailleurs souvent de manière imparfaite ou lacunaire. Nous rétablissons à chaque fois en note le texte tel qu'il est actuellement édité par Daniel Isaac : *Trois études sur la providence*, t. II, Paris, Les Belles Lettres, 1979.

89. Et. Bonnot de Condillac, *Traité des systèmes où l'on en démêle les inconvénients et les avantages*, [1]1749, 1947, PUF, « Corpus général des philosophes français », tome XXXIII, vol. 1.

90. Condillac, *op. cit.*, p. 143.

91. Maine de Biran cite de mémoire et imparfaitement l'aphorisme de Lichtenberg (F, 32 du cahier de 1776-1779 ; cf. L. Ch. Lichtenberg et F. Kries (*eds.*), *Lichtenbergs vermischte Schriften*, 9 vol., Göttingen, 1800-1906 (première édition). Nous rétablissons ici le texte complet de cet aphorisme :

« Je suis persuadé que si Dieu eût créé un homme tel que l'imaginent les magisters et les professeurs de philosophie, il eût aussitôt fallu conduire cette créature à l'asile de fous. On pourrait tirer de cela une jolie fable : un professeur s'en remet à la prudence afin qu'elle lui crée un homme à l'image de sa psychologie ; ce qu'elle fait, mais c'est le magister qu'on envoie à l'asile. »

92. Cicéron, *de Legibus*, I, 9 (« elle a mis en lui, pour servir de fondement à la science, la connaissance confuse et encore incomplète d'un grand nombre de choses » ; trad. Ch. Appuhn).

93. *Ibidem* (« sans autre guide, et partie de ses éléments dont elle avait une première et confuse connaissance, elle fortifie et perfectionne d'elle-même la raison »).

94. Cf. Condillac, *op. cit.*, p. 143.

95. Aussi bien dans les *Essais de Théodicée* que dans les *Nouveaux Essais sur l'entendement humain*.

96. Proclus, *De providentia et fato*, IV, 16 (« toute faculté sensible se sert des corps comme d'instruments pour agir sur les objets des sens qui sont de son domaine, par les yeux, les oreilles... » ; trad. D. Isaac).

97. *Ibidem* (« toutes les passions sont des sensations ou, sans sensation, il n'y a pas de passion »).

98. PROCLUS, *op. cit.*, IV, 17 (« Si donc notre raison, lorsqu'elle se met en mouvement en tant que raison, fustige le mirage des plaisirs convoités, réfrène le mouvement impétueux de la colère et rabaisse la sensation parce que pleine d'illusions trompeuses, affirmant que rien de ce que nous entendons ou voyons n'est sûr... »).

99. *Ibidem* (« elle se soustrait visiblement à l'emprise des sens qu'elle condamne, à celle du plaisir et de la peine dont elle se libère. »).

100. *Ibid.*, IV, 18 (« elle se retourne vers elle-même et voit sa propre substance et les puissances qui sont en elle et les raisons harmonieuses dont elle est faite et les nombreuses vies dont elle est le plérôme... »). Ce qui est souligné l'est par Maine de Biran.

101. *Ibid.*, IV, 18 (« C'est à cette activité de l'âme, dit-on, que contribuent pour une large part, mon ami, l'arithmétique et aussi la géométrie, qui est la mère de votre art, sciences qui éloignent l'âme du sensible, qui purgent l'intelligence des formes irrationnelles de vie qui la cernent... »). Voici le texte complet : *Ad hanc enim operationem anime et arithmeticam, o amice, et geometriam, vestre artis matrem, multam habere partem aiunt, que a sensibus...*

102. *Ibid.*, IV, 22 (« l'âme ne comptera plus au nombre des créatures que mène la fatalité... »).

103. *Ibidem* (« Ce n'est donc qu'en disant adieu à tout ce qui nous enchaîne que nous constaterons la force de la vertu et que la fatalité n'exerce plus son action sur nous, mais sur ce qui nous entoure. »).

104. *Ibid.*, IV, 26 (« d'une part elle laisse à la fatalité le soin d'agir sur les choses qui sont au-dessous d'elle puisqu'elle en est la souveraine, de l'autre elle reste associée aux êtres situés au-dessus d'elle, êtres dont elle n'est pas coupée puisqu'ils sont meilleurs qu'elle. »).

105. *Ibid.*, VIII, 44 (« car ce n'est pas par la sensation qu'on peut juger la sensation, mais par les démarches intellectives... »).

106. *Ibidem* (« L'âme rationnelle, en effet, est en situation intermédiaire entre l'intelligence et la sensibilité ; elle est donc attirée ves ces deux pôles en raison de l'équilibre instable des tendances qui déterminent son choix et elle finit par s'identifier, selon son caractère, à l'un ou à l'autre tout en n'étant, selon son essence, ni l'un ni l'autre ; et ce qui montre bien sa situation intermédiaire, c'est qu'on trouve en elle la perfection qui vient de l'intelligence et la tromperie qui vient de la sensibilité. »).

Voici le texte complet : *Media enim rationalis anima intellectus et sensus ens, fertur quidem ad ambo propter instabilem electionis inclinationem, fit autem secundum habitudinem utrumque extremorum, quorum secundum substantiam neutrum est ; manifestat autem ipsius...*

107. *Ibid.*, XI, 55 (« Mais le mieux, ce serait de ne rechercher sans cesse pour nous et de n'acquérir que ce qui dépend réellement de nous, tandis que ce qui est hors de nous, et qui ne dépend pas de nous, nous en laisserions le soin à ceux qui agissent en maîtres qui savent ce qu'ils font... »).

108. *Ibidem* (« ce serait aussi d'être prêts à supporter tout ce qui ne dépend pas de nous grâce à ce qui en dépend. »).

109. *Ibidem* (« nous en laisserions le soin à ceux qui agissent en maîtres qui savent ce qu'ils font... »).

110. *Ibid.*, IV, 25 (« il est donc nécessaire que l'âme, soit qu'elle se trouve auprès de ceux qui la précèdent, soit qu'elle se trouve auprès de ceux qui la suivent, ou bien endosse la nécessité des créatures inférieures, ou bien donne essor à la liberté des meilleures ; et il faut qu'elle obéisse en recevant des ordres soit d'en haut soit d'en bas ; il faut aussi que, par obéissance, elle commande avec ceux qui commandent ou serve avec ceux qui suivent seulement. Si donc une âme monte jusqu'à ces hauteurs et recouvre sa puissance, c'est-à-dire sa vertu, elle ne verra plus rien de redoutable dans les épreuves du corps ni dans ce qui survient à l'extérieur du corps... »).

111. PROCLUS, *op. cit.*, X, 52, p. 73. « Et qu'il n'y a qu'une vraie science, une intelligence supérieure à la science et une pensée de nature divine supérieure à l'intelligence ; et que celle-ci est la connaissance dont l'âme rêve et qu'elle ne peut atteindre en cette vie, de sorte qu'elle aspire à l'exode hors du corps, sachant que là-haut elle bénéficiera d'une compréhension surnaturelle et divine des réalités. » Maine de Biran cite une édition établie par Victor Cousin, *Procli philosophi platonici Opera Inedita* (éd. de 1820 revue, corrigée et complétée), Paris, 1864, dont le texte diffère de celui que nous avons pris comme référence.

112. J.-B. van HELMONT, *Ortus medicinae...*, Amsterdam, Elzevir, 1752, « *Venatio scientiarum* », §§ 46-50, p. 23 sq. « Je suis très convaincu qu'il ne dépend pas de notre pleine et libre puissance de volonté de jouir dans le présent de l'entendement, et que pour y parvenir il n'est pas suffisant de penser, de s'efforcer, de souhaiter, de vouloir, etc. Et cela non seulement parce que nous n'y sommes pas habitués (en effet, depuis l'enfance tout au long de nos actes animaux, nous avons constamment l'habitude d'obéir à l'imagination), mais plutôt parce que la volonté elle-même et la mémoire doivent être absorbées complètement dans ce processus et comme annihilées dans l'entendement. Ce qui constitue un très grand mystère. Car si quelqu'un pense sa propre âme, ou quelque autre chose, comme un tiers, séparé de l'entendement par l'altérité, de ce fait ce n'est pas encore la pensée et l'acte du pur et seul entendement. Mais lorsque l'âme se pense elle-même ou quelque chose d'autre, comme soi-même, sans altérité de celui qui pense et de la chose pensée, sans appétence, extraversion ou relation au lieu, à la durée et aux circonstances, alors une pensée de cet ordre est vraiment intellectuelle. En effet, l'âme, dans cet état de lumière, saisit l'essence intérieure et antérieure de la chose pensée parce que l'entendement lui-même, par transfert, prend la forme de cette chose. Une conception intellectuelle de cette sorte ne se fait pas par le choix des mots et des langages, ni par les sens et la raison, ni par le concept raccourci et pourtant suffisamment large de toute une proposition. On ne peut pas même la penser par la raison, l'imagination ou les idées. Dans cet état, en ce moment, en ce lieu, les sens, la raison, l'imagination, la mémoire et la volonté sont en même temps fondus dans l'entendement pur, et, puisque nous sommes dans les ténèbres, obscurcis par rapport à la lumière de l'entendement. Car l'entendement est transformé ou se transforme lui-même pour prendre la forme de la chose pensée. Du moins, grâce à cette lumière, l'âme contemple son entendement sous la forme empruntée. Dans ce miroir, elle se regarde intellectuellement, sans la réflexion de l'altérité, et ainsi elle conçoit que la chose connaissable ne forme qu'un avec tout son être, avec ce qui lui est propre, etc. »

113. LEIBNIZ, *Epistola ad Hanschium*, éd. Dutens, t. II, p. 222.

114. Il s'agit de Stapfer. Cf. *Journal*, 1er au 10 décembre 1818.

115. Jean, XIV, 17.

116. Jean, XIV, 26.

117. Jean, XII, 46.

118. LEIBNIZ, *op. cit.*, p. 225.

119. PLATON, *République*, VI, 507-508, cf. également *Alcibiade*, (I), 133 *e-d*, passage transmis par Eusèbe de Césarée dans sa *Préparation évangélique*. Maine de Biran ne suit bien évidemment pas la lettre du texte.

120. Cf. *Alcibiade*, 131 *e*-133 *d*.

121. Cf. *Théagès*, 130 *c*.

122. Cf. *Second Alcibiade*, 149 *d*-150 *b*.

123. *Ibid.*, 150 *c*-151 *b*.

124. Cf. *Alcibiade*, 135 *d* ; ce passage est également transmis par Eusèbe de Césarée, cf. *supra*, note 119.

125. FÉNELON, *Instructions et avis sur divers points de la morale et de la perfection chrétienne*, XXXII, in *Œuvres*, 3 vol., éd. A. Martin, Paris, Didot, 1870, t. I, p. 357.

126. FÉNELON, *op. cit.*, XXII, t. I, p. 337.

127. Nous donnons ici les notes sur l'Évangile de saint Jean par Charles Loyson qui en avait entrepris un commentaire (du chapitre I, versets 1 à 18 et chap. II, versets 4, 5 et 11) dans la perspective d'un projet mené en commun avec Maine de Biran, lequel reprit la suite du travail de Loyson, dans le même exemplaire des Évangiles.

128. Il s'agit là des versets 4, 5 et 11 du chap. II.

129. Dans le volume utilisé par Maine de Biran à la suite de Ch. LOYSON, *Le Nouveau Testament de Notre Seigneur Jésus-Christ*, traduit sur la Vulgate par Le Maistre de Sacy, J. Smith, 1819, on trouve une note de la main de Maine de Biran face au chap. XIX, verset 15 sq. de l'Évangile de saint Luc, au folio 114 : « La parabole depuis le verset 15 représente la puissance séparée de la bonté : elle donnera à celui qui a parce qu'il lui plaît et ôtera à celui qui n'a presque rien, même le peu qu'il a parce qu'il n'a pas osé ou qu'il n'a pas su en tirer parti. »

130. BOSSUET, *Discours sur l'histoire universelle*, chap. XIX, « Jésus et sa doctrine », p. 179 *et passim*, in *Œuvres complètes*, *op. cit.*, vol. 4.

131. Charles Loyson est mort prématurément le 27 juin 1820, laissant son commentaire interrompu, cf. *Journal intime* aux dates du 27 et du 28 juin 1820.

132. LAMENNAIS, *Essai sur l'indifférence en matière de religion*, 4 vol., Paris, 1817-1823 ; cf. les *Marginalia* du présent volume.

133. Cf. de BONALD, *Recherches philosophiques*, t. I, p. 341-342 ; cf., également, les *Marginalia* du présent volume.

134. LAMENNAIS, *Essai sur l'indifférence en matière de religion, op. cit.* ; cf. les *Marginalia* du présent volume.

135. BOSSUET, *Discours sur l'histoire universelle, op. cit.*, vol. 4, chap. XIX, p. 180.

136. Jean, chap. VII, verset 34 et chap. VIII, verset 21.

137. BOSSUET, *Méditations sur les Évangiles, op. cit.*, vol. 9, « Dernière semaine du Seigneur », LXXXVe Jour, p. 389.

138. *Ibidem.*

139. FÉNELON, *Entretiens affectifs pour les principales fêtes de l'année,* XV, « Pour le jour de la Pentecôte », in *Œuvres*, t. I, Paris, Gallimard, 1983 (La Pléiade, J. Le Brun *éd.*), p. 959.

140. BOSSUET, *op. cit.*, vol. 9, *Méditations sur les Évangiles*, LXXXIIe Jour, p. 386.

141. BOSSUET, *Élévations sur les mystères*, Paris, Vrin, 1966 (M. Dréano *éd.*), p. 76.

142. Jean, chap. XIV, versets 7 et 9.

143. Jean, chap. XIV, versets 22 et 23 : « Seigneur, dit Judas, d'où vient que vous vous découvrirez vous-même à nous et non pas au monde ? » A quoi Jésus répond : « Si quelqu'un m'aime, il gardera ma parole, et mon père l'aimera, et nous viendrons à lui, et nous ferons en lui notre demeure. » Cf. BOSSUET, *Méditations sur les Évangiles*, Paris, Vrin, 1966 (M. Dréano *éd.*), XCII, p. 509.

144. BOSSUET, *Méditations sur les Évangiles, op. cit.*, XCV, p. 513.

145. FÉNELON, *Entretiens affectifs, op. cit.*, *ibidem.*

146. Citation inexacte, le texte dit : « Si vous demeurez en moi et que mes paroles demeurent en vous, vous demanderez tout ce que vous voudrez, et il vous sera accordé. »

147. BOSSUET, *Élévations sur les mystères, op. cit.*, *ibidem.*

148. Jean, chap. XVII, verset 6.

149. Saint AUGUSTIN, *Les Confessions*, livre VII ; Paris, Pierre Horag, 1947, p. 167 sq.

150. MALEBRANCHE, *Œuvres complètes*, Paris, Vrin-CNRS, 1967-1978, t. X (H. Gouhier et A. Robinet *eds.*), p. 47.

151. Saint AUGUSTIN, *Les Confessions*, livre VIII, *op. cit.*, p. 214.

152. MARC-AURÈLE, *Pensées*, XI, 12.

153. LEIBNIZ, *Nouveaux Essais...*, Livre I, chap. 1, § 23, éd. Raspe, Amsterdam 1768, p. 42, éd. Gerhardt, t. V, p. 71.

154. PLOTIN, *Ennéades*, III, 6, 8. « Accueillir la passion c'est déjà être sur la voie de la corruption ; la corruption s'étend à tout sujet qui subit des passions. » (Trad. E. Bréhier, Paris, Budé, Les Belles Lettres, 1924). Dans tout ce texte, Maine de Biran s'inspire largement du commentaire que fait Marsile Ficin de l'*Ennéade* III, 6 (cf. FICIN, *Plotini platonicorum coryphei. Opera quae extant omnia*, Bâle, impensis Ludovici Regis, 1615).

155. *Id.*, III, 6, 3. « Mais comme l'âme contient le corps ou, pour ne pas nous laisser égarer par des mots, comme le corps est voisin de l'âme et n'est pas un corps inanimé, il subit une modification du sang. »

156. *Id.*, III, 6, 5. « Quant à la séparation, c'est l'état de l'âme qui n'est plus dans le corps au point d'être à lui, semblable à une lumière qui n'est plus dans la brume ; et pourtant même dans la brume, cette lumière n'était pas affectée. »

157. *Id.*, III, 6, 2. « La partie raisonnable de l'âme correspond à l'intelligence, elle voit et possède le pouvoir de penser sans qu'il se produise en elle "l'empreinte d'un cachet" ; ce qu'elle voit, elle le possède sans le posséder. Elle le possède parce qu'elle le connaît, elle ne le possède pas parce qu'il ne se dépose pas en elle, résultant de sa vision, quelque chose comme une empreinte de la cire (...). Quoi, n'était-elle pas avant de se rappeler différente de ce qu'elle est après qu'elle se rappelle ? Différente si l'on veut, mais sans avoir subi d'altération, à moins d'appeler altération le passage de la puissance à l'acte ; au vrai rien ne s'est introduit en elle ; elle a seulement agi selon sa propre nature. »

158. Van HELMONT, *Ortus medicinae*, Amsterdam, Elzévir, 1752, chap. 51 (cf. trad. fr. partielle par J. Leconte, Lyon, J.-A. Hugueton et G. Barbier, 1671, 3e partie, chap. III, p. 217 sq.).

159. De BONALD, *Recherches philosophiques*, *op. cit.*, chap. V, « Définition de l'homme : *une intelligence servie par des organes* », p. 146.

160. J. de MAISTRE, *Les Soirées de Saint-Pétersbourg*, t. I, Paris, Éditions de La Maisnie, 1980, p. 79 sq.

161. LEIBNIZ, *Epistola ad Hanschium de Philosophia Platonica sive de Enthusiasmo Platonico* (1707), éd. Dutens, II, p. 225.

162. Ch.-V. de BONSTETTEN, *Études sur l'homme ou Recherches sur les facultés de sentir et de penser*, 2 vol., Genève, J.-J. Paschoud, 1801, t. II, p. 100.

163. Cf. *Sentences*, Leipzig, éd. Lamberz, 1975, ainsi que *La Vie de Plotin*, in *Ennéades*, trad. fr. et prés. E. Brehier, Paris, Budé, Les Belles Lettres, 1924.

164. PLOTIN, *Ennéades*, III, 5.

165. BUFFON, *Histoire naturelle des animaux*, in *Œuvres philosophiques, ed.* Piveteau, *Corpus général des philosophes français*, Paris, PUF, 1954, p. 341.

166. FICIN, *Commentaire au livre V de l'Ennéade* III de Plotin, *Plotini platonicorum coryphei*, *op. cit.*, p. 287-290.

167. Mme CAMPAN, *Mémoires sur la vie privée de Marie-Antoinette, Reine de France et de Navarre*, Paris, Baudoin Frères, 1822, vol. II, chap. XXI, p. 248 sq. Il s'agit du récit de la nuit du 10 août (1792) aux Tuileries.

168. Leibniz, éd. Dutens, II, p. 33, § 34.

169. Saint Augustin, *Les Confessions*, livre VIII, *op. cit.*, p. 217.

170. Van Helmont, *Ortus medicinae*, Amsterdam, Elzévir, 1752, chap. 44 (« Mentis complementum »).

171. Allusion à Plotin, *Ennéades,* III, 6.

172. Plotin, *Ennéades,* IV, 3, 6. « Mais il vaut mieux dire que l'âme universelle a créé l'univers, parce qu'elle a un lien plus solide à la région supérieure ; les âmes qui inclinent vers le monde intelligible ont une puissance plus grande ; elles s'y conservent en sécurité et agissent très facilement ; car la puissance la plus grande est celle qui ne pâtit pas en agissant ; cette puissance qui vient d'en haut reste. L'âme reste en elle-même et elle agit sur les choses qui s'approchent d'elle ; les autres âmes procèdent elles-mêmes ; elles s'éloignent donc dans les profondeurs de l'abîme ; ou peut-être faut-il dire que l'élément multiple de ces âmes est entraîné en bas et entraîne avec lui les âmes elles-mêmes avec leurs pensées. »

173. Van Helmont, *op. cit., ibidem.*

174. *Ibidem.*

175. *Ibidem.*

176. Ficin, Commentaire de l'*Ennéade* IV, 3 de Plotin, *Plotini platonicorum coryphei..., op. cit.* p. 364 sq.

BIBLIOGRAPHIE

ANCILLON (J.-P.-F.) *Mélanges de littérature et de philosophie* (Berlin, 1801), Paris, Schoell, 1809.

AUGUSTIN (saint), *Les Confessions*, in *Œuvres*, 23 vol., Paris, Desclée de Brouwer, *ab* 1947.

BACON (Fr.) *De la dignité et de l'accroissement des sciences (Instauratio magna*, 1623), Paris, 1843 (trad. fr. F. Riaux).

BONALD (L.-A. de) *Recherches philosophiques*, Paris, Le Clère, 1804.

BONNET (Ch.) *Œuvres d'histoire naturelle et de philosophie*, 17 vol., Neuchâtel, Fauché, 1779-1783.

BONSTETTEN (Ch.-V. de) *Études sur l'homme ou Recherches sur les facultés de sentir et de penser*, 2 vol., Genève, J.-J. Paschoud, 1801.

BOSSUET (J.-B.) *Œuvres complètes*, 12 vol., Bar-le-Duc, L. Guérin, 1862 (éd. des Prêtres de l'Immaculée Conception, reproduction de l'édition de Versailles).

BRUCKER (J.) *Historia critica philosophiae e mundi incunabulis ad nostram usque aetatem deducta*, 5 vol. Leipzig, Weidemann et Reich, 1742-1744.

BUFFON (G.-L. LECLERC de) *Histoire naturelle des animaux*, in *Œuvres philosophiques*, (éd. Piveteau), Paris, PUF, 1954 (*Corpus général des philosophes français*, XLI, 1).

CAMPAN (Mme) *Mémoires sur la vie privée de Marie-Antoinette, Reine de France et de Navarre*, Paris, Baudoin Frères, 1822.

CICÉRON, *de Officiis, de Legibus*, in *Œuvres complètes*, 20 vol., Paris, Garnier, 1866-1874 (tomes XVIII et XIX).

CONDILLAC (Et. BONNOT de) *Traité des Systèmes où l'on en démêle les inconvénients et les avantages*, [1]1749, PUF, 1947 (*Corpus général des philosophes français*, tome XXXIII, 1).

DEGÉRANDO (M.-J.) *Histoire comparée des systèmes de philosophie relativement au principe des connaissances humaines*, Paris, 1804.

DESCARTES (R.) *Œuvres*, éd. Adam et Tannery, Paris, Vrin-CNRS, 1964-1974.
— *Lettres de Monsieur Descartes*, 3 vol., Paris, Ch. Angot, 1657 (éd. Clerselier).

FÉNELON (F. de SALIGNAC de LA MOTHE) *Œuvres*, 9 vol., Paris, Didot, 1787-1792 (vol. 8). *Œuvres complètes*, Toulouse, Bénichet, 1810 (cf. vol. IX, X, XI).

FICIN (M.) *Plotini platonicorum coryphei, Opera quae extant omnia*, Bâle, impensis Ludovici Regis, 1615.

GOUHIER (H.) *Les Conversions de Maine de Biran*, Paris, Vrin, 1948.
— *Œuvres de Maine de Biran*, Paris, Aubier-Montaigne, 1942.

HALLET-BARBILLION (G.) *Les lectures de Maine de Biran, bibliographie dressée d'après les livres qui composent actuellement la bibliothèque du château de Grateloup*, Grenoble, Allier, 1927.

— *Choix de notes inédites de Maine de Biran*, Annales de l'Université de Grenoble, Lettres-Droit, t. IX, 1932.

HELMONT (J.-B. van) *Ortus medicinae, id est, initia physicae inauditae* (1648), Lyon, J.-B. Devenet, 1655 (cf. trad. fr. partielle par J. Leconte, Lyon, J.-A. Hugueton et G. Barbier, 1671).

LAMENNAIS (J.-F.) *Essai sur l'indifférence en matière de religion*, 4 vol., Paris, Tournachon-Molin, 1817-1823.

LEIBNIZ *Die philosophische Schriften von G.W. Leibniz*, 7 tomes, Berlin, Weidmannsche Buchhandlung, 1875-1890 (éd. Gerhardt).

— *Opera omnia*, 7 vol., Genève, de Tournes, 1768 (éd. Dutens).

— *Nouveaux essais sur l'entendement humain*, Amsterdam, Mortier, 1742 (Paris, 1795, trad. Coste).

— *Pensées sur la religion et la morale*, 2 vol., Paris, Nyon, an XI (1803).

— *Œuvres philosophiques*, Amsterdam, Schreuder, 1765.

LICHTENBERG (G. Chr.) *Lichtenbergs vermischte Schriften* (L. Ch. Lichtenberg et F. Kries, *eds.*), 9 vol., Göttingen, 1800-1806 (première édition).

MAISTRE (J. de) *Les Soirées de Saint-Pétersbourg*, 2 vol., Paris, Éditions de La Maisnie, 1980, p. 79 sq.

MALEBRANCHE (N.) *Œuvres complètes*, 20 vol., Paris, Vrin-CNRS, 1967-1978.

MARC-AURÈLE *Pensées*, in *Les Stoïciens*, Paris, Gallimard, 1964 (La Pléiade, éd. E. Bréhier sous la dir. de P.-M. Schuhl).

PASCAL, *Pensées*, Paris, Gallimard, 1954 (La Pléiade, éd. J. Chevalier).

PLATON, *République*, *Alcibiade*, *Théagès*, *Second Alcibiade*, in *Œuvres complètes*, Paris, Les Belles Lettres (Budé), 1967.

PLOTIN, *Ennéades* (trad. fr. E. Bréhier), Paris, Les Belles Lettres (Budé), 1924.

PORPHYRE, *Sentences*, Leipzig, éd. Lamberz, 1975.

— *La Vie de Plotin*, in *Ennéades*, trad. fr. E. Bréhier, Paris, Les Belles Lettres (Budé), 1924.

PROCLUS, *De Providentia et fato*, (première trad. latine par G. de Moerbeke, Corinthe, 1260, puis in *Procli philosophi platonici Opera Inedita*, éd. par Victor Cousin en 1820, éd. revue, corrigée et complétée en 1864), *Trois Études sur la providence* (trad. fr. D. Isaac), Paris, Les Belles Lettres, 1979.

ROUSSEAU (J.-J.) *Émile*, in *Œuvres complètes*, vol. IV, Paris, Gallimard, 1969.

STAPFER (Ph.-A.) *Notice sur Socrate*, in *Mélanges philosophiques, littéraires, historiques et religieux*, 2 vol., Paris, Paulin, 1844.

VIRGILE, *Énéide*, 3 vol., Paris, Les Belles Lettres (Budé), 1977 (éd. J. Perret).

INDEX DES NOMS PROPRES

ABEL : 42.
ADAM : 238.
AMPÈRE, A.M. : 8.
ANAXAGORE : 48, 53.
ANAXIMÈNE : 58.
ANCILLON, J.-P.-F. : 258.
ARISTOPHANE : 76.
ARISTOTE : 41, 56, 70, 72, 76, 180, 222, 229.
AUGUSTIN, saint : 17, 73, 219-220, 249-254, 263, 265.
BACON, F. : 68-72, 76, 79, 85, 186, 234, 257.
BARTHÉLEMY SAINT-HILAIRE, J. : 233
BARTHEZ, P.-J. : 209.
BERKELEY, G. : 79.
BONALD, L. de : 1-106, *passim*, 154, 172, 180, 185-212, *passim*, 236-239, 255-258, 262, 264.
BONNET, Ch. : 256.
BONSTETTEN, Ch.-V. de : 240, 264.
BOSSUET, J.-B. : 3, 75, 78, 125, 146, 153-155, 157, 159-161, 179, 259, 262-263.
BRUCKER, J. : 51, 256.
BUFFON, G.-L. : LECLERC de : 245, 264.
CABANIS, J. : 211.
CAIN : 42.
CALVIN, J. : 65.
CAMPAN, Mme : 247, 264.
CICÉRON : 48, 134, 171, 255-256, 259.
CLÉMENT, saint : 60-61, 68, 77.
CONDILLAC, E. BONNOT, abbé de : 2, 27, 59-60, 71, 76, 79-80, 109, 131-134, 136, 181, 195-196, 198, 205, 232, 250, 259.
COUSIN, V. : 261.
DEGÉRANDO, J.-M. de : 30, 38, 256-257.
DÉMOCRITE : 58.
DESCARTES, R. : 3, 17, 24, 40-42, 52, 60, 68, 70-76, 78-80, 84-85, 94, 131, 167, 181, 186, 205, 232, 250-251, 256-257.
ÉPICURE : 58, 76, 90-91.
EUSÈBE : 262.
FÉNELON, F. de SALIGNAC de LA MOTHE : 3, 75, 78, 145-146, 162, 262-263.
FICIN, M. : 246, 254, 264-265.

FONTENELLE, B. Le BOVIER de : 208.
GASSENDI, P. : 41, 96.
HARTLEY, D. : 79.
HELMONT, J.-B. van : 139-140, 236, 249, 251-253, 261, 264-265.
HÉRACLITE : 58.
HOBBES, Th. : 27, 41, 188, 196, 209.
HOMÈRE : 146.
HUME, D. : 79.
JEAN, saint : 141, 143, 149-163, *passim*, 256, 258, 262-263.
JÉSUS-CHRIST : 62, 95, 141, 143, 149-163, *passim*, 180.
JOB : 205.
JUDAS : 161.
JUSTIN, saint : 68.
KANT, I. : 33, 40, 52, 60, 75-76, 79, 84, 88, 92, 94, 131, 134, 185, 225, 232, 258.
LAMENNAIS, H.-F. de : 154-155, 165-181, *passim*, 213-215, 262-263.
LEIBNIZ, W. G. : 40, 45, 60, 68, 72-73, 75-76, 79, 84-85, 123, 131, 136, 140, 143, 181, 186, 232-233, 240, 248, 257, 259, 261-265.
LICHTENBERG, G.-Ch. : 134, 259.
LOCKE, J. : 44, 60, 71, 76, 79-80, 85, 134, 186, 188.
LOYSON Ch. : 149, 154, 262.
LUCRÈCE : 58, 91.
LUTHER, M. : 65.
MAISTRE, J. de : 240-241, 264.
MAHOMET : 177.
MALEBRANCHE, N. : 40, 75, 79, 131, 219, 244, 263.
MARC AURÈLE : 91, 231, 263.
MINUTIUS FÉLIX : 68.
MOERBEKE G. de : 131, 259.
MOISE : 119, 153-154, 156.
MONTAIGNE, M. EYQUEM de : 31, 92.
MONTESQUIEU Ch. de SECONDAT : 90-91.
NEWTON, I : 5.
PARMÉNIDE : 221.
PASCAL, B. : 31, 92, 114, 122, 211, 258-259.
PAUL, saint : 3, 17, 45, 168, 237, 256.
PÉRICLÈS : 56.
PLATON : 3, 39-41, 50, 56, 58, 61, 63, 65, 67, 73, 75-76, 78, 99, 122, 130, 134, 139-142, 144-145, 152, 155, 177, 180-181, 200, 221, 225, 228-229, 234, 236, 262.
PLOTIN : 223, 233-235, 243, 246, 254, 264-265.
PORPHYRE : 242.
PROCLUS : 129-139, 221-230, 259-261.
PYTHAGORE : 48, 56, 139-140.
REGIUS : 24.
REID, Th. : 59-60, 79-80, 125.
RENATY : 4.
ROUSSEAU, J.-J. : 22-23, 90, 114, 176, 198-199, 207, 213-214, 237, 258-259.
SOCRATE : 38-39, 48-56, 58-63, 67, 75-76, 78, 88, 95, 129-140, 142, 144, 146-147, 177, 186, 221.

SPINOZA, B. de : 209.
STAHL, G. : 200.
STAPFER, Ph.-A. : 256, 261.
STEWART, D. : 206.
STRUVIUS, G.-A. : 51.
THALÈS : 37, 58.
THÉRÈSE, sainte : 235.
VÉNUS : 244.
VIRGILE : 256.
VOLTAIRE, F.-M. AROUET : 186.
XÉNOPHON : 56.
ZÉNON : 57, 61, 76, 90-91.

INDEX DES MATIÈRES

Absolu, 126-127.
Abstraction, 1, 9-10.
Acte — de l'esprit, 15 ; — moral, 107 ; — de réflexion, 242 ; — sensitif, 107 ; — unique de la création, 43 ; — de volonté, 20.
Activité — de l'esprit, 143, 206 ; — du moi, 1.
Affection, 20, 22-23, 25, 29.
Aliénation, 239 ; — mentale, 3.
Ame, 2-4, 6, 9, 12, 14, 16, 25-26, 42, 44-45, 51, 54, 98-99, 101, 108, 120-122, 126, 129, 131, 138-139, 141, 144-147, 149, 153, 156, 160-161, 168, 200, 202, 204-205, 211-212, 221-222, 224-228, 230, 232-235, 239-240, 243, 245-246, 249, 251-254 ; — animale, 246 ; — intellectuelle, 246 ; — pensante, 38, 143 ; — raisonnable, 1 ; — sensible, 248 ; — sensitive, 3, 223, 247, 249, 253 ; — supérieure, 223.
Amour, 162, 243-246 ; — de la vérité, 49.
Analogie, 4, 9-10, 19, 26.
Animal, 1, 19, 22, 88, 102, 248, 253 ; — raisonnable, 1.
Animalité, 13, 21.
Antinomie, 32.
Anthropomorphisme, 10, 118.
Aperception, 195.
A posteriori, 6.
Apparence, 8.
Appétit — animal, 20.
Appropriation, 18.
A priori, 6, 13, 16.
Arithmétique, 224.
Art, 13, 18, 26 ; — logique, 41.
Articulation, 18.
Athéisme, 117, 120.
Attraction, 5-6, 8.
Attribut, 1, 3, 8, 23.
Audition, 18.
Autorité, 38, 46, 54-55, 81, 83, 85-88, 104,165-166, 169-170, 172-173, 175, 178-180, 214 ; — de la conscience, 97 ; — divine, 35, 39 ; — de l'évidence, 42-43, 47, 62, 66-67, 75, 80, 88 ; — de la mémoire, 82 ; — de la parole, 43, 45 ; — de la raison, 39 ; — de la religion, 42 ; — du témoignage, 177.

Baconisme, 71.
Beau, 50, 115-116.
Beauté, 245.
Besoin, 20, 22-23, 25, 28.
Bien, 3, 12, 28, 32, 42, 48, 115, 130.
Bon, 116.

Caractère, 59.
Cartésianisme, 71.
Catégorie, 40.
Causalité, 117.
Cause, 2, 22, 24, 91, 108-109, 125-126, 133, 194, 220, 249 ; — absolue, 120-121 ; accidentelle, 25 ; — agissante, 14 ; — créatrice, 53 ; — efficiente, 24-26 ; — et effet, 15 ; — essentielle, 25 ; — exclusive, 25 ; — naturelle, 6 ; — occasionnelle, 73 ; — première, 8, 32, 48, 58 ; — prochaine, 25 ; — relative, 120 ; — seconde, 43-44, 56, 58, 83 ; — suprême, 43, 83, 100, 118 ; — universelle, 8.
Chose — sensible, 24 ; — révélée, 44 ; — signifiée, 25-26.
Chrétien, 68, 177.
Christianisme, 61, 146, 151.
Circonstances sociales, 6.
Classe, 27.
Cœur, 7, 11-12, 29, 162.
Comment, 7.
Condition — nécessaire, 1, 25 ; — organique et intellectuelle, 16.

Connaissance, 9-10, 13, 38, 129, 132, 242, 244, 250 ; — morale originelle, 27 ; — de la nature morale, 36, 55 ; — psychologique, 76 ; — première, 34 ; — de soi, 36, 55.
Conscience, 8, 21, 32, 43, 47, 49-50, 57-60, 62, 83, 85-86, 93, 96, 104, 107-109, 112, 114, 116-117, 121, 124, 127, 136, 188, 220, 250 ; — intime, 52 ; — du moi, 60 ; — morale, 107, 110, 113 ; — sensitive, 113.
Consensus, 108.
Constitution morale, 3.
Contradiction, 6, 16.
Convention, 26, 43.
Conviction, 32.
Corps, 120-121, 129, 134, 147, 161, 202, 212, 221-222, 225-228, 233, 237, 239, 243, 246-247, 251-252, 254 ; — organisé, 1, 236.
Cosmogonie, 37, 53.
Couleur, 24, 29.
Coutume, 27.
Cri, 29.
Criticisme, 185.
Croyance, 12, 35, 66, 81, 93-95, 97, 100-104 ; — morale, 33 ; — nécessaire, 32 ; — révélée, 34 ; — de la société, 35-36, 38, 47, 55.

Débilité corporelle, 3.
Démence, 253.
Désir, 212.
Destin, 221-222, 225-227.
Destination, 49.
Devoir, 3, 8, 60, 103, 109, 112, 122.
Dialecticien, 47.
Dialectique, 41, 64, 130.
Dieu, 3, 5-8, 10-13, 16-18, 22-26, 28-29, 33-35, 38-40, 42-44, 48, 50-51, 58, 61-64, 66-68, 80-81, 83-87, 95, 99-102, 108-109, 113, 118-122, 124-125, 128-130, 139, 142, 144-146, 149, 151-153, 156, 159-160, 163, 167, 180, 221-222, 228-229, 231, 244.
Divinité, 14.
Don, 29 ; — du langage, 6-7, 16-19, 63, 99, 188.
Douleur, 4, 24.
Droit, 109, 112.
Dualité — de conscience, 111 ; — du fait primitif, 107.

Éclectisme, 60-61.
Écriture, 7.
Effet, 15.
Entendement, 6, 10-11, 14, 41, 45, 81, 99, 131, 139, 162, 205, 234 ; — divin, 99.
Épicurien, 249.
Épicurisme, 91.
Erreur, 12.
Espèce, 1, 27.
Esprit, 3, 6-9, 11, 13-16, 18-20, 22, 24, 26-28, 44-45, 54-55, 57, 82, 87, 93, 96, 191, 202, 220, 237, 240, 247, 253 ; — de Dieu, 224.
Être, 12, 109 ; — absolu, 122 ; — intelligent, 23 ; — moral, 8 ; — pensant, 19 ; — suprême, 171 ; — universel, 242.
Évidence, 81, 84-86, 171-172.
Existence, 1, 208.
Expérience, 24, 97 ; — intérieure, 20, 210.
Expression, 2, 9, 19, 22, 26 ; — acquise, 2 ; — naturelle, 29 ; — significative, 23.

Faculté, 10, 13-14, 18, 24-26, 28, 81, 100, 212, 235 ; — active, 35 ; — appétitive, 223 ; — de connaître, 251 ; — créatrice, 139 ; — de l'esprit, 2, 4, 84, 249 ; — d'examen, 94, 105 ; — intellectuelle, 248 ; — intellectuelle et morale, 107 ; — intuitive, 35 ; — naturelle, 6 ; — perceptive, 82 ; — de parler, 27 ; — réceptive, 240 ; — supérieure, 237.
Fait, 7-9 ; — de conscience, 10, 71, 99 ; — intérieur, 187 ; — miraculeux, 45 ; — de la nature, 45 ; — physique, 96 ; — primitif, 4, 14, 16-17, 43, 45-46, 74-75, 83, 86, 94, 99, 132, 187 ; — psychologique, 20 ; — révélé, 5 ; — de sens intime, 53-54, 97, 136-137, 209.
Famille, 19-22.
Fatum, 137.
Fausseté, 27.
Foi, 28, 35, 42, 46-47, 53, 60, 66-68, 92, 147, 168, 173, 175.
Force, 5, 21, 112 ; — dérivée, 6 ; — d'impulsion, 8 ; — motrice, 6.
Forme, 16, 40 ; — inhérente à l'esprit, 14 ; — logique, 41 ; — sensible, 41.

Génie, 11.
Genre, 27.
Géométrie, 224.
Geste, 20, 29.
Gouvernement, 12.
Grâce, 11-12, 153.

Habitude, 17, 104.
Harmonie préétablie, 73.
Hébreu, 39, 53.
Histoire, 78 ; — de la philosophie, 52-106 *passim*.
Homme, 1-4, 6-14, 16-17, 19-24, 28-29, 66, 151, 160, 248, 253 ; — extérieur, 45 ; — intellectuel et moral, 69 ; — intérieur, 45, 155, 208 ; — intérieur et extérieur, 17, 20 ; — moral, 20 ; — parlant, 17.
Humanité, 2.
Hypothèse, 4, 6-7, 10, 17.

Idéaliste, 57.
Idéologue, 46.
Idée, 6-11, 13-16, 18-29, 46, 133, 135, 141, 144, 180, 187, 204, 208, 212, 215, 220 ; — innée, 2, 6, 39-40, 174, 185, 193 ; — du langage, 192 ; — morale, 188 ; — sensible, 132.
Identité, 15, 27.
Idéologie, 185.
Idiome, 15-16.
Ignorance, 129.
Image, 8, 20-22, 25, 96.
Imagination, 2, 17, 82, 219, 234.
Imitation, 15.
Immédiation, 96, 205, 250.
Immortalité, 33.
Impression, 20-21, 24-25.
Indépendance, 87.
Individu, 9, 22, 28.
Inertie, 8.
Infini, 11.
Inné, 191.
Instinct, 21, 23 ; — animal, 243 ; — humain, 198 ; — sensitif, 102.
Institution, 28, 126.
Intelligence, 2-3, 10, 13, 21, 44-45, 57, 88-89, 99, 174, 179, 199-201, 225, 236-239, 244, 246 ; — purifiée, 227 ; — servie par des organes, 1-2, 4 ; — supérieure, 240 ; — suprême, 153.
Intérêt, 12.
Invention, — du langage, 23, 27, 29, 39.
Ionien, 37.

Judaïsme, 178.
Jugement, 27, 82, 208.
Juif, 31, 34, 56, 61, 156.
Justice, 8, 112, 114.

Kantisme, 89.

Langage, 2, 5-29, 43-44, 64, 101, 176, 188-191, 194, 206 ; — artificiel ou volontaire, 23 ; — inné, 174 ; — naturel, 20, 23, 25 ; — primitif, 22-24 ; — révélé, 172.
Langue, 3, 6-7, 9, 11, 13-15, 18, 28, 195, 198 ; — de convention, 26 ; — divine, 11, 19, 26 ; — inspirée, 12 ; — maternelle, 9 ; — primitive, 17-18, 28, 192 ; — universelle, 11, 28 ; — vulgaire, 65.
Lettre, 44-45.
Liberté, 43, 112, 119, 124, 127, 157, 219 ; — intérieure, 57 ; — du moi, 60 ; — morale, 3, 124.
Libre arbitre, 32.
Logique, 18.
Logos, 10, 28.
Loi, 2-3, 26, 54, 58, 97, 122, 128, 153, 201 ; — du devoir, 43, 113-114 ; — divine, 125 ; — de l'esprit et du cœur, 56 ; — de l'esprit humain, 40 ; — innée, 39 ; — mathématique, 5 ; — morale, 8, 27-28, 134 ; — de la nature, 5-6 ; — de la nature humaine, 100 ; — de la pensée, 99 ; — de la raison, 83.
Lumière — innée, 43 ; — intérieure et extérieure, 54 ; — supérieure, 143.

Mal, 4, 12, 28, 32, 42, 48, 219.
Manifestation, 27.
Matérialisme, 91, 137.
Matérialiste, 11, 250.
Mathématique, 130.
Matière, 8, 57-58, 246 ; — organique, 220.
Mécanisme — des sensations, 27.
Mémoire, 210.
Métaphysique, 4, 18, 32, 71, 254.
Miracle, 5-6, 11, 13, 19, 28, 43, 55.
Moi, 2, 8-9, 14-15, 17, 20-22, 32, 38, 57, 74, 80, 83-84, 86, 96, 99-100, 108-110, 117, 119-121, 124, 132-133, 137-138, 149-151, 153-155, 157-158, 160-161, 163, 166-167, 176, 220, 231-232, 234, 239, 248, 251-252 ; — primitif, 27.
Monade, 73.
Monde, 163 ; — moral et intellectuel, 12-13 ; — planétaire, 6 ; — politique, 127 ; — physique, 12-13, 96.
Morale, 28-29, 48, 50, 71, 75, 92-93, 103, 109, 115-116, 121, 123-124, 126-128, 141.
Moraliste, 130.
Mot, 2, 9-10, 18, 25-27, 29, 215.

Motilité, 220.
Mouvement, 3 ; — spontané, 1 ; — volontaire, 21, 27.
Moyen — extraordinaire, 6-7 ; — naturel, 6 ; — surnaturel, 7.
Musulman, 177.

Naturaliste, 130.
Nature, 13, 24-25, 66, 137 ; — animale, 20, 23, 77 ; — extérieure, 72 ; — humaine, 88, 100 ; — intellectuelle et morale, 59, 77-78, 171 ; — mixte, 3, 247 ; — morale, 37, 49-50, 77, 196 ; — physique, 50, 53, 56 ; — rationnelle, 223.
Nihilisme, 50.
Nom, 15.
Non-moi, 8.
Notion, 27-28 ; — commune, 24 ; — innée, 14 ; — intellectuelle, 9, 14, 190 ; — universelle, 27, 77.
Noumène, 8.

Objet, 8, 14, 24-25, 133 ; — de l'esprit, 20 ; — intellectuel, 204 ; — intelligible, 144 ; — sensible, 18, 22.
Opération, 3 ; — de l'esprit, 18-19, 26-27.
Ordre, 8 ; — de la grâce, 44 ; — de la nature, 44.
Organe, 1-3, 168, 199-201, 210-211, 236-239 ; — sensitif, 3, 24 ; — de la vie, 4 ; — vocal, 21.
Organisation, 2, 19, 236 ; — matérielle, 1, 3 ; — sociale, 28 ; — vivante, 2.
Organisme, 138.
Origine, 37 ; — de la connaissance, 10, 27 ; — du langage, 5-29, 46, 207.
Ouïe, 21, 25-26.

Paganisme, 36.
Panthéisme, 117, 119-120.
Paraclet, 143.
Parole, 7, 12, 15-16, 18-22, 26-29 ; — de Dieu, 45, 47, 55.
Passion, 12, 29, 197, 219.
Pensée, 2-3, 14, 27 ; — divine, 11.
Perception, 21, 25, 96, 204.
Péripatétisme, 57, 63, 65-66.
Personne, 15, 21, 23, 27, 112, 119.
Peuple, 15-16, 28.
Phénomène, 8, 201 ; — sensible, 58.
Philosophe, 5-7, 11, 17, 27, 30-106 *passim*.
Philosophie, 4, 8, 12-13, 19, 30-106 *passim*, 154 ; — naturelle, 69-70 ; — première, 70, 83.
Physicien, 58.
Physiologie, 209.
Physique, 37, 69, 72.
Platonisme, 61.
Poésie, 4.
Politique, 49, 124, 128, 130.
Polythéisme, 117-119.
Prééminence de l'âme sur le corps, 3.
Première vie, 244.
Preuve, 80.
Principe, 13, 37, 57, 130 ; — premier, 52, 54, 75.
Progrès, 23.
Providence, 44, 54, 57, 62, 118, 138, 221-222.
Psychologie, 4, 71, 109, 155, 160, 247.
Psychologue, 88.
Pyrrhonien, 30, 105.

Raison, 1, 14, 28, 32-33, 35-38, 42-43, 46-48, 51-55, 57, 60, 62-63, 66-68, 78, 80-82, 86-89, 92-94, 101, 103-104, 108, 112-114, 119, 121, 124-127, 134, 139, 141-142, 147, 165-167, 172-173, 176-178, 197, 214, 223, 225, 231, 234 ; — naturelle, 50, 67 ; — pratique, 60, 94, 103 ; — spéculative, 94 ; — suffisante, 14 ; — suprême, 142.
Raisonnement, 19.
Rapport — abstrait, 8.
Réalité — objective, 8.
Réceptivité suprasensible, 241.
Réflexion, 9, 15, 38, 210, 232.
Réforme, 64-65.
Relation, 15.
Religion, 19, 46, 49-51, 60, 62-64, 67, 71, 75-76, 92-93, 95, 103, 118, 121, 123-124, 126-128, 141, 154, 175, 177-178, 180, 213 ; — universelle, 61.
Réminiscence, 40.
Représentation, 8, 21.
Révélation, 5, 7, 11, 19, 28, 32, 35-40, 42, 44-46, 54-55, 60, 63, 95, 104, 140-143, 145, 155, 175 ; — de conscience, 34 ; — intérieure, 61, 80, 85, 143, 147, 175-176 ; — de tradition, 34.
Révolution, 65.

Sage, 49.
Sagesse, 76.
Scepticisme, 38, 50, 80, 92, 187.
Sceptique, 32, 54, 57, 60, 166.
Science, 9, 10, 32, 35, 81, 83, 86, 109, 129-

131, 162, 214 ; — humaine, 117 ; — morale, 16, 97 ; — de la nature, 69 ; — de la nature morale, 78 ; — philosophique, 4 ; — physique 17, 78 ; — sociale, 49, 97 ; — spéculative, 4 ; — de la vie, 48 ; — universelle, 17, 26.
Seconde vie, 244.
Sens, 8-10, 24, 26, 41, 57, 96, 131-133, 222-226 ; — externe, 24-25, 45, 248, 251 ; — inné primitif, 44 ; — intellectuel supérieur, 240-241 ; — interne, 220 ; — intime, 45, 58, 77, 83, 85, 96.
Sensation, 10, 20, 22-25, 27, 46, 99, 107, 111, 123, 132-136, 138, 195, 250-251, 254.
Sensibilité, 1, 126, 234.
Sentiment, 20, 26, 28, 32, 93, 108, 141, 169, 232 ; — intime, 32 ; — moral, 118-119.
Signe, 2, 9, 11, 13, 15-16, 18, 20-21, 25-29, 44, 46 ; — arbitraire, 19, 193 ; — général et abstrait, 23 ; — intérieur, 23, 193 ; — matériel, 7 ; — naturel, 23 ; — volontaire, 23.
Signification, 18, 20-21.
Société, 7, 9-13, 16, 18-21, 23, 26, 28, 89-91, 94-95, 97-99, 101-103, 105, 115, 128, 177, 191, 196.
Socratisme, 61.
Son, 24, 26 ; — articulé, 7, 18, 21, 24-25, 28-29, 44 ; — inarticulé, 20, 28-29.
Sophisme, 13, 15, 52.
Sophiste, 47-51, 53-54, 56, 76.
Sophistique, 57.
Spéculation, 12.
Spinozisme, 120.
Spiritualiste, 250.
Stoïcien, 57, 91.
Stoïcisme, 61.
Substance, 21, 109, 143 ; — corporelle, 136 ; — pensante, 173.
Sujet, 14, 22 ; — connaissant, 131 ; — pensant, 21, 58.
Sympathie, 15, 245.
Système — du langage, 13 ; — physiologique, 19 ; — des sciences naturelles, 72 ; — de signes, 10, 20, 22 ; — de vérités, 61.

Témoignage, 165-166, 170-175, 178-179, 214.
Théisme, 120.
Théogonie, 53.
Théologie, 64, 66.
Théologien, 44-45, 76.
Tradition, 19, 24, 39, 101, 177.
Transcréation miraculeuse, 45, 98.
Travail — de l'esprit, 18.

Unité — de Dieu, 39.

Valeur — idéale, 18.
Verbe, 149, 152-154, 163.
Vérité, 4, 7-12, 17, 24, 27, 40, 54, 75, 85, 88-89, 92, 96-102, 105, 142, 157, 165, 167-170, 173-175, 179, 208, 221, 244 ; — absolue, 88, 109, 114, 145, 160 ; — dérivée, 86 ; — intellectuelle, 79 ; — d'intuition, 40 ; — morale, 39, 53-55, 79, 105 ; — nécessaire, 125, 130, 213 ; — première, 38-39, 43, 50, 56, 60, 62-63, 74, 76, 78, 80, 84, 87, 93-95, 104 ; — religieuse, 39, 53 ; — révélée, 35 ; — spéculative, 89-90 ; — spéculative de la physique, 12.
Vertu, 86, 115, 228-229.
Vie, 1-2, 134, 150, 222 ; — de l'âme, 159, 233 ; — animale, 1-2, 25, 252 ; — du cœur, 162 ; — de l'entendement, 162 ; — de l'esprit, 157-158 ; — intellectuelle, 1, 123-124, 211, 251-252 ; — de l'intelligence, 173 ; — intérieure, 151, 153, 158, 161 ; — involontaire, 228 ; — du moi, 152 ; — morale, 3 ; — organique, 1, 108, 135, 138 ; — physique, 2-4, 19, 135 ; — des sens, 162 ; — sensible, 211 ; — sensitive, 1, 233, 237, 252-253 ; — sociale, 13 ; — spéculative, 130 ; — supérieure, 1, 135, 156, 224, 234, 252 ; — volontaire, 228.
Virtualité, 40.
Voix, 7 ; — intime de la conscience, 42, 72.
Volonté, 2-4, 6, 20, 81, 86, 138, 168, 204, 219-220, 228, 231.
Vouloir, 88, 212.

TABLE DES MATIÈRES

INTRODUCTION VII

COMMENTAIRES

[EXAMEN CRITIQUE DES OPINIONS DE MONSIEUR DE BONALD] ... 1
[Définition de l'homme] 1
[Origine du langage] 5
[Défense de la philosophie] 30

[FRAGMENTS RELATIFS AUX FONDEMENTS DE LA MORALE ET DE LA RELIGION] 107

MOT DE SOCRATE 129

[NOTE SUR LES DEUX RÉVÉLATIONS] 139

[NOTE SUR L'ÉVANGILE DE SAINT JEAN] 149
Commentaire de Charles Loyson 149
Commentaire de Maine de Biran 153

[NOTES SUR LE DEUXIÈME VOLUME DE L'*ESSAI SUR L'INDIFFÉRENCE EN MATIÈRE DE RELIGION* DE L'ABBÉ DE LAMENNAIS] 165

MARGINALIA

SUR LES *RECHERCHES PHILOSOPHIQUES* DE M. DE BONALD 185

SUR LES DEUX PREMIERS VOLUMES DE L'*ESSAI SUR L'INDIFFÉRENCE EN MATIÈRE DE RELIGION* DE L'ABBÉ DE LAMENNAIS 213

FRAGMENTS

NOTE POUR LE CHAPITRE DU DÉSIR 219
[EXRAITS DE PROCLUS] 221
[FRAGMENT SUR MARC AURÈLE] 231
[SUR CERTAINS PASSAGES DE PLOTIN] 233
[NOTE SUR DE BONALD] 236
[NOTE SUR DE MAISTRE] 240
[NOTE SUR L'ACTE DE LA RÉFLEXION] 242

[LETTRES SUR L'AMOUR] 243
[NOTE SUR SAINT AUGUSTIN] 249

NOTES DE L'ÉDITEUR 255

BIBLIOGRAPHIE 267

INDEX DES NOMS 269

INDEX DES MATIÈRES 273

TABLE DES MATIÈRES 279

Photocomposé en Times de 10
et achevé d'imprimer en Septembre 1987
par l'Imprimerie de la Manutention à Mayenne
N° 9924